CANETTI
O TEATRO TERRÍVEL

Coleção Textos – Dirigida por
João Alexandre Barbosa
Roberto Romano
Trajano Vieira
J. Guinsburg

Equipe de realização – Tradução: Ruth Röhl; Revisão: Olga Cafalcchio de Oliveira; Assessoria editorial: Plinio Martins Filho; Ilustrações: Rita Rosenmayer; Capa: Adriana Garcia; Produção: Ricardo W. Neves e Adriana Garcia.

CANETTI
O TEATRO TERRÍVEL

ELIAS CANETTI

EDITORA PERSPECTIVA

Título do original em alemão:
Dramen

Copyright © 1964, 1974, 1995 by Elias Canetti, Zürich

Todos os direitos dessa edição à Carl Hanser Verlag
München Wien.

Direitos reservados para o Brasil à
EDITORA PERSPECTIVA S.A.
Av. Brigadeiro Luís Antônio, 3025
01401-000 – São Paulo – SP
Telefone: (0--11) 3885-8388
Fax: (0--11) 3885-6878
2000

SUMÁRIO

Cronologia 9

O Teatro do Terrível: Canetti – *Roberto Romano* 13

O CASAMENTO 21

COMÉDIA DA VAIDADE............................. 85

OS QUE TÊM A HORA MARCADA 193

CRONOLOGIA

1905 – Nasceu em 25 de julho em Ruse, Bulgária. Primeiro filho de Jaques e Mathilde Canetti. Língua materna: ladino (dialeto judio-espanhol).
1911 – A família muda-se para Manchester, Inglaterra. Primeiras letras em inglês.
1912 – Morte prematura do pai. A guerra irrompe nos Balcãs.
1913 – Sua mãe parte para Viena com os três filhos menores. Aulas de alemão com a mãe. Escola elementar em Viena.
1914 – Início da Primeira Guerra Mundial.
1916 – A família muda-se para a Suíça. Freqüenta uma escola distrital de Zurique até 1921.
1921 – A família muda-se para a Alemanha. Aluno da escola secundária de Frankfurt.
1922 – Entra no Curso Superior.
1924 – Gradua-se (*Abitur*) em Frankfurt. Retorna a Viena. Estuda Química. Assiste às conferências do escritor e crítico austríaco Karl Kraus que exercem influência decisiva sobre ele.
1925 – Primeiro esboço de um livro sobre a psicologia da multidão.
1927 – 15 de julho: a Lei Vienense, incêndio do Tribunal.
1928 – Visita Berlim. Encontra George Grosz, Brecht, Isaac Babel e outros intelectuais e artistas alemães e estrangeiros.

1929 – Recebe o doutorado em Viena com a dissertação "Sobre a Percepção do Butilcarbinol Terciário". Traduz obras de Upton Sinclair para a Malik-Verlag.

1930/1931 – Trabalha no romance *Die Blendung*.

1932 – Sai do prelo a peça *Die Hochzeit* (*O Casamento*). Encontra-se com Herman Broch.

1934 – Sai *Komödie der Eitelkeit* (*Comédia da Vaidade*). Casa-se com Veza Taubner-Calderon.

1935 – Publica *Die Blendung*. Traduzido para o português como *O Auto-de-Fé*, editado pela Nova Fronteira.

1938 – Hitler ocupa a Áustria; em novembro Canetti emigra, através de Paris, para a Inglaterra e fixa-se em Londres.

1939 – Durante as duas décadas seguintes concentra-se no trabalho sobre *Masse und Match* (*Massa e Poder*).

1946 – Publicação da versão inglesa de *Auto-de-Fé*, em tradução de C.V. Wedgwood, lançada nos Estados Unidos, em 1947, sob o título *The Tower of Babel*.

1949 – Recebe na França o Prix Internationale.

1950 – *Die Affenoper* (*A Ópera Simiesca*), drama.

1952 – Recebe a cidadania britânica. Sai *Die Befristeten* (*Os que Têm a Hora Marcada*).

1953 – *Fritz Wotruba*, biografia de Fritz Wotruba acompanhada de ensaios.

1954 – *Die Stimmen von Marrakesch. Aufzeichnungen einer Reise* (*As Vozes do Marrocos. Anotações de uma Viagem*), editado em 1968 em Munique, traduzido em 1978 para o inglês.

1956 – Estréia da peça *Os que Têm a Hora Marcada*, em Oxford.

1960 – *Massa e Poder* primeiro volume é publicado em Hamburgo e traduzido para o inglês em 1962. Em 1986, é editado em português pela Editora da Universidade de Brasília e Melhoramentos e em nova edição, pela Companhia das Letras, em 1995.

1962 – *Alle vergeudete Verehrung. Aufzeichnungen 1949-1960.* (*Todas as Dissipadas Venerações. Anotações 1949-1960*) e *Welt im Kopf* (*Mundo na Cabeça*). Edições de coletâneas de ensaios e obras.

1963 – Morte de Veza Canetti.

1964 – As três peças *O Casamento*, *Comédia da Vaidade* e *Os que Têm Hora Marcada* são reunidas em livro e editadas na Alemanha; sob o título geral de *Canetti: O Teatro Terrível* são traduzidas e publicadas em português pela Editora Perspectiva, em 2000.

1965 – *Aufzeichnungen 1942-1948* (*Anotações 1942-1948*) saem do prelo. A encenação de *O Casamento* provoca um escândalo teatral.
1968 – Recebe o Grande Prêmio Austríaco de Estado.
1969 – *Der andere Prozess. Kafkas Briefe an Felice*. Sob o título de *O Outro Processo de Kafka* é editado na Inglaterra, em 1974. Recebe o Prêmio de Literatura da Academia de Belas-Artes da Baviera.
1971 – Casa-se com Hera Buschor. Recebe o Prêmio de Literatura do Círculo Cultural da Indústria Alemã.
1972 – Nasce sua filha Johanna. Recebe o Prêmio Büchner em Darmstadt. *Die gespaltene Vernunf* (*A Razão Cindida*), coletânea de artigos e palestras.
1973 – *Die Provinz des Menschen, Aufzeichnungen 1942-1972*, (*A Província do Homem, Anotações 1942-1972*), com o título de *A Província Romana* é vertida para o inglês em 1978.
1974 – *Der Ohrenzeuge. Funfzig Charaktere* (*Testemunha de Ouvido: Cinqüenta Caracteres*), aparece em inglês, em 1979.
1975 – Recebe o Prêmio Nelly Sachs e o Franz-Nabel. Doutor Honoris Causa em Manchester e em Munique. *Das Gewissen der Worte* (*A Consciência das Palavras*), ensaios reunidos e publicados esparsamente e *Macht und Überleben* (*Poder e Sobrevivência*), treze ensaios.
1976 – *Der Beruf des Dichters* (*A Vocação do Poeta*). Sai em português, sob o título *A Consciência das Palavras*, editado pela Companhia das Letras, em 1999.
1977 – *Die gerettete Zunge. Geschichten einer Jugend*, traduzido em 1979 para o inglês. A edição brasileira, sob o título: *A Língua Absolvida – História de uma Juventude*, é lançada pela Companhia das Letras em português, em 1987. Recebe o Prêmio Gottfried – Keller.
1979 – Recebe a Ordem "Pour le Mérite" em Bonn.
1980 – Recebe o Prêmio Johann-Peter-Hebel. *Die Fackel im Ohr. Lebensgeschichte 1921-1931* (*O Facho no Ouvido, Uma História de Vida 1921-1931*), vertido em 1982 para o inglês. É traduzido em 1988 pela Companhia das Letras, sob o título *Uma Luz em meu Ouvido – História de uma Vida*.
1981 – Recebe Prêmio Kafka e o Nobel de Literatura, na ocasião ressalta; os seus vínculos com as obras de Karl Krauss, Franz Kafka, Robert Mussil e Herman Broch.

1983 – Recebe a Grande Cruz do Mérito da República Federal Alemã. Chega a 25 o número de línguas em que estão traduzidos os livros de Elias Canetti.
1985 – *Das Augenspiel. Lebensgeschichte 1931-1937*, traduzido em 1990 para o inglês. *O Jogo dos Olhos – História de uma Vida* é editado pela Companhia das Letras, em 1990, em português.
1987 – *Das Geheimherz der Uhr. Aufzeichnungen 1973-1985* (*O Segredo do Relógio*), traduzido para o inglês em 1989.
1990 – Canetti muda-se para Viena.
1992 – Sai a edição de *Die Fliegenpein, Aufzeichnungen* (*A Agonia das Moscas: Anotações*).
1993 – Sai a edição de *Aufzeichnungen 1942-1985*, (*Anotações 1942 – 1985*).
1994 – Sai a edição de *Nachträge aus Hampstead*. Canetti morre em Zurique, em 14 de agosto.
1995 – Sai a edição póstuma de *Wortmasken* (*Máscaras Verbais*).

O TEATRO DO TERRÍVEL: CANETTI

*Roberto Romano**

Meditando sobre a imortalidade literária, Elias Canetti referiu-se a Stendhal e à grande autonomia daquele escritor diante de toda mística. A única fé de quem escreveu *O Vermelho e o Negro* residia na certeza de se dirigir para alguns poucos, sabendo que muitos o leriam no futuro. Quem assim opera, sente desprezo pelos que usufruem uma glória instantânea e a exibem vaidosa e tolamente. Stendhal teria feito algo muito próximo ao vivido por Maquiavel: o italiano afirmava que, após um dia comum, vestia as melhores roupas, entrando em seu escritório para conversar com Platão e Aristóteles. Deste modo, *O Príncipe* entrou para a lista onde brilham a *República* e a *Ética a Nicômaco*. Nas palavras de Canetti, o escritor profundo opta pela companhia dos que produzem obras lidas ainda hoje "daqueles que falam conosco, dos quais nos nutrimos". O reconhecimento que sentimos em relação a eles "é uma gratidão pela própria vida".

Mais adiante, em *Massa e Poder*, é definido o símile entre o escritor imortal e o político. Este último, para garantir seu mando efêmero, arrasta para a morte tudo o que o cerca. Os poderosos

---

* Professor de Filosofia na Unicamp. Autor de *Conservadorismo Romântico. Origem do Totalitarismo*, São Paulo, Unesp, 1997, 2 ed., e de *Silêncio e Ruído. A Sátira em Denis Diderot*, Campinas, Ed. Unicamp, 1997.

"matam em vida, matam na morte, um séqüito de mortos os acompanha para o além". O contrário ocorre com o escritor fecundo, digno filho da Humanidade: quem abre hoje, amanhã e durante séculos

um volume de Stendhal torna a encontrá-lo juntamente com tudo o que o rodeava, e o encontra aqui nesta vida. Assim, os mortos se oferecem aos vivos como o mais nobre de todos os alimentos. Sua imortalidade acaba sendo proveitosa para os vivos; nesta reversão da oferenda aos mortos, todos acabam sendo beneficiados. A sobrevivência perdeu seus aspectos negativos e o reino da inimizade chega ao fim[1].

Se *O Príncipe* sobrevive indefinidamente, partilhando a memória dos povos com algumas poucas obras geniais, *Massa e Poder*, e vários outros escritos de Elias Canetti foram postos no escrínio delicado onde os leitores dignos nutrem tanto a alma quanto o intelecto. Como os grandes autores políticos e morais, Canetti, o ladino do século XX, para realçar os lados nobres do ser humano, pintou zonas sombrias do espírito coletivo, também mostrando os planos mais desprezíveis do *ridicolosissimo eroe*, seguindo a exclamação de Pascal. Platão zombou muito dos homens[2] Aristóteles se interessou pelo riso, Pascal escreveu o insuperável tratado prático da caçoada, as *Provinciais*. Até mesmo Hobbes, aparentemente um inimigo da ironia risonha, utilizou a sátira como estratégia persuasiva, e enquanto meio para adquirir saberes sobre a imensa e gaiata família humana[3].

Seguindo os passos dos seus predecessores, Elias Canetti escreveu sátiras violentas sobre a cultura humana. A crítica apenas começa a explorar este veio nos seus textos. Já foram esboçados trabalhos sobre os nexos entre Nietzsche e Canetti, justamente ao redor do humor e da sátira[4]. Este não é o lugar para uma análise dos livros recentes sobre semelhante tema. Irei apenas indicar alguns prismas, interligando o pensador às grandes correntes espirituais que alimentam a reflexão sobre a ética e a filosofia modernas.

1. "A Respeito da Imortalidade", in *Massa e Poder*, Trad. Krestan, R., Brasília, Ed. Univ. de Brasília/Melhoramentos, 1986, pp. 308-309.
2. W. Pater, *Plato and platonism*, Caravan Library, 1934, Cf. H. Trevor-Roper, *Il Rinascimento*, Laterza Bari, 1985, p. 44.
3. Quentin Skinner, *Razão e Retórica na Filosofia de Hobbes*, São Paulo, Unesp, 1999.
4. Harriet Murphy, *Canetti and Nietzsche: Theories of humour in Die Blendung*, Nova York, State Univ. of New York, 1996.

Todos se lembram, com espanto, do manifesto contra a cultura livresca, *O Auto-de-Fé*. Alí, vermes pedantes, os filólogos em especial, recebem a justiça que merecem. Nas suas memórias, Canetti insere momentos de ironia glacial, esclarecendo suas preferências no teatro. Para ele, o palco não aceita mais nenhum intimismo e nenhuma tese filosófica que vampirizaria as personagens, ao modo de Jean-Paul Sartre. Aristófanes foi o autor predileto de Canetti em termos de comédia. A crueldade exibida pelo aristocrático ateniense, "oferecia a possibilidade, para mim, de fornecer uma coerência ao que explode em mil fragmentos".

Para Elias Canetti, portanto, nada de pequenas subjetividades lambendo feridas ou acariciando o próprio coração. O indivíduo nem sequer merece caçoadas. "Apenas o que é específico do coletivo me parece digno de ser representado no teatro. O aspecto cômico que visa tal ou qual particular, mesmo que a comédia seja boa, sempre me inspira um pouco de vergonha." E continua ele:

> A comédia, para mim, só tem vida, como nos seus inícios com Aristófanes, através de seu interesse geral, pelo olhar que ela joga sobre o mundo como ele é, na complexidade de suas relações internas. A comédia deve ir [...] às fronteiras da loucura, estabelecer vínculos, rompimentos, metamorfoses, confrontos, inventar novas estruturas fazendo nascer novas idéias, não se repetir, não deixar nada barato, exigir o máximo do leitor, sacudi-lo, esgotá-lo[5].

Seguindo semelhante diretriz, e unindo-se aos grandes gênios da ética que, justo por isto, se dedicaram à sátira do ser humano, Elias Canetti, na lancinante coletânea de peças que a Editora Perspectiva oferece ao público brasileiro, aprofunda alguns temas que atravessam todos os seus textos, os quais, por sua vez, recolhem as mais inóspitas paisagens do espírito humano. Numa confissão expressiva, nosso autor afirmou: "Admiro Hobbes por seu poder de falar sobre o terrível". Nos textos teatrais aqui reunidos, cada cena traz o selo do mais insuportável e terrificante sublime. *Os que Têm a Hora Marcada*, expõe cruamente o tempo humano, a morte e o medo, o assassinato universal, a lei. No fim, o leitor imagina sua reação diante de um palco, onde a loucura adquire face racional. Sem concessões, Canetti arranca da memória coletiva as feridas mais dolorosas, geradas pelos Inquisidores, pelos nazistas, pela

---

5. *Die Fackel im Ohr. Lebengeschichte*. Uso a tradução francesa de M-F. Demet, *Le Flambeau dans l'Oreille. Histoite d'une Vie*, Paris, Albin Michel, 1982, pp. 63-64.

obediência das massas diante de facínoras que apenas "cumprem" os ditames dos poderosos. E tudo aparece de modo prosaico, sem grandiloquência. Hobbes se esconde em cada fala desta peça. Terminando sua leitura, recordamos de imediato o que diz Canetti sobre o verdadeiro autor satírico, o qual

permanece terrível ao longo dos séculos. Aristófanes, Juvenal, Quevedo, Swift, sua função é designar os limites humanos, ultrapassando-os impiedosamente. Ele joga os homens num tal medo que isto os empurra para além de seus limites[6].

Em *O Casamento*, a vida humana aparece unida à temática do núcleo familiar e da propriedade, bases do homem dito moderno. Não por acaso, um dos elementos centrais do escrito é o papagaio, símbolo do sujeito humano imerso na mais profunda tolice, a *bêtise* explorada até o insuportável por Flaubert, outro irmão gêmeo de Canetti. O papagaio é o perfeito ícone da repetição, remetendo os ouvidos para as palavras de ordem, as frases feitas que naturalizaram o mercado e a família, resultando não raro em teratologias, como os três "K" nazistas para anunciar o destino da mulher. A propriedade é defendida pelos donos do saber e da potência mundial, mesmo com o risco de uma nadificação pior do que todas as catástrofes já enfrentadas pelos entes humanos. O inventor da Bomba de nêutrons, por exemplo, considera lícito o uso daquele artefato, "para proteger a propriedade privada"[7].

A mais terrível das peças escritas por Canetti e hoje publicadas em nossa língua, entretanto, no meu entender, é *Comédia da Vaidade* (*Komödie der Eitelkeit*). O título, de tradução complexa para o português[8], resume toda a história da reflexão ética ocidental. Nela, o autor sintetiza, com precisão milimétrica, as grandes lições dos moralistas gregos e latinos, unindo-as rigorosamente às formas bíblicas. Destas fontes, ele segue para a consciência moderna, identificada com o tempo dos relógios e dos espelhos. O texto começa com um "nós", repetido como ladainha hipnótica, e termina com a palavra "Eu", berrada no interior da massa anônima. O ins-

6. Elias Canetti, *Le Territoire de l'Homme*, Paris, Albin Michel, 1978, p. 298.
7. *Folha de S. Paulo*, 13.9.1981, p. 14.
8. A tradução francesa, *Comedie des Vanités*, por exemplo, ajuda bastante a entender a polissemia, árdua em português, carregada pelo termo alemão, como veremos adiante.

trumento especular é o "personagem" efetivo do trabalho. O espelho reúne em si mesmo as idéias antitéticas mas complementares da sabedoria e da tolice. Como assinala Jurgis Baltrusaitis[9] ele foi utilizado como emblema da virtude e como sinal de loucura. Canetti explora ao máximo, com recursos novos, a velha imagem especular. Superfície polida, isto é, cultivada[10] nas escolas, do primário às universidades, e pelos meios de comunicação de massa, a consciência moderna que se reflete no "público médio", é o máximo da tolice e da vaidade.

Na peça, os espelhos são continuados pelas fotografias, jogando Elias Canetti com o imenso acúmulo crítico da modernidade, o qual fortaleceu a recusa platônica das imagens. Basta que se lembre Baudelaire: com a fotografia

la société immonde se rua, comme un seul Narcisse, pour contempler sa triviale image sur le métal. Une folie, un fanatisme extraordinaire s'empara de tous ces nouveaux adorateurs du soleil...[11].

Um dos iniciadores da modernidade, mas dela crítico feroz, Rousseau, retomou o platonismo contra as imagens e o palco, numa peça teatral notável. Impossível amar a cidadania e mesmo satisfazer o erotismo entre homem e mulher, pensa o autor do *Contrato Social*, sem abandonar o próprio ego: "[...] quand on aime bien, on ne songe plus à soi-même"[12]. A interdição dos espelhos e das fotos é recorrente ao longo da *Comédia das Vaidades*, retirando o autor deste motivo surpreendentes perspectivas da subjetividade vazia.

A crítica do narciso coletivo é uma arte que vem sendo aprimorada desde a Grécia (a referência de Canetti a Aristófanes e à linha-

---

9. *Le Miroir, révélations, science-fiction et fallacies*, Paris, Seuil, 1978.
10. Hegel foi o grande profeta deste "cultivo" que realiza o polimento dos indivíduos, transformando-os em espelhos do coletivo, o universal. "Pela mediação da noção hegeliana de gênero, somos enviados a uma concepção bem determinada do que deve ser a 'formação' do homem: na linha de Hegel, ela só poderia ser um 'aplainamento', um apagar de todas as diferenças que separam os indivíduos, estes átomos turbulentos, sempre rebeldes à boa totalização ética", Gérard Lebrun, "Surhomme et Homme Total", in *Revista Manuscrito*, vol. 11, n. 1, 1978.
11. "Salon de 1859", in *Oeuvres Complètes*, Paris, Laffont, 1980, pp. 748-749.
12. "Narcisse, ou l'Amant de Lui-Même", in *Oeuvres Complètes de Rousseau*, Paris, Gallimard (Pléiade), vol. 2, p. 1018.

gem dos grandes satíricos mostra-se decisiva) fincando raízes também na cultura bíblica. "Vanitas vanitatum... et omnia vanitas"[13]. Talvez nenhum refrão seja mais repetido, e no entanto mais eficaz para descrever a tolice humana, insuportável quando o intelecto reflete a si mesmo, entenebrecendo o mundo e seus fundamentos. A glória, a vanglória, o saber arrogante que se confunde com a ignorância, as análises de tudo isto foram potenciadas ao máximo no encontro, durante o helenismo, entre a cultura grega e judaica. Renascença e Reforma, ambas mergulhando nas águas mais profundas da Grécia e do povo israelita, levantaram monumentos literários onde, até hoje, brilha a mais fina ironia já lançada sobre os habitantes irritadiços de Babel.

Poucos filósofos captaram de modo certeiro a tolice social, como Montaigne. A vaidade, a *levitas* do vulgo estólido, é fonte de loucura e de tirania sem par. Contra ela, todos os recursos devem ser aplicados. Retomando a crítica do *Gorgias* platônico à retórica, Montaigne constata o inescapável plano coletivo da *vanité*:

la bestise et facilité qui se trouve en la commune, et qui la rend subjecte à estre maniée et contournée par les oreilles au doux son de cette harmonie, sans venir à poiser et connoistre la verité des choses para la force de la raison, cette facillité, dis-je, ne se trouve pas si aisément en un seul...[14].

Lutero, na *Bíblia* que modelou a língua alemã, grafa a *Vanitas*[15] com o termo que irá definir o misto de desengano e gloríola das modernas subjetividades : *eitel*[16]. O vocábulo, a melancolia e a sátira que ele evoca, muito próximas da Loucura erasmiana, foi um pon-

13. Este poema deslumbrante e desalentado foi refeito em nossa língua por Haroldo de Campos, revestindo o Eclesiastes com a roupagem hebraica que define sua diferença face à tradição latina. *Vanitas*, ou *Névoa-nada* remetem à triste reserva diante da estultice humana. Leia-se o esplêndido ensaio de Campos, no volume 1 onde foi publicada a sua tradução. Cf. Campos, H: *Qohélet/O-que-Sabe: Eclesiastes*. São Paulo, Perspectiva, 1990, em especial, p. 35, onde o tradutor indica a presença, no texto, de importantes traços irônicos.

14. "De la vanité des paroles", "Essais", in *Oeuvres Complètes*, Paris, Gallimard, La Pléiade, 1962, p. 293.

15. *Vanitas*, que por sua vez reproduz na língua latina a palavra *mate*, a loucura ou erro, falsidade, sandice, fala supérflua e superficial, donde o *mataiotes* grafado na "Septuaginta" (Cf. Deutsche Bibelgesellschaft Stuttgart, 1979, p. 238).

16. "Es ist alles ganz eitel...", *Lutherbibel erklärt, Die Heilige Schrift in der Übersetzung Martin Luthers*, Deutsche Bibelgesellschaft, Stuttgart, 1987, p. 1002.

to estratégico no teatro, na poesia, na prosa e nas artes barrocas, em especial na Alemanha: "Du sihst / wohin du sihst nur eitelkeit auff erden..."[17]. A experiência do Nada, o lote dos indivíduos e povos na terra, e a crítica da *Eitelkeit*, chegaram ao máximo, em termos literários, com o romantismo. O mundo moderno, instaurado pela Razão das Luzes, o progresso, as melhorias sociais e políticas, mas sobretudo a liberdade baseada no conhecimento científico seriam apenas tolice e palavras soltas ao vento, Eitelkeit...[18]

Hegel, o pensador que mais gravemente nivela os indivíduos, prendendo as subjetividades particulares ao "belo" Todo, captura, através de uma pilhagem do Sobrinho de Rameau diderotiano, a tolice na cultura massificada. Para que se efetive a pretensão do indivíduo ao genial auto-centramento narcísico, como no caso do músico vagabundo que "entassait et brouillait ensemble trente airs italiens, français, tragiques, comiques, de toutes sortes de caractères", é necessário que nada mais no espírito coletivo seja estável e sólido. A individualidade auto-centrada é um corrosivo que ameaça os liames sociais. A consciência do *Ego* representa apenas "a tolice que só escuta a si mesma". O mundo moderno é sandice e loucura, e o indivíduo, seu filho e genitor ao mesmo tempo, é simples *Eitelkeit*[19].

Em semelhante mundo, como num espelho mágico, tudo aparece de cabeça para baixo, invertido e pervertido, explicitando-se como "um Eu que é um Nós". Lendo-se a *Comédia da Vaidade*, é possível notar que tal itinerário é refeito, mas agora sem nenhuma promessa hegeliana de repouso conciliador ou epifania do Absoluto racional, no divino Estado que tudo corrigiria, da visão especulativa aos menores atos.

Elias Canetti, portanto, ao escrever estas peças, reúne um tesouro milenar de análises e críticas, escalpelando o animal humano que, ao abandonar os árduos caminhos do saber, renuncia à imortalidade e se espoja na gloríola e se derrete no tempo, diante do espelho embaçado de sua própria consciência. Ler Elias Canetti é uma experiência dolorosa, mas que sempre gratifica no final. Os escritos

17. Andreas Gryphius, "Es ist alles eitell".
18. *Os Hinos à Noite*, de Novalis, especialmente o de número 5, espelham esta crítica às Luzes, de modo impiedoso. Cf. Roberto Romano, *Conservadorismo Romântico*. Origem do Totalitarismo, São Paulo, Unesp, 1997, 2. ed., p. 130.
19. G. W. F. Hegel, *Phänomenologie des Geistes. Werke in zwanzig Bänden*, F.A.M. Suhrkamp, 1970, vol. 3, pp. 386-387.

da presente coletânea exibem o delírio das ocas subjetividades, e seguem para mais longe, pois mostram a sociedade que as gerou, com todas as suas mazelas. E não mais existe salvação trazida pelo organismo estatal. Os nazistas e seus irmãos "de esquerda" demonstraram toda a loucura e vacuidade presentes na *Raison d'État*. Impiedoso Canetti? Ou perversas formas humanas? O filósofo exibe, nos seus romances, teatro, memórias, e sobretudo na obra-prima, *Massa e Poder*, o inferno da vida social. Recordemos umas frases do escritor, das mais terríveis dentre todas as que ele grafou, que talvez forneçam a chave para entendermos seu teatro:

> A invenção do inferno é a maior das monstruosidades, e é difícil compreender que se possa esperar dos homens algo bom, após esta invenção. Não seriam eles forçados a sempre inventar novos infernos?[20]

---

20. *Le Territoire de l'Homme*, edição citada.

O Casamento

*Personagens**

Prólogo

    A Gilz, Dona da Casa
    Toni, sua Neta
    Lori, um Papagaio
    Thut, Professor
    Leni, sua Esposa
    O Bebê
    Anita, uma Moça Mais Fina
    Peter Hell (Iluminado), Moço com Buquê de Flores
    Gretchen, Mulher de Negócios
    Max, um Homem
    Franz Josef Kokosch, Porteiro da Casa
    Sua Mulher Moribunda
    Sua Filha Idiota Pepi

---

* Os nomes das personagens têm um significado específico, que aparece aqui traduzido entre parênteses para a informação do leitor, tendo sido, porém, mantido as denominações originais.

O Casamento

    Superintendente de Obras Segenreich (Boaventura), Pai da Noiva
    Johanna, Mãe da Noiva
    Christa, a Noiva
    Karl, seu Irmão no Terceiro Semestre de Medicina
    Mariechen, a Mais Jovem, de Catorze Anos
    Diretor Schön (Lindo), um Amigo
    Horch (Perspicaz), um Idealista
    A Viúva Zart (Delicada)
    Dr. Bock (Bode), Médico da Família, Octogenário
    Gall (Melancólico), Farmacêutico
    Monika Gall, sua Esposa
    Rosig (Rosado), Fabricante de Caixões de Defunto
    Anita
    Pepi Kokosch
    Toni Gilz
    Michel, o Noivo

Prólogo em Cinco Quadros

QUADRO I

A Gilz, dona da casa, sua neta Toni, Louro, um papagaio. Uma senhora encurvada, de cabelo branco e aspecto amável senta-se junto a uma mesa alemã antiga e tricota. Sua sala tem vidros redondos, chumbados. Uma gata brinca com o novelo de lã. Um papagaio guincha. Entra correndo uma jovem de tranças loiras, olhos azuis, com movimentos delicados, femininos, algo exuberantes.

Toni – Vovozinha! Vovozinha!
A Gilz – É você, filhinha?
Toni – Sim, sou eu, corri tanto! Na escadaria há um homem, ele está completamente bêbado. Quis me beijar.
A Gilz – Mas, mas, filhinha.
Toni – Não pude evitar! A boca dele tinha gosto de vinho. Saí correndo.
A Gilz – Você não se deixou beijar, não é?
Toni – Pússi já está brincando de novo com a lã! Bem que você quer! Piss! Piss!
A Gilz – Deixe a gata em paz!
Toni – Vá embora, não gosto de você!

A Gilz – O que é que você tem a todo o instante com a gata?
Toni – Esses bichinhos são resistentes. Têm sete vidas. Quando caem, caem sempre de pé. O que ela quer com a lã? Sempre com a lã. Tricotar você não sabe. Agora já está velha, Pússi!
A Gilz – Deixe a gata em paz!
Toni – Acabou, não tem mais a brincadeira do novelo, Pússi. Agora todos viram o rosto. A gente se sente mal, só de te ver! Vovó, vovó, como está se sentindo hoje?
A Gilz – Melhor.
Toni – Melhor?
A Gilz – Muito melhor.
Toni – Mas vovó, ontem você disse que se sentia tão mal, quase morrendo. E as dores na coluna que tinha. Não está agüentando mais, você disse. Sempre essa falta de ar, e o coração doente. Precisamos do coração, você disse, sem um coração sadio não se vai longe, e o médico é da mesma opinião.
A Gilz – Hoje estou melhor.
Toni – Vovó, sabe, ainda ontem com os pés inchados, você não conseguiu se levantar.
A Gilz – Hoje eu posso.
Toni – Vovó, acho que está mentindo. Porque andar você não consegue.
A Gilz – Consigo, sim.
Toni – Mostre, ande!
A Gilz – Não quero.
Toni – Viu só, a todo instante você diz disparates!
A Gilz – Em minha casa posso falar como quero.
Papagaio – Casa, casa, casa.
Toni – Ei, o Louro! Já está começando, safado!
Papagaio – Casa, casa, casa.
Toni – Vovó, aquela mulher do porteiro do apartamento de baixo está morrendo. Acabo de vê-la. Sua aparência, eu lhe digo, é de virar a cara, uma caveira é mais bonita.
A Gilz – Ela já é velha.
Toni – Está agonizandohá uma semana e não morre. O porteiro, seu marido, reza e grita, de tão desesperado que está.
A Gilz – Ela já não consegue dizer uma palavra. Está muito velha.
Toni – O que você acha, que idade ela tem, vovó?
A Gilz – Já deve ter quase setenta e cinco anos!
Toni – Você é mais nova, não é, vovó?

A Gilz – Tenho 73. Pode fazer a conta. Ela é doze anos mais velha.
Toni – Dois anos, você quer dizer.
A Gilz – Doze. De 73 a 75, são 12.
Toni – São dois. Você não sabe nem contar, vovó.
A Gilz – Como não. Você é que não sabe. São doze.
Toni – Não, dois.
A Gilz – Doze, doze!
Toni – Não vou mentir só por ser você, vovó.
A Gilz – Gostaria de conhecer o professor de matemática que você teve.
Toni – Sabe de uma coisa, vamos perguntar a alguém. Ao professor de ginásio que mora aqui ao lado.
A Gilz – Não.
Toni – Não diga!
A Gilz – Em minha casa eu faço contas como quero.
Papagaio – Casa, casa, casa.
Toni – Vovó, está ouvindo algo? Não, continua não ouvindo nada.
A Gilz – Ouço, sim.
Toni – Não acredito em você. Vamos, diga o que está ouvindo agora.
A Gilz – Um trovão é que estou ouvindo.
Toni – Em dezembro, um trovão! Um trovão em dezembro! Sim, vovozinha, você está completamente surda. Pois essa é a música do casamento no primeiro andar. A Christa Segenreich se casou hoje.
A Gilz – Não é nenhum casamento. Ouço trovões.
Toni – Também quero uma música assim, quando me casar. Eles têm seis músicos de uma vez.
A Gilz – Não é verdade.
Toni – Está ouvindo?
A Gilz – Ouço um trovão.
Toni – Agora você já está completamente surda.
A Gilz – Em minha casa eu ouço o que quero.
Papagaio – Casa, casa, casa.
Toni – Sabe, é uma pena, vovó, que você não vai estar mais aqui quando eu me casar. Em compensação, ganho a casa, não é, vovó, e meu marido não importa quem seja e eu vamos nos lembrar sempre de você.
A Gilz – O que você disse, minha neta?
Toni – Não é, a casa eu vou ganhar, não é avozinha?
A Gilz – Não estou entendendo. Não ouço nada.
Toni (*mais alto*) – Quando você não estiver mais aqui, a casa!

PAPAGAIO – Casa, casa, casa.
A GILZ – O Louro está berrando tanto. Não ouço nada.
TONI – A casa, estou dizendo a casa.
PAPAGAIO – Casa, casa, casa.
TONI – Agora você vai calar o bico, papagaio safado!
A GILZ – O que você tem contra o Louro, ele é tão bonzinho.
TONI – Não o suporto, o vagabundo, quando você não estiver mais aqui, vou estrangulá-lo. Não está me entendendo, a casa! A casa!
PAPAGAIO – Casa, casa, casa.
TONI – Sempre venho visitá-la. Sempre venho ver como está. A Rosa nunca vem. Gostaria pelo menos que me deixasse a casa. A Rosa não precisa da casa. A Rosa já tem um homem!
PAPAGAIO – Casa, casa, casa.
TONI – Será que não me entende? (*Chorando.*) A casa! Casa! Casa!
PAPAGAIO – Casa, casa, casa.
TONI – Todo dia é a mesma história com o papagaio. Casa, casa, casa!
PAPAGAIO – Casa, casa, casa! (*Ambos cada vez mais alto, um grita mais alto que o outro, a moça sai correndo e soluçando.*)
A GILZ (*Parou de tricotar durante a barulheira, pôs uma mão no ouvido e olhou para a neta com a cara mais incompreensível do mundo. Nem bem a moça saiu, o papagaio se cala. A velha se levanta, caminha com dificuldade até a gaiola e enfia um dedo no bico da ave.*) – Ainda estou viva.

QUADRO II

Professor Thut, de trinta anos, sua esposa Leni, da mesma idade, o bebê de ambos.

Um quarto de dormir. De pé diante do pequeno berço branco do filho, os pais, cochicham alto e animados.
O professor tenta se curvar, não consegue de todo.
Ele é muito alto e meio rígido para sua idade.
Sua pequena esposa se abaixa e se
endireita sem parar. Ela tem
algo da criança de que cuida;
contudo é muito lúcida.

Leni – Por favor, por favor!
Thut – Devo explicar-lhe isso, Magdalena?
Leni – Por favor!
Thut – Vai me escutar até o final!
Leni – Sim, meu amor !
Thut – Comporte-se com calma. Você vai acordá-lo.
Leni – Eu, acordá-lo? Eu, tirar meu docinho do sono?
Thut – Então vai me escutar, Magdalena? Em primeiro lugar, uma pergunta: O que pensa quando olha para ele?
Leni – Dormindo?
Thut – Exatamente, dormindo, como está agora diante de você. O que pensa?
Leni – Na verdade, penso sempre a mesma coisa.
Thut – E o que é?
Leni – Que se parece muitíssimo com você.
Thut – Sou da mesma opinião. Tem, por exemplo, meus olhos.
Leni – Como dorme!
Thut – Não o acorde! Hoje você está novamente distraída, Magdalena.
Leni – Você já viu mão tão pequenininha?
Thut – Não. Você tem razão. Mas vamos continuar – ele tem os meus olhos.
Leni – Sim.
Thut – Quando o vejo penso em mim, como eu era, há trinta anos.
Leni – Você ainda se lembra?
Thut – Acho que me lembro de algo. Conheço muita gente a quem faria bem uma memória como a minha.
Leni – Você é tão inteligente. Está se referindo a mim?
Thut – Talvez a você. Mas falávamos de nosso filho.
Leni – Sim, tem que ser ministro.
Thut – Uma pergunta – você acha isso tão necessário? O livro de história fala em atentados.
Leni – Então proprietário de casas.
Thut – Você sempre foge de nosso tema, Magdalena. Quando olho para ele, estava lhe dizendo, penso em mim, como eu era, há trinta anos.
Leni – Engraçado!
Thut – Quem ou o quê é engraçado?
Leni – O bebê, é lógico.
Thut – Espero que você me ouça. Uma vez que o bebê se parece tanto comigo, precisamos fazer algo por ele. Você pode morrer. Em rigor, eu também posso morrer. Nosso filho não deve ficar de mãos vazias.

Leni – Por que devemos morrer?
Thut – Não me interrompa, Magdalena! A criança não deve ficar de mãos vazias. Para evitar isso, em minha modesta opinião, há duas alternativas. Um, em algarismo romano – um seguro; Dois, em algarismo romano – uma casa. Eu pessoalmente estou inclinado pelo romano dois. No que diz respeito a romano um, todos sabem que uma companhia de seguros pode quebrar. Pelo romano dois, ao contrário, fala a circunstância de que uma casa repousa sobre base sólida. Uma casa é como a palavra de honra do homem – inquebrantável. Talvez você também saiba que os ingleses costumam chamar seu lar de castelo. Eu pergunto: o que eles entendem por lar? A resposta certa é a seguinte: por lar eles entendem sua própria casa.
Leni – Não fique bravo por eu interrompê-lo. Mas a que casa você se refere exatamente?
Thut – Pense um pouco! Esforce um pouco seu pequeno cérebro! Estou pronto a apostar que você não adivinha.
Leni – Espere, não. Não sei mesmo.
Thut – Eu me refiro a *esta*.
Leni – Esta?
Thut – Esta casa e nenhuma outra.
Leni – Você quer comprar esta casa? Com nossas economias? Engraçadinho. Tanto assim nós não temos.
Thut – Você me considera inteligente, é verdade, mas a rigor falta-lhe respeito por mim. No entanto sou professor de ginásio e não costumo lidar com negócios. Mas quando se trata do bem-estar de meu filho, obrigo-me a agir contra minha natureza. Você, como eu, diariamente é testemunha das brigas ao lado. A velha Gilz não larga de sua casa. Você ouve isso. Você vê sua neta Toni escada abaixo e escada acima atrás de sua herança. Nenhuma expressão é forte demais para o comportamento imoral dessa parente consangüínea. Mas em seu filho você não pensa.
Leni – Você é muito mais inteligente do que eu.
Thut – Isto, eu estou quase acreditando. Aqui onde moramos todo mundo acredita que uma das netas herde a casa. Nós dois somos os únicos que não só ouvimos a briga, como também a compreendemos. Talvez lhe fique finalmente claro, porque mudei nosso quarto de dormir para cá, onde nenhum som do lado nos escapa. Apesar disso, o descanso noturno de meu filho é uma das coisas que me é mais cara ao coração. Nós dois sabemos que a velha Gilz prefere dar sua casa a um estranho do que

deixá-la para as duas caça-dotes. Também treme com razão pelo destino de seu papagaio. Com razão, pois uma coisa eu afirmo sem destemor: no momento em que a velha Gilz fechar os olhos, a caça-dotes de sua neta Toni vai assassinar o infeliz papagaio, eu repito: *assassinar*!

Leni – Não o entendo. O que tem o papagaio a ver com a casa?

Thut – Não me interrompa, deixe seu marido acabar de falar e você ficará sabendo de tudo. Esta noite mesmo vou procurar a velha Gilz e lhe propor quanto a isso um acordo de renda vitalícia. Ela simplesmente transfere a casa para o nome de nosso filho. A renda ela recebe, enquanto viver, pontualmente. Além disso, nos responsabilizamos a dar ao papagaio o melhor cuidado e trato até sua morte.

Leni – Você acha que ela vai aceitar isso?

Thut – Não *acho*, Magdalena, tenho a *certeza*. Com isso ela mata, permita-me a expressão – dois coelhos com uma só cajadada. De um lado, se vinga de suas netas caça-dotes, de outro, provê as necessidades de seu papagaio.

Leni – Precisamos ser muito simpáticos com ela.

Thut – Sempre *fomos* bons para ela. Esqueceu que há um mês peguei o telefone para chamar o médico para ela?

Leni – Quando teve o último ataque.

Thut – Eram cinco para as nove, nosso querido dormia há muito tempo.

Leni – Não gostei nem um pouco.

Thut – Nem eu.

Leni – Você pensa em tudo.

Thut – Preciso pensar em tudo, isto é, nesse caso, no futuro de nosso filho. Agora uma pergunta: quantos anos de vida você dá à velha Gilz?

Leni – A ela? Se tiver sorte, vai viver ainda meio ano.

Thut – Tem razão. Concordo com sua avaliação.

Leni – Você não deve dizer isso a ela. Diga-lhe que ainda tem uma dúzia de anos pela frente.

Thut – Preferiria não mentir. Odeio mentiras. Mas infelizmente ela mesma prefere assim.

Leni – Hoje você vai mesmo até lá?

Thut – Qual é sua intenção com essa pergunta?

Leni – Nada. Só estava pensando.

Thut – Que me falta coragem para o passo definitivo.

Leni – Isso não, só pensei, porque você...

Thut – Fale de uma vez! Por que eu...
Leni – Há um mês você diz toda noite...
Thut – Toda noite...
Leni – Você sabe.
Thut – Toda noite...
Leni – Que você vai falar com a velha Gilz.
Thut – Tem toda razão. E por que não faço isso há um mês? Por quê?
Leni – Não há de ser porque não é correto? Para nosso filho nada é incorreto.
Thut – Eu não poderia fazer nada que fosse incorreto. Você devia me conhecer nesse particular. Mas não admito que você me prescreva a hora certa. Acredito no livre- arbítrio do homem de deixar de fazer ou não o que ele quer ou deixar de querer. Você sabe que não sou religioso. Não faz meu estilo honrar o padre na igreja todo domingo com minha visita. Mas tenho certos princípios. Um deles é que acho uma moral verdadeira mais importante do que qualquer beatice. Com isso caracterizei abundantemente minha tendência para o livre-arbítrio.
Leni – Que nada, você tem medo.
Thut – Agora lhe pergunto: de quê?
Leni – Você tem medo da velha Gilz. Há um mês me promete toda noite que vai falar com ela sobre a casa. Mas nunca vai! Nunca vai!
Thut – Irei. Mas quando minha livre vontade quiser.
Leni – Você irá? Sim, quando ela estiver morta, você irá, quando estiver morta, a todo momento ela pode morrer. Você não tem coração. Provavelmente seu filho vai ser um reles funcionário como você, um professorzinho mediano, e permanecer trinta anos na cátedra. Logo agora que a sorte nos tocou! Ah, por que me casei com você? Por que foi que me casei com você?
Thut – Primeiro, não grite, você acorda a criança. Segundo, você devia ter pensado nisso antes.

Nesse momento ouve-se o papagaio no apartamento ao lado grasnar:"Casa, casa, casa". O bebê acorda e começa a berrar.

QUADRO III

Anita, uma moça mais fina. Peter Hell, moço com buquê de fores.

Quarto de dormir de Anita. Ela está diante do espelho e termina sua toalete. Enquanto se maquila, Peter Hell atravessa a soleira da porta com um grande e ridículo buquê de flores. Ela o vê pelo espelho, mas não se volta.

ANITA – Agora você vem?

PETER – Onde estão os seus pais? Não me leve a mal.

ANITA – Ninguém em casa. Vou sair.

PETER – Há muito sinto o desejo de dizer a você o quanto a amo. Infelizmente minha língua não é boa de conversa. Em compensação, ofereço a você uma parte de minha pessoa que é mais bem dotada. (*Ele lhe entrega as flores.*) Nisso eu ponho minha mão. Tenho dificuldade para me expressar em grandes palavras. Mas, acredite-me, falo de coração. Você me entende. Você é a única pessoa que me entende. Tenho a sensação de que sempre me entenderá. Também a entendo. Quando se admira alguém há três anos, pode-se dizer que o entende.

ANITA – O que é que você tem hoje? Em geral, é tão confiável.

PETER – Está vendo, e eu quero que você possa para sempre confiar em mim. Sinto a necessidade de me declarar hoje. Um dia é preciso desabafar. Não fique zangada, Anita, mas hoje vim pedir sua mão. Você me entende? Me entende completamente?

ANITA – Por que não?

PETER – Eu sabia. Você, você, você. Adoro você, acredite, eu adoro sua pureza. Você acredita em mim? Você é única moça entre as suas amigas. Não me entenda mal. Não me entenda mal, Anita. E não gostaria de me sujar. Meus filhos deverão ser os meus filhos. Eu trabalho, gosto de trabalhar, mas preciso saber para que trabalho. Preciso poder acreditar que trabalho para meu próprio sangue, limpeza, houvesse mais limpeza, e o mundo estaria salvo. É certo que tive sorte. Não posso ser injusto. A primeira mulher com que topei foi você. A sorte quis que eu encontrasse em você uma moça, uma garota pura, Anita.

ANITA – É o meu modo natural.

PETER – Justamente, mas por que é esse o seu natural? Poderia também não ser o seu natural. Por isso a amo de verdade, porque virgindade é o seu natural. O que eu teria feito por exemplo, se o oposto fosse o seu natural? Eu teria me matado hoje mesmo. Você me entende? Você me entende. Veja só, agradeço a Deus por você ter vindo ao mundo assim. Imagine, por exemplo, eu lhe peço, imagine o seguinte, não é difícil imaginar, é só pensar em suas amigas, que eu, perdoe-me, considero moças muito indecentes. Não fique com raiva. Imagine só se você fosse tmbém assim. Não quero pronunciar a palavra em relação a você, mas imagine só se você fosse como suas amigas.

ANITA – Isso eu não consigo nem imaginar.

PETER – Viu! O que foi que eu disse. Você é mesmo pura, pureza não se adquire. A pessoa vem com ela ao mundo. Essa pureza não tem nada a ver com sabonete.

ANITA – Também tenho sabonete.

PETER – Desculpe-me, você me interrompeu. Não fique zangada comigo. A noite passada fiquei muito tempo acordado. Não conseguia pegar no sono. Aí apareceu por encanto em minha alma sua imagem. De repente, não sei como, você estava lá, você mesma. Posso lhe assegurar que nenhuma mulher poderia se interpor entre nós. Você que é a primeira, a primeira amada minha, a primeira é você, de todas, apareceu e conversamos um com o outro.

ANITA – Sobre o quê?

PETER – Você disse: sou tão feliz! Aí me levantei, tomei-a em meus braços e disse: sou ainda mais feliz! Acredite. Você disse: eu o entendo. Eu a beijei e sussurrei bem baixinho em seu ouvido: "Mãe de meus filhos".

ANITA – Não tenho nenhum.

PETER – Desculpe-me, você me interrompeu. Eu a beijei e sussurrei bem baixinho em seu ouvido: "Mãe de meus filhos". Aí vi que você corava. Tenho que lhe dizer a verdade! Eu a tinha posto à prova. Queria ver se você corava. Se não corasse, pensei comigo mesmo, então eu devia ter cuidado, então devia desconfiar de você, você me entende, não fique brava, mas nem todos no mundo são tolos, e de tolo não tenho nada. Você entende agora o sentido de minha prova? Na verdade tenho que agradecer à minha insônia, pois se tivesse adormecido imediatamente eu nunca a teria invocado e nunca, nunca, nunca você teria corado.

ANITA – O que você quer mais?

PETER – Quero lhe agradecer. Hoje estou aqui para lhe agradecer por ter corado. Você me incutiu confiança em minha família, em meus filhos, em meus herdeiros. Nestes tempos. Meus filhos são meus herdeiros. Minha vida ganhou um sentido. O que eu faria sem você? Não posso viver sem você. Diga se me ama.

Anita – Sim, sim.
Peter – Sempre vai me amar? Você pode responder por você? Você também não é mais do que um ser humano. Afinal, seria possível imaginar o caso – não me tenha raiva, você me entende, é apenas uma suposição – de um dia outro homem surgir em sua vida. Um certo encantamento, uma impressão mágica, algo misterioso a atrai para ele, com força irresistível. Contra o amor ninguém consegue lutar. Bem vê, você pode ver isto em nós mesmos. Poderíamos nos defender de nossa paixão, seria em vão.
Anita – Acredito.
Peter – Você acredita em mim? Como a entendo! Você me entende. Pudesse eu lhe provar o quanto confio em você! Você sabe, gostaria de ter a chance de lhe provar direitinho o quanto confio em você.
Anita – Preciso ir agora. Fui convidada a ir ao apartamento de cima.
Peter – Esperarei por você aqui . Não me leve a mal.
Anita – Vou demorar muito.
Peter – Esperarei assim mesmo. Você se lembra? Você se lembra?
Anita – É melhor ir para casa.
Peter – Aqui estarei mais perto de você, pode crer, de você.
Anita – Só volto às quatro.
Peter – Esperarei por você neste sofá. Sabe, este sofá. Está me entendendo bem?
Anita – Por mim, pode esperar aqui.
Peter – Acredite em mim.
Anita – Sim, sim. (*Ela acabou de se maquilar e sai.*)

QUADRO IV

Gretchen, mulher de negócios, Max, um homem.

Um salão. Dois sócios – uma senhora, um senhor, – estão sentados em poltronas de couro um em frente ao outro, fumando, negociando enérgica e nervosamente. Ela não cede.

Gretchen – Não se esqueça do meu risco!
Max – Risco? Não vejo nenhum risco.
Gretchen – O quê, será que não estou correndo nenhum risco?

MAX – Não, é seu jeito de falar. Você sempre tem jeitos de falar.
GRETCHEN – Estou pronta a provar isso – preto no branco.
MAX – Conheço esses malabarismos de cálculo. Isso também faço. Isso não é nem de longe prova alguma.
GRETCHEN – Mais do que fazer o cálculo meu risco não consigo.
MAX – Calcule, calcule!
GRETCHEN – Se não quer ouvir...
MAX – Como não? Sou todo ouvidos.
GRETCHEN – Por favor, conte junto. Trinta mil o carro, ele vale mais, eu o avalio apenas em trinta mil. O que tenho a receber dos Gresenfelder fica no ar, cálculo *no mínimo* vinte e quatro mil, isso perfaz, *suma sumarum*, cinqüenta e quatro mil. Os seis mil e setecentos, sobre os quais já falamos, deixo *totalmente* de lado, podemos nos entender sobre eles mais tarde. E isso não é tudo. Aposto que o tio Berger vai sair do negócio, imaginemos que com isso eu perca quarenta mil, ao todo a bagatela de noventa e quatro mil, não contando os seis mil e setecentos, como disse. Junte a isso os juros de...
MAX – Sim, sim, está bem. E o que ganho com isso? Não vejo por que pagar em dinheiro.
GRETCHEN – Não é preciso ser em dinheiro. Você tem crédito comigo, Max.
MAX – Bem, e no caso de eu reconsiderar a coisa, posso então voltar atrás?
GRETCHEN – Voltar atrás? Como assim voltar atrás? Não gosto disso.
MAX – Portanto você só quer na certeza.
GRETCHEN – Na certeza.
MAX – Se eu soubesse quanto a Gilz pede pela casa.
GRETCHEN – Pergunte a ela.
MAX – Deus me livre! Para que ela suba o preço?
GRETCHEN – Por que ela precisa do dinheiro?
MAX – Isto também me pergunto.
GRETCHEN – Ela precisa dele para alguma coisa. Isso é óbvio. Aproxime-se dela. Diga que ela é idosa e sozinha, que todo mundo quer enganá-la, que você a tem no coração, por morarem há vinte anos no mesmo prédio. Depois que ela lhe contar todas as suas histórias, você poderá fazer com ela o que quiser. Poderá espremê-la apenas com a mão. Como é que ela é?
MAX – E sei eu? Nada sei de absolutamente certo. É esse o caso.
GRETCHEN – Pergunte ao porteiro.
MAX – Está morrendo.

Gretchen – Pergunte à mulher dele.
Max – Agora não sei. É ela que está batendo as botas ou é ele?
Gretchen – Você quer se esquivar. Ambos não podem estar à morte. Pergunte à parte sobrevivente! É a ela que você deve perguntar imediatamente!
Max – Você não tem vergonha mesmo, Gretchen.
Gretchen – Como assim?
Max – Com seus negócios você não tem vergonha. Se o preço do imóvel não subir, como você diz, sua audácia é uma pouca vergonha, Gretchen.
Gretchen – Nesse caso eu perco. Não esqueça meu risco. Talvez esteja exigindo muito de você, Max.
Max – Isso depende.
Gretchen – Eu lhe disse por que o preço do imóvel, aqui, tem de subir efetivamente. Minha confiança em você, você mesmo pode ver. Você poderia guardar a dica para si mesmo.
Max – E eu lhe disse que a Gilz quer se livrar secretamente de sua casa, já o sei há muito, desde que ficou velha. Será que precisaria ter dito isso a você?
Gretchen – E se tivesse? De onde teria tirado sozinho o dinheiro?
Max – Qual a porcentagem que você exige?
Gretchen – De você, cinco.
Max – Isso é razoável.
Gretchen – Excepcionalmente, claro.
Max – Entendo.
Gretchen – Veja só, e eu poderia, com a falta de dinheiro, ganhar o triplo. O quádruplo, digo o triplo para que você não pense que estou me fazendo de importante com você.
Max – Não, o triplo.
Gretchen – É isso que estou dizendo.
Max – Você disse o triplo, para não se fazer de importante. Se não quer se fazer de importante, diga o dobro.
Gretchen – Veja, não quero aborrecê-lo.
Max – Mas diga, Gretchen, fixo, cinco por cento?
Gretchen – Sim. É meu preço. De acordo?
Max – Um momento.
Gretchen – Já fizemos tantos negócios juntos.
Max – Será que não vai dar errado, Gretchen?
Gretchen – Quem está falando de dar errado?
Max – Só que não tenho nenhuma vontade.
Gretchen – Vontade não vem ao caso. Você já vai ficar com vontade.

Max – Não acredito.
Gretchen – Preciso lhe dizer uma coisa, Max. Você não tem iniciativa.
Max – Com você talvez.
Gretchen – Não, em geral, ouço isso em toda parte.
Max – Não sei.
Gretchen – Controle-se!
Max – Controlar-me! Controlar-me!
Gretchen – Coragem, meu caro. Um pouco de coragem.
Max – Falar é fácil.
Gretchen – Para isso é preciso tanta coragem?
Max – Não sei.
Gretchen – Pense, que já passou!
Max – Sim, como então?
Gretchen – Aí você esquece seu medo. Afinal você é um homem.
Max – Está bem.
Gretchen – Sim?
Max – Dispa-se!
Gretchen – Para todo o sempre, amém.

QUADRO V

Franz Josef Kokosch, porteiro da casa, sua mulher moribunda, Pepi sua filha idiota.

Um cômodo bem estreito, que serve ao mesmo tempo de cozinha e quarto. Na cama cambaleante jaz uma senhora bem idosa. Parece uma caveira e agoniza. Parcas madeixas de cabelo branco jazem sem vida no travesseiro. Junto dela, mas com o rosto voltado para os pés da cama, está sentado o velho porteiro Kokosch. Tem uma barba à la Franz Josef e lê em voz alta a Bíblia. A filha adulta Pepi, uma moça de trinta anos, de rosto gordo, vermelho, estúpido, dá voltas, sem parar, rindo, pelo quarto. Esbarra em todos os objetos, inclusive na cama e na cadeira do seu pai. No entanto, ela não muda de expressão; seu rosto permanece distorcido num riso.

Kokosch – Mas os filisteus o prenderam e lhe arrancaram os olhos e o conduziram até Gaza e o acorrentaram com duas correntes de ferro, e ele precisou ficar moendo, na prisão. Mas os cabelos de sua cabeça começaram a crescer de novo, lá onde estavam raspados. Eis, porém, que os príncipes filisteus se reuniram, para oferecer um grande sacrifício a seu deus Dagon e se alegrar, e disseram – nosso deus nos pôs nas mãos nosso inimigo Sansão. Igualmente, quando o povo o viu, louvou o seu deus, pois dizia: nosso deus nos pôs nas mãos nosso inimigo, aquele que devastava nossa terra e matava muitos de nós. Como seu coração se alegrava, diziam:

ANCIÃ – Ei, você!

KOKOSCH – Chamem Sansão, para que ele brinque diante de nós. Aí eles buscaram Sansão na prisão, e ele brincou diante deles, e o colocaram entre os pilares. (*Ouve-se uma música dançante vinda do andar de cima.*) Mas Sansão disse ao jovem que o trazia pela mão.

ANCIÃ – Ei, homem!

KOKOSCH – Deixe-me, tocar os pilares sobre os quais a casa repousa, para que me apoie neles. A casa porém estava cheia de homens e mulheres.

ANCIÃ – Ei, homem! Preciso...

KOKOSCH – E todos os príncipes filisteus estavam lá e em cima do telhado havia cerca de três mil homens e mulheres, que viam como Sansão brincava. Mas Sansão clamou ao Senhor e disse:

ANCIÃ – Ei, homem! Preciso lhe dizer algo.

KOKOSCH – Senhor, Senhor, lembre-se de mim e me fortaleça, ó Deus, só esta vez, para que eu me vingue dos filisteus só por meus dois olhos!

ANCIÃ – Preciso lhe dizer uma coisa. Ei!

A música dançante fica mais alta.

KOKOSCH – E espalmando as mãos nos dois pilares centrais, sobre os quais o templo repousava, ele se apoiou neles.

ANCIÃ – Preciso...

KOKOSCH – Em um com a mão direita e no outro com a esquerda. (*Pepi esbarra no pai. A Bíblia cai no chão. Kokosch repreende a filha.*) Em um com a mão direita e no outro com a esquerda. Por que está rindo, se sua mãe está à morte, em um com a mão direita e no outro com a esquerda. Não ria, estou dizendo, em um com a mão direita e no outro. Você não está vendo, sua mãe está morrendo. E no outro com a esquerda.

Agora pare de rir, estou dizendo, em um com a mão direita. Não acho o livro.

ANCIÃ – Homem, preciso ainda dizer algo.

KOKOSCH – E no outro com a mão direita e no outro com a esquerda; jogar tudo você pode, esparramar tudo, isso você pode, mas encontrar não pode. No outro com a mão esquerda e no outro com a direita. Se eu vejo você rir mais uma vez, então sua própria mãe morre.

ANCIÃ – Preciso... Eu digo.

KOKOSCH – Ponho você para fora. O Senhor nos castigou com uma filha degenerada. No outro com a esquerda. Agora achei. Sempre a música. E disse:

ANCIÃ – Ouça o que tenho a dizer, homem.

KOKOSCH – E disse: Que eu morra com os filisteus! E se inclinou fortemente. Então o templo caiu sobre os príncipes e todo o povo que estava dentro, de forma que foram mais mortos que fez em sua morte do que os que causou em toda a sua vida. (*A música dançante ressoa.*) Pepi, agora você vai até os Segenreich e diz que estou pedindo para abaixar o som. Estou pedindo para abaixar a música alta. No que diz respeito ao casamento, não quero ofender ninguém. Você ouviu, Pepi? Agora você vai até os Segenreich e diz que estou pedindo, que não posso orar com a música! Sua mãe está morrendo. Se eles não acreditam, que venham ver. Não consigo orar com essa música! Você ouviu, Pepi?

A filha sai correndo.

ANCIÃ – Ei, homem, preciso dizer-lhe algo.

KOKOSCH – Então desceram seus irmãos...

ANCIÃ (*choramingando alto*) – Ele não me deixa falar. Ele não me deixa falar.

KOKOSCH – E toda a casa de seu pai e o pegaram e subiram para o enterrar.

O CASAMENTO

Do teto do salão de festas oval pende uma incrível aranha de cristal. Três amplas janelas, enfileiradas, dão para a rua. Uma mesa diante delas jaz abandonada e com pratos quase vazios. À direita e à esquerda, portas abertas. Uma música ora barulhenta, ora agradável chega de um aposento ao lado. Os convidados, distribuídos em pequenos grupos, estão à vontade.

Segenreich, o pai da noiva, Johanna, a mãe da noiva, diretor Schön, um amigo.

SEGENREICH – Sou o pai!
SCHÖN – Será que isso é verdade?
JOHANNA – Posso jurar. Ele é o pai. O feliz pai.
SCHÖN – Isso qualquer mulher pode dizer .
JOHANNA – Pai, pai, o diretor Schön não acredita.
SEGENREICH – A crença é uma bem-aventurança. Sou o pai. Continuarei sendo o pai, podem vir centenas de genros. Estou dizendo, essa é minha carne e meu sangue. Também construí a casa. Agora alguém vem contestar a paternidade. Na festa de casamento é que sou mesmo o pai. Se não sou o pai na festa de

casamento, quando é que vou ser? Sempre fui o pai. Pus três no mundo, eu, Karl Christian Segenreich em pessoa. Duas meninas, um menino, que comecem a desfilar. Christa! Christa! Fique esperta quando seu pai a chama! Christa! Christa! Ande logo!

Johanna – Deixe-a em paz! Em seu dia mais belo! Parece pálida, minha bonequinha! Ah, se ela não fosse tão jovem! Não vai compreendê-lo. Será que ela gosta tanto dele também? Ele é tão educado, que aspecto doce! Com os olhos encaracolados e o cabelo leal! Gosto muito, muito dele. (*Segenreich vai buscá-la.*) Eu o acho encantador, encantador e doce, como o fraque lhe cai bem, como uma luva, e é esperto não afirma qualquer coisa, não queima a boca, acho que é ainda mais esperto do que o meu marido.

Schön – Mas bonito ele não é.

Johanna – Ser bonito é supérfluo. Você por acaso é bonito, Schön?

Schön – Em compensação, é como eu me chamo.

Johanna – Não dou nada por nomes. Que ganho com nomes?

Schön – Agora o noivo lhe agrada mais do que eu.

Johanna – É bem feito, e que modos são esses com a Zart? Não suporto a Zart. Só faz dois anos que o marido está debaixo da terra e ela já está se divertindo. Ela tem *um* amigo e na véspera do casamento de minha própria filha ela vem aqui e se faz de coquete com o meu amigo.

Schön – Será que eu disse que estava sendo só coquete?

Johanna – Então, tanto melhor! Está se dando tão bem assim com ela? Olhe-a só, o varapau!

Schön – Mas eu a conheço bem demais. Uma mimosa!

Johanna – Mimosa? Mimosa? Para que todo mundo toque nela! Disso também sou capaz. Olhe só para ela, o varapau seco, eu teria vergonha de andar assim no meio das pessoas. Por que ela não sai vestida de homem? Não tem seio, nem quadril, nem panturrilha, não tem nada que tem uma mulher tem. Eu tenho tudo. Por favor, você sabe e posso chamá-lo como testemunha! Tenho tudo o que é próprio de uma mulher ou não tenho?

Schön – Psiu, seu marido!

Segenreich – Eles não vêm. Marie, eu chamo. Não tem tempo. Karl! Ele não é mais nenhum menino, diz o malandro, nenhum garoto, mas um maroto, não é, mãe, e nós somos os pais e temos o nosso grande dia. Amanhã mesmo a Christa vai nos dar netinhos, para nós dois, a família Segenreich vai florescer para todo o sempre. Minha velha, quantos netos você imagina? Eu digo oito.

Johanna – Nove seria melhor.

Schön – Ela nunca tem o suficiente.

Segenreich – Diretorzinho, cale a boca. De minha velha você não entende nada.

Schön – Já os conheço há doze anos.

Segenreich – Conhecer não vem ao caso. Do tempo você entende. Você sente logo o cheiro do vento, de onde ele vem. Isso eu admito.

Schön – Tenho um nariz.

Segenreich – Isso eu admito. A verdade eu não contesto. Tenho predileção pela verdade e pela clareza, já de antes, era minha profissão. Minhas casas eu construí todas bem firmes. Peço que comprove você mesmo. Isto é que são paredes. Aí não vale nada um nariz, diante dessas paredes o vento caga nas calças, e uma borrasca inteligente pede logo perdão. Sou assim. Vou continuar assim. Sou o pai da noiva. Mas de mulheres você não entende nada, caro amigo, isso eu provo a você, preto no branco, ou branco no preto, como você preferir, não sou muito exato com as cores.

Schön – Como vai provar isso?

Johanna – Com o Schön tenho sempre a sensação de que vamos descobrir algo muito sujo sobre ele, algo nojento, nem posso imaginar o quanto, um caso escuso ou algo assim.

Segenreich – Minha mulher não regula bem.

Schön – Meu Deus do céu, os longos anos de serviço...

Segenreich – E a idade avançada e a figura colossal.

Johanna – Bem. Penso que você gosta disso.

Segenreich – Essa é boa! Você e a viúva Zart, vocês podem dizer isso. Vocês não são ninguém. Um homem de verdade nem sequer cuspiria em vocês.

Johanna – Você não me ajuda, Schön?

Schön – Como eu poderia ousar fazer isso? O senhor seu marido ia acreditar que tenho experiência com a senhora. Ele deve saber por que fala assim. Pois agora vocês estão casados há nem sei quanto...

Ambos – Vinte e sete anos.

Schön – Tanto assim? Meus respeitos aos dois, minhas senhorias, eu não agüentaria isso.

Segenreich – O que você já agüenta! Você não entende nada de mulheres. E agora vem a prova. Não agüento mais isso muito tempo, meu peito vai explodir, por assim dizer. Vou lhe perguntar, Schön!

Schön – E agora?

Segenreich – Dê-me sua palavra de honra!

Schön – Palavra de honra? Bem, bem, o que é que você quer?

Segenreich – Palavra de honra! Examine seu coração! Bem fundo, bem fundo, de preferência o porão, que está completamente escuro!

Schön – Bem, pare com isso, já lhe digo o que quer saber, fale logo, você me deixa nervoso.

Segenreich – Você tem filhos?

Schön – Essa é boa, como posso ter filhos? Não sou casado.

Segenreich (*ri ameaçador*) – Bem, minha velha, pode ver por si mesma. Ele nem sequer sabe que há filhos bastardos! Ele não sabe! Ele não sabe como se faz filho! Ele não sabe, mulher, eu sufoco! Bata em minhas costas, Schön, estou sem ar, você não sabe, estou me asfixiando, meu caro, me asfixiando, você não sabe!

Schön (*batendo*) – O que devo saber?

Johanna, Michel, o noivo.

Johanna – Vai ser sempre amoroso com ela, meu rapaz?

Michel – Ora, mamãe!

Johanna – Você acha que isso é óbvio. Você tem razão, meu rapaz.

Michel – Mas mãe!

Johanna – Você também sabe como se trata uma mocinha, meu rapaz. É preciso ter muito, muitíssimo cuidado. Temo, temo que você não esteja amadurecido o suficiente. Você não deve ferir minha filha, Michel, não a machuque, é a minha filha mais velha, eu a gerei, eu a pus no mundo, não quero tê-la concebido em vão. Você entende disso?

Michel – Mas mamãe!

Johanna – Você é um rapaz tão encantador, com os olhos destrambelhados e o cabelo cândido. Como genro gosto muito de você. Será que você sabe a quem agradece a Christa?

Michel – A você, mamãe.

Johanna – A mim, meu encanto, a mim, sua sogrinha de coração jovem e formas pujantes. Formas eu tenho, com isso você tem de concordar, não é, que eu tenho formas?

Michel – Mas mamãe!

Johanna – A Christa acha que você é bobo, o pai, acha que você ainda está verde, aí eu disse, ele me agrada. Ele me agrada muito e basta. Sou a dona da casa. Não sabia disso? Meu bichano pequenino que olhos destrambelhados ele faz e que cabelo cândido ele tem! Mas você precisa mesmo ter cuidado com a menina. Sabe como fazê-lo? Venha aqui que vou lhe explicar. Há muito o que explicar!

Johanna puxa Michel por uma porta à esquerda. Nessa porta está Horch, um idealista, conversando com a viúva Zart.

ZART — Mas ele pensou em mim, Horch.

HORCH — Isso é o mínimo que podia fazer. Ele *tinha* de pensar em você. Você acha possível que ele não pensasse em você?

ZART — Isso não, mas...

HORCH — Você foi sua mulher seis anos seguidos, cuidou dele e suportou calmamente os maus modos da idade.

ZART — Ele era tão ciumento!

HORCH — Você lhe sacrificou sua juventude. Você tem agora trinta anos, ou quase trinta. Quantos anos de felicidade tem ainda pela frente? Dez ou quinze. Não é muito.

ZART — Se ele soubesse, não teria sossego no túmulo. Não posso deixar de pensar nisso. Ele também pensou em mim.

HORCH — Tanto melhor! Se *ele* pensou em você, esse velho sovina e egoísta, como você poderia deixar de pensar em si mesma! Mas você se chama Zart e é uma flor mimosa. Estremece só à menção de um toque.

ZART — Você me acha uma flor mimosa?

HORCH — Sim, acho. Uma que floresce especialmente tímida. Uma mimosa rara.

ZART — Todos dizem que sou mimosa.

HORCH — Isso torna mais do que uma obrigação deixá-la em paz. Não, *você* é que deve agarrar os homens. Não é fácil agarrar os homens. É preciso ter inteligência e todos os ataques partem da iniciativa da mulher.

ZART — Você me aconselha a arranjar um namorado?

HORCH — Me admira que você ainda não tenha arrumado. Você está só há dois anos.

ZART — Talvez eu já tenha alguém que é um pouco isto, Horch.

HORCH — Isso muda, naturalmente, tudo. Eu não sabia.

ZART — Talvez tenha sabido.

HORCH — Imaginado. Ele é simpático?

ZART — Muito. Ele é sensato. Pode-se falar com ele sobre todas as coisas. Ele se parece com você.

Horch – Falar! Acho que deveria levá-lo mais ou menos a sério.
Zart – Você acha? Acha mesmo?
Horch – Sim. Vou ficar feliz se você escolher alguém que se pareça comigo.
Zart – Você sempre me entende mal, Horch. Você é um idealista.
Horch – E você, uma mimosa, minha senhora. Contanto que fiquemos longe um do outro, combinamos extraordinariamente bem.

Christa, a noiva, doutor Bock, médico da família, octogenário.

Christa – Não posso deixar de rir!
Bock – Por que, filhinha?
Christa – Lá embaixo está o cadáver, e eu estou me casando aqui!
Bock – O cadáver? Que cadáver?
Christa – A porteira está justamente agora morrendo aqui embaixo.
Bock – O quê, justo agora tem de morrer?
Christa – E isso não é engraçado? Acho isso terrivelmente engraçado.
Bock – Eu não diria engraçado.
Christa – O que diria então, tio Bock? Você usa expressões tão boas!
Bock – Chinês.
Christa – Chinês? Logo chinês?
Bock – Sim! Não se sabe por que ela está morrendo. Nem por que você está se casando.
Christa – Estou me casando porque quero sair de casa. Não posso receber decentemente meus amigos. Você conhece minha mãe.
Bock – Está se esquecendo de mim?
Christa – Como assim, tio Bock, você vai me visitar em minha nova casa.
Bock – Não vai dar certo. As pessoas... Você vai ver. Tenho experiência.
Christa – O quê, tudo dá certo. Você vem à minha casa, por exemplo, com o Rosig, o fabricante de caixões, você o conhece, lá está ele.
Bock – Se o conheço! Sua mulher...
Christa – Vou me queixar de algumas dores. Enquanto o Rosig conversa sobre negócios com meu marido, você aproveita a oportunidade e me examina, vê como meu casamento está me saindo etc. Você é nosso velho médico de família, tiozinho. Você é parte dela. Gosto ainda mais de você do que de Schön. O que eu mais gostaria era ter o Horch para isso, mas ele é tão difícil!

Bock – Você quer o Horch? Vou ajudá-la. É fácil fazer a cabeça dele. Ataque-o calmamente, mas diga-lhe, ao mesmo tempo, que ele é um idealista. Ele deixa fazer tudo com ele. Só não se pode falar no assunto, só de ideais. Ele é culto, é o único homem culto que conheci em toda a minha vida, isso quer dizer algo.

A música, que no início desta cena era delicada e suave, parou por completo.

Christa – Estou terrivelmente curiosa a respeito dele. A Monika e a Zart vivem dando em cima dele.

Ouve-se o bebê do apartamento de cima berrar.

Bock – Seu bebê já está berrando.
Christa – Obrigada, tio Bock.
Bock – Ou a pequena já tem um, a sua irmã?
Christa – Mas esse é o chorão dos Thut de cima.
Bock – Eu sei. Estive ontem lá. A criança vai morrer.
Christa – Espero que sim. Berra dia e noite. Eu vou me embora. Mas minha pobre mãe não consegue dormir.
Bock – É isso aí. A criança dorme muito pouco. Eu disse à mulher do professor, Leni é o nome dela, ela não vale nada, ele a chama de Magdalena, se pelo menos tivesse o cabelo da Magdalena, valeria um pouco, eu disse à Magdalena que aquilo é penitência, não é uma arte, se eu fosse mulher e tivesse aquela aparência, também faria penitência, logo com isso se casa um professor, eu disse a ela, coloque o quarto no lugar onde estava antes, o pobre miserável dorme pouco demais, no apartamento vizinho há um papagaio.
Christa – Sim, o papagaio da velha Gilz.
Bock – Um papagaio totalmente louco, sempre quando venho ele fica gritando através da parede: casa, casa, casa. Poderia acreditar que ele pensava na casa velha e em mim, mas não é, a penitente Magdalena diz que ele grita duas dúzias de vezes durante a noite, tira o seu filhinho do sono necessário. Mude o quarto, disse eu, meu marido não deixa, disse ela. Envenene-o, disse eu. Daí aquele sapo ficou verde como o papagaio, você deveria ter visto a cara que fez, tão assustada, pôs o dedo na boca, olhou em torno para ver se alguém a ouvia, com cara suplicante fez psiu, psiu, talvez imaginasse que eu queria que

ela envenenasse o marido. Ou achou que eu queria conquistá-la, tão velho assim por ora também não sou, tenho outras que é preciso aturar, quando se é tão jovem e nesta idade ainda se faz visitas!

CHRISTA – Agora pelo menos sei por que o nojentinho vive gritando. Não vou arrumar nenhum filho, entendeu, tio Bock?

BOCK – Em mim você pode confiar. Minha mão é tão firme quanto o grito do papagaio.

CHRISTA – O bicho é engraçadíssimo, é mesmo. Há anos, quando a velha Gilz ainda saía de casa, ela o levava a todo lugar, empoleirado em seu ombro. A cada quatro passos parava, enfiava o dedo em seu bico, puxava-o e esperava até que ele gritasse. O que ele gritava? Casa, casa, casa, naturalmente. Agora grita por conta própria. Ela o educou bem. Ela adora sua casa, você nem pode imaginar quanto. E agora precisa deixá-la para a neta.

BOCK – Que neta?

Ouve-se no andar de baixo um rezar alto.

CHRISTA – Ela tem duas. Toni a visita sempre, quer a casa para si. Acha que vai fazer a cabeça da velha, vindo noite após noite. A outra, a Rosa, essa nunca vem. Ela também acha que vai ganhar a casa porque não tenta enrolar a velha. Agora até eu estou curiosa para ver quem vai ganhar. O que você acha?

BOCK – Eu a daria à mais jovem. O que é isso? Será que não estou ouvindo bem? Ouço o tempo todo uma reza. Eu ouço realmente uma reza.

CHRISTA – É o porteiro, no andar de baixo. Está rezando há uma semana junto à cama de sua mulher. Ele é supersticioso. Acredita que enquanto rezar ela continuará com vida.

BOCK – Deve estar rouco.

CHRISTA – Por isso é que grita assim.

BOCK – Gostaria de saber por que ela está morrendo.

CHRISTA – Você pode ir curá-la!

BOCK – Deus me livre! Para que meu humor vá de vez para o diabo? Hoje tenho um longo programa.

CHRISTA – Ele tem assistência médica. Mas não chama um médico. Ontem fiz uma visita rápida à velha, sua aparência é até engraçada, parece uma caveira que gostaria de dizer algo, ela quer dizer algo, mas ele não a deixa falar. Quando ela estava viva ele já não a deixava falar, por que o faria justamente agora, que já está meio morta. Todas as pessoas jovens do prédio vão dar uma olhada. É agora o nosso mais novo ponto de encontro. Nós arreliamos o Kokosch e lhe dizemos: Precisa chamar o médico imediatamente. Seu comportamento é irresponsável, vamos dar parte à polícia! Aí ele fica furioso e no fim explode toda vez – "Rezar é mais barato, meus senhores, rezar é mais barato!" Ele se atrapalha todo, de tanto medo de parar de rezar e da velha morrer à sua frente. Ele gosta mesmo muito dela.

Bock – Bobagem. Por que não a deixa morrer?

Christa – Com licença, com o preço dos enterros! É mais barato cuidar dela do que enterrá-la. Vai arrastar isso o máximo possível.

Bock – É ainda mais avarento do que eu. Deus do céu!

Christa – Não, realmente, tio Bock, ele é muito mais sovina do que você. Sua filha, a Pepi, é retardada. Ela teria onde aprender alguma coisa, numa instituição especializada; lá talvez tivesse aprendido a falar, mas ele teria de pagar alguma coisa, uma taxa, uma bagatela, mesmo para um porteiro. O que faz o bom homem? Não a deixa aprender nada. É melhor ela casar, diz ele, já há anos. Por que ela é tão boba e não agarra nenhum homem? E no entanto todos daqui da casa já a tiveram. Tem uma sorte com homens, inacreditável, não pega filho e não pode dar com a língua nos dentes. Os homens seriam uns tolos, se não aproveitassem. Sabe de uma coisa, eu já a invejei muitas vezes, apesar de ela ser apenas a filha do porteiro.

Bock – É tão boa assim?

Christa – Acho que sou melhor.

Bock – Você acha! Você acha! Todo mundo se acha o melhor!

Christa – Você também já me achou bem boa.

Bock – Mas quando? Quando? Na época você tinha doze anos. Isso você está esquecendo.

Christa – E agora tenho vinte e um. A Pepi do porteiro tem trinta e dois.

Bock – A idade não importa. A velha está morrendo, diz você. Talvez eu deva ver o que a velha tem.

Christa – Vá! Vá! Você pode usar o próprio quarto da moribunda.

Bock – Vou mais tarde. Primeiro tenho que ver a Anita.

Christa – Eu a convidei pensando em você.

Bock – Posso ficar à vontade, ir passando a mão por baixo da mesa, assim?

CHRISTA – Mas é claro! Você pode, sem medo. Ela é minha amiga.

*À grande mesa estão sentados Karl e Anita,
inquietos, um ao lado do outro.*

KARL – No terceiro semestre de Medicina. E o mais extraordinário é que ninguém me leva a sério.
ANITA – Em que semestre?
KARL – No terceiro.
ANITA – Sim, sim.
KARL – Tenho portanto vinte anos.
ANITA – Tinha.
KARL – Há sete dias.
ANITA – Inacreditável!
KARL – Por que você diz agora inacreditável?
ANITA – Por favor.
KARL – Por que você diz inacreditável? Eu não aparento isso?
ANITA – É lógico que sim.
KARL – Não está sequer me ouvindo.
ANITA – Por favor.
KARL – Por que fica olhando para outro lado?
ANITA – Porque preciso.
KARL – Preparei uma brincadeira capital. A luz vai se apagar, de repente e então vou beijá-la. Você ouviu?
ANITA – Sim, por quê?
KARL – Por que o quê?
ANITA – A luz vai se apagar, você disse.
KARL – Sim, sim.
ANITA – Para que eu ganhe um beijo?
KARL – Sim. Não fale tão alto, senão alguém pode ouvir e atentar para o fato.
ANITA – Sim, e daí?
KARL – Não prefere que seja eu que a beije?
ANITA (*berrando*) – Ele toma liberdades! Ele toma liberdades!
KARL (*levanta-se de um salto*) – Ele, quem? Não é verdade. Não fiz nada! (*Nisso surge o velho Bock.*) Ah, sim, o velho Bock!

Monika, a mulher do farmacêutico Gall, Horch.

MONIKA – Você é um idealista, Horch.
HORCH – Tenho orgulho disso, minha cara.

Monika – E é justamente disso que gosto em você. Mas dificilmente vai encontrar uma mulher que entenda seu idealismo.
Horch – Você acabou de dizer que gosta disso.
Monika – Devo ser também a única. Já fiz muita coisa na vida. Não sou uma mulher comum. Por isso o entendo.
Horch – Na verdade também nunca se saiu mal.
Monika – Pecuniariamente, não. Mas isso não importa.
Horch – Acho que é justamente isso que importa.
Monika – Ao contrário. Não seria supérfulo provar isso a um idealista?
Horch – Sua boa opinião a meu respeito me atrapalha em minha liberdade de discussão.
Monika – Você devia acatar esse obstáculo.
Horch – Sim, e por quê?
Monika – Por que você é inteligente o suficiente para lutar com menos liberdade.
Horch – Você me superestima. Por favor!
Monika – Olhe só meu marido. Lá está ele, conversando com o dono da casa.
Horch – Eu o acho ridículo. Se pelo menos não fosse farmacêutico. É o homem mais magro que já vi. Farmacêuticos em geral têm uma aparência tranqüilizadora. Talvez tenha tuberculose.
Monika – Acertou. Sofre disso há anos. Mas não morre, nunca morrerá. Não pode morrer. Com certeza vou morrer antes.
Horch – Mas, minha cara. Ele deve ser uns vinte anos mais velho!
Monika – Isso tem pouco a dizer. Depende da resistência física. Se sobreviveu a essa doença, também sobreviverá a mim.
Horch – Talvez ele nem esteja doente. Talvez se esforce demais.
Monika – Ao contrário. Não temos nada a ver um com o outro.
Horch – É sério, minha cara?
Monika – Seriíssimo.
Horch – Prefiro pensar o inverso. Tenho algum conhecimento da natureza humana. Mas confesso que aqui falhei.
Monika – Portanto você superestimou minha felicidade conjugal. Tenho o direito de fazer o que quero. Isso lhe está claro?
Horch – Sim. Resta saber o que você haveria de querer.
Monika – Você não sabe como pensa uma mulher.
Horch – Prefiro ouvi-lo de você.
Monika – É assim que pensa: uma mulher quer um homem alto, forte e principalmente potente.
Horch – Você é sábia, minha cara. Pois procure! E acabará esbarrando em homens assim.

Monika – Você acha mesmo? Você é um grande idealista, Horch, um idealista muito grande!

Christa, Anita.

Anita – Onde está o belo Max?
Christa – Eu o convidei.
Anita – Onde está ele?
Christa – Não veio.
Anita – Será que não está em seu apartamento? Vou buscá-lo.
Christa – Pediu desculpas por não poder vir. Tem um encontro decisivo.
Anita – Com quem?
Christa – Com essa tal de Gretchen. Ela tem muito dinheiro.
Anita – Ela é esperta?
Christa – Tremendamente esperta. Certamente vai persuadi-lo. Temo que ainda hoje.
Anita – Isso não é difícil. Com tanto dinheiro, eu já o teria agarrado há muito.
Christa – Você acha?
Anita – Sei lá, fiquei noiva.
Christa – Felicidades! Quando?
Anita – Há vinte minutos.
Christa – De quem?
Anita – Do Peter Hell.
Christa – Aquele tonto! Você não tinha necessidade disso.
Anita – Gosto mais dele do que do seu Michel.
Christa – Meu Michel é um joão-ninguém. Mas você podia ter pego o Karl.
Anita – Ele é muito verde para mim.
Christa – Precisa educá-lo.
Anita – Sabe, ele fala em beijos!
Christa – Temos pouquíssimos homens aqui, hoje.
Anita – Também acho.
Christa – Por que não trouxe o Peter?
Anita – Nem pergunte.
Christa – Por causa de minha mãe?
Anita – Também por causa de sua irmã.
Christa – Você se engana, ambas cismaram com meu marido.

Farmacêutico Gall, fabricante de caixões Rosig.

Gall – Onde está sua mulher hoje?
Rosig – Deixei-a em casa. Trancada. O que faz melhor é dormir, a velha porca.
Gall – A minha está lá.
Rosig – Com o mocinho? Parabéns! E você aceita!
Gall – Ele a faz feliz.
Rosig – Que lábia tem sua mulher! Se fosse a minha, dava uns tapas no traseiro e mandava calar a boca, entendeu?
Gall – Assim ela dá sossego.
Rosig – Você não precisa fazer nada com ela? Nada mesmo? Não é forçado?
Gall – Ela renuncia a isso.
Rosig – Estupendo, homem! Essa, sim, seria uma porca para mim! A minha é uma rameira. Tentou melhorar, mas é uma rameira. Aos sessenta ainda não sossegou. Não está satisfeita, ganho toda e qualquer aposta, aposto o que quiser. Agora está com cinqüenta e quatro, quando fico três semanas sem procurá-la ela chora como um arco-íris. Não chore, velha porca, digo eu, *tempi passati*, não dá mais, o que quer ainda? Agora tenho você há vinte e três anos, dedicado e fiel, o que você quer mais? Não posso ficar em cima de você, como um velho cocheiro. Hoje ela começou de novo. Faz apenas dezenove dias, e ela voltou à carga. A velha porca me diz na cara que não a amo, *eu* não a amo. Bem, digo a ela, estas são notícias frescas. Você recebe toda manhã, quando saio, um beijo; em 19 dias, são 19 beijos, à noite, depois do jantar, um tapa no traseiro; em 19 dias, são 19 tapas no traseiro. *Summa summarum*: 19 beijos e 19 tapas no traseiro, o resto é problema meu, e quem quiser mais, não receberá nada, isso é bolchevismo, ela arranca da pessoa até a última gota, onde você a toca parece um purê. Que vergonha, diabos. Para castigá-la, hoje a tranquei em casa.
Gall – Eu, hein? Isso não é para mim.
Rosig – A sua é excelente.
Gall – Mais ou menos.
Rosig – Permita-me, nem trinta e cinco anos! Nem trinta e cinco e você não precisa fazer nada. Ela me impressiona. Como ela é assim?
Gall – Não sei mais.
Rosig – Ela está firme.
Gall – Belisque-a, aí você fica sabendo.
Rosig – Você me permite isso, com sua mulher!

Gall – Sim.
Rosig – Você me permite, é uma proposta a sério.
Gall – Hoje mesmo.
Rosig – Hurra, hurra, hurra, vamos tirá-la do jovem.
Gall – Tente.
Rosig – Eles se conheceram...
Gall – Hoje. (*O velho Bock junta-se a eles.*)
Bock – Não é de admirar, que ele nunca a tenha...
Rosig – Lá vem o escutador de parede.
Bock – O que é que ele escuta? Sua própria vergonha! (*Apontando para Gall.*)
Gall – Nem todo mundo é um bode. Nem todo mundo pode ser um bode. Deve haver também homens decentes.
Bock – Prefiro ser indecente.
Rosig – Vocês atiram muito longe, meus senhores. O homem mais lascivo é o homem mais descente. O sêmen do homem deve fluir sobre todas as coisas, isso os velhos gregos já diziam.
Bock – Germinar. Isso me dá muito o que fazer.
Gall – Isso dá prisão.
Rosig – O que mais dá, senhores, é fazer germinar! Germinar ou fluir ou atirar. Vou trabalhar.
Gall – Por favor!
Rosig – Passar bem, camaradas, a cavalo, a cavalo! (*Parte*)
Bock – Ele consegue alguma coisa?
Gall – Mais do que nós.
Bock – Nós? Nós? Gostaria de pedir que me excluísse.
Gall – Você já tem setenta e nove anos.
Bock – Sou velho, mas ainda sou jovem.
Gall – É fácil dizer isso.
Bock – Com certeza eu me sinto mais jovem do que você, com toda a certeza.
Gall – Se você está tão certo.
Bock – Isso é uma ofensa. Vou prová-lo!
Gall – Pode tentar a sorte.
Bock – Imediatamente. Com quem, então?
Gall – Com minha mulher.
Bock – Será que devo? Quando digo que estou pronto, não sou de brincadeira. Tenho um ímpeto de juventude dentro de mim. Minhas pacientes estão entusiasmadas. Não preciso de álcool. Sinto-me como se tivesse quarenta anos. Vou conquistar sua mulher! Vou conquistá-la!

Gall – Sim, mas quando, quando?
Bock – Ainda hoje! Ainda hoje!
Gall – Imediatamente.
Bock – Hoje. Aqui. Neste lugar. Um momento, por favor. (*Um terrível acesso de tosse sacode os restos de seu corpo.*)

Segenreich, Rosig.

Segenreich – Quantas vezes ficamos bêbados esta semana, Rosig?
Rosig – Uma única vez. É uma vida miserável. Preciso enterrar minha velha.
Segenreich – Você também não fala de outra coisa que não seja de sua mulher. Hoje é um dia para os jovens. Hoje você não deve me ofender. Você deve beber. Isso sim. E quando estiver totalmente bêbado pode ir para casa, para sua velha. Antes disso não permito. Quero dizer-lhe uma coisa. Você tem que beber porque não pode me ofender. E por que não pode me ofender? Não pode me ofender porque eu construí esta casa. Sou o pai da noiva. Beba à saúde da noiva, viva a noiva, salve a noiva, três vezes hurra! A noiva, minha filha, *eu,* o pai. Os três *eu* pus no mundo. Hein, eles deram certo! Que se atrevam a copiá-los! Fabricação Segenreich. Prevenida contra imitações. Legalmente protegida, patente registrada. E assim continuará, eternamente. Tenho amor, tenho grande amor por meus filhos. No dia do casamento, minha filha ficará maior de idade.
Rosig – Mas você fala como um poste pintado de vermelho. Faz tempo que sua filha é maior de idade. O álcool tagarela em você como um bêbado. Hoje você tomou um banho de vermelho. Quer saber qual é a sua aparência? Você parece um turco pai de noiva, porque o fizeram de palerma. Não tenho tempo, estou de olho na Monika Gall.
Segenreich – Sim, vá embora, faça um caixão e deite-se com ela dentro dele e deixe-se enterrar com ela. Sua mulher, deixe-a em casa. Por mim faça o que quiser. Mas você precisa beber, beber, entendeu? Eu sou o pai da noiva.
Rosig – Você não me entende, irmão. Você não sabe o que quer dizer: ser um homem.
Segenreich – Sei.
Rosig – Não sabe.
Segenreich – Sei.
Rosig – Não sabe.

Segenreich – E quem construiu a casa?
Rosig – Você!
Segenreich – E quem é o pai da noiva?
Rosig – Você!
Segenreich – Isso você admite, irmão do peito, caixão de rosas, rosa de caixão.
Rosig – Isso eu admito e ainda dou a minha bênção.
Segenreich – Então você está arruinado. Você mesmo se arruinou. Eu construí esta casa, portanto, sou um homem.
Rosig – Mas não como eu.
Segenreich – O que você quer dizer agora?
Rosig – É melhor cuidar de sua porca.
Segenreich – Rosa do coração, rosa da virtude, você é mesmo um tolo. Estou casado com ela há vinte e sete anos e nada aconteceu. Absolutamente nada. E agora devo começar a vigiá-la? Sou todo confiança, sou todo fé, pois a fé salva. Assim sou eu. Assim continuarei sendo. O mundo acabaria, antes que minha velha me fosse infiel.
Rosig – Por mim! Nunca a tive. Em compensação, estou interessado na Gall.
Segenreich – Vá embora, seu derrotado. Para o caixão, vocês dois! Não preciso de nenhuma Gall. Tenho meus filhos. Eles se atirariam no fogo por mim. Christa! Marie! Karl! Sentido, quando o pai chama! Christa! Marie! Karl!
Christa (de fora) – O que quer o velho paspalhão?
Marie (de dentro) – Deixe-me em paz.
Karl – E o melhor é que nem sequer me levam a sério.

Rosig, Monika, Bock.

Monika – Vocês me importunam, meus senhores!
Rosig – O senhor seu marido não tem nada contra. Nada contra.
Bock – Isso eu não diria. A coisa depende.
Monika – Meu marido não manda em mim. Sou maior de idade.
Bock – Desconfiamos de sua maioridade, mocinha.
Rosig – Você não tem mais tataravô? Aqui está um.
Monika – Valorizo velhos senhores, por sua experiência.
Rosig – Não sou mais tão jovem. Não sou mais tão jovem.
Bock – No máximo tem 55 anos. Sou uns 24 anos mais velho.
Monika – Ambos estão bem conservados.
Bock – Em comparação com o senhor seu marido, sim.
Rosig – Vejam só, está ofendendo nosso amigo Gall, isso não vamos permitir.

Monika – Você chama meu marido de amigo? E não se envergonha?
Rosig – Ele permitiu.
Bock – E me atiçou.
Monika – Vocês chamam essa odiosa estaca oca de amigo? Esperava mais de vocês, meus senhores!
Bock – Não me entendo nunca com ele. É um egoísta.
Rosig – Não há em todo o mundo um palerma como o Gall. Não condescende nada a ninguém.
Monika – Também acho.
Rosig – O homem não a entende de jeito algum. Uma mulher tão inteira como você.
Bock – É velho demais.
Monika – Isso é o que pensa. Parece velho, mas não morre nunca.
Bock – Vai morrer antes de mim, isso *eu* lhes digo. Sou médico.
Rosig – Eu lhe mandarei o caixão grátis.
Monika – Obrigada, obrigada, meus senhores. Em promessas vocês são grandes.
Rosig – Você toma posse da farmácia e continua a administrá-la no lugar de Gall, nosso amigo morto.
Bock – Nós três sempre trabalhamos em conjunto. Primeiro as pessoas procuravam o Gall. Ele lhes dava na farmácia um pó, para que ficassem bem doentes e as mandava para mim, quando não adiantava mais nada, então eu as mandava de volta pra ele, para receberem mais pó, aí elas ficavam cada vez mais doentes, *eu* ganhava, *ele* ganhava, e quando não dava para fazer mais nada, elas morriam e o Rosig lhes fazia um caixão. Não pense, que faz muito tempo que a fábrica de caixões do Rosig vai de vento em popa. Sempre precisei mandar-lhe defuntos.
Rosig – Essa é uma mentira deslavada dele. Não acreditem em nada que ele diz. Ele me mandou em toda a minha práxis *summa summarum* quinhentos defuntos, com isso eu não seria o que sou, não teria engordado, teria morrido de pedir esmolas, teria morrido de sede, não só de fome. Tenho muitos outros fornecedores e relações. O próprio Gall já me arrumou muito mais. Mas com os seus 79 anos ele ainda precisa andar por aí se vangloriando e pavoneando, não preciso dele!
Bock – Diga você mesma em quem acredita, mocinha. Acho imoral especular com defuntos.
Rosig – Isso é uma baixeza! O vovô aqui especula com porcaria. Faz filhos nas mulheres, depois elas o procuram, ele faz uma raspagem, raspa seus próprios filhos das mulheres e ainda cobra por isso. Ele especula com seus próprios filhos.

Monika – Ele ainda pode ter filhos?
Rosig – Ele? Produz por dia tantos filhos quantas são as pacientes em seu consultório. Não é à toa que se chama Bock.
Bock – E será que sei se são meus filhos?
Monika – E você já tem de fato setenta e nove anos?
Bock – Setenta e nove e meio. Em compensação, *ele* começou como lavador de defunto. Oito longos anos o Rosig foi lavador de defuntos.
Rosig – Isso é mentira! Nunca fui lavador de defuntos!
Bock – Eu juro, posso jurar, palavra de honra: o Rosig foi durante oito anos lavador de defunto.
Rosig – Isso não lhe interessa!
Monika – Então vocês acham, meus senhores, que posso administrar a farmácia?
Rosig – Pode tão bem quanto o Gall.
Bock – Você emprega um auxiliar, nós a ajudamos.
Monika – Meu marido não tem muito mais de cinqüenta, mas é um fracote incomum. Talvez morra de repente, de um ataque do coração.
Bock – Isso não seria nada mau. Com a farmácia tão sortida.
Rosig – Deixe que a aconselhemos.
Bock – Quando ele se sentir mal, mande me buscar imediatamente. Conheço sua constituição. Na primeira olhada, saberei que doença o matou.
Rosig – Senão você cai numa suspeita pesada.

Mariechen, Michel.

Mariechen – Michel, você é meu cunhado, não é?
Michel – Sim, irmã.
Mariechen – Por que me chama de irmã?
Michel – Você é a irmã de Christa.
Mariechen – Isso não tem importância. Está com raiva de mim por eu ser irmã de Christa?
Michel – Mas Mariechen!
Mariechen – Acho que você está. Você não deve ter raiva. Você, sabe que, se Christa não fosse minha irmã, nem sequer nos teríamos conhecido.
Michel – Agora nos conhecemos.
Mariechen – Seria engraçado, não é? Teríamos-nos conhecido em um baile, e você me teria dito: "Senhorita, poderia acompanhá-la

até sua casa?" E eu teria respondido: "Sim, dê-me o braço, cavalheiro. Mas beijar só quando estiver escuro, senão alguém pode nos ver."

MICHEL – Mas irmã!

MARIECHEN – O que há? Você pode me beijar porque agora somos parentes. Parentes devem se beijar. Senão ficam bravos um com o outro. Não direi nada a Christa.

MICHEL – Dizer? O quê?

MARIECHEN – Que você beijou mamãe. Não direi nada a ela. Você estava lá no quarto de dormir. Você caiu em cima de mamãe, eu os segui. Eu vi. Não direi nada a Christa. Mas você tem que me dar um beijo longo e apertado. Não, três, não, dez, agora mesmo, então não direi nada a Christa. Ei, por que minha mãe puxava você pelos cabelos? Também quero puxá-lo pelos cabelos. Vi como ela o mordia. Também quero mordê-lo. Ei, por que não diz nada?

MICHEL – Estou tão cansado. E você só fala bobagem.

MARIECHEN – Ela o machucou? Ela o machucou, hein? Ela machuca todo mundo, só papai que não. Ela o deixa em paz, porque não o suporta. Agora você tem de me beijar. Você vai embora. Vou dizer a Christa!

MICHEL – Não posso beijá-la. Se sua mãe visse isso!

MARIECHEN – Mas *ela* pode beijá-lo, você é um canalha!

MICHEL – Christa está me chamando.

MARIECHEN – Você está ouvindo mal. Fique aqui, Michel.

MICHEL – Christa está me chamando.

MARIECHEN – Você viu, você é assim, um mentiroso. Se quiser saber, Christa está na sala de espera com o senhor Horch, aquele que tem bico doce. Eu os segui. Ouvi tudo. Ele vai visitá-la no novo apartamento, quando você não estiver em casa. Você é um grande idealista, ela lhe disse, e ele respondeu: sim, eu sou. Então começaram a se beijar, e eu fui correndo ver se você já tinha saído do banheiro. Christa não virá, ela disse ao senhor Horch: você beija rápido demais, beije mais lentamente, grande idealista, com certeza ela não virá, eu sei. Você tem medo é de mamãe. Venha para trás da cortina! Aqui mamãe não nos verá! Você precisa vir! Você tem que vir! Tem que me beijar! Venha logo!

MICHEL – Não. Não.

Ela o puxa para trás da cortina. Depois de alguns minutos ele foge dali, embaraçado.

Mariechen (*corre atrás dele, na maior fúria*) – Foram só quatro! Foram só quatro! Você é um tratante! (*Fecha os pequenos punhos e corre chorando de um para outro. Esquiva-se de uns, esbarra em outros, pouco a pouco chama a atenção de todos.*)
– Tio Bock! Tio Bock!
Bock – O que tem a menina? O que tem a menina?
Monika (*zangada*) – A pequena está querendo alguma coisa.
Bock – Naturalmente deu uma batida. Agora chora como um aguaceiro. Também não suporto, dar esbarrões. A gente fica pálido de susto.

Mariechen continua correndo e chorando.

Karl – Está choramingando de novo, a tonta.
Anita – O que disse, Karl?
Karl – Minha irmã está choramingando de novo. Você sempre olha na direção errada.
Anita – O que faz o senhor Bock com ela tanto tempo?
Karl – *Doutor* Bock. A gente estuda o tempo suficiente para obter o título. Estou agora no terceiro semestre.
Mariechen (*mais alto*) – Vou contar a meu pai! Sujeito sem-vergonha!
Schön – Deixe seu pai sossegado, você recebe novamente bala de mim, o que você quer do seu pai, sua mãe está ali dentro. Ande, seja boazinha. Isso não interessa nem um pouco ao seu pai. Acha que fiz alguma coisa à sua mãe? Não fiz nada a ela. (*Para a viúva Zart*) Assim é a menina, não suporta que ninguém encoste em sua mãe, nem assim, com a mão!
Zart – É simpática. Sabe o que é certo.
Schön – Mas o que ela me custou todos esses anos! Bombons, bonecas, chocolate, tudo para ficar calada.
Zart – Você podia ter economizado esses gastos.
Schön – É o que penso fazer.

Mariechen coloca um lenço na boca e chora de cortar o coração. A porta da sala de espera se abre. Horch entra, olha em torno desconfiado e mexe na gravata. Procura a origem dos sons altos e acha Mariechen. Caminha, cheio de alegria por ter achado logo uma ocupação, caminha rápido em direção à menina e tenta consolá-la.

Horch – Por que estamos chorando, mocinha?
Mariechen – Vou contar pro meu pai! Que sujeito atrevido!
Horch – Quem é esse sujeito atrevido? Vamos pegá-lo agora mesmo! Vamos mostrar a ele! Você só precisa me dizer quem é.
Mariechen (*com voz subitamente mudada, calma e seca*) – Se o senhor me chamar de você mais uma vez, leva uma bofetada!
Horch – Ai, ai, não queria ofendê-la, senhorita, só queria ajudá-la.
Mariechen – É melhor ajudar a Christa a beijar! Mas mais devagar, o senhor beija rápido demais, grande idealista!
Christa (*nesse ínterim juntou-se a eles*) Será que foi Michel que deixou você assim? O quê? A menina tem só catorze anos! Engraçado, não?

Mariechen começa a chorar de novo e corre até o pai.

Gall (*encontra-se há bastante tempo sozinho num canto*) – Pare de chorar!
Mariechen – Bem, e o Michel pode me ofender, o Michel!
Gall – Não suporto choradeira.
Segenreich (*totalmente bêbado*) – Sou o dono da casa! Pai da noiva, dono da casa. Por que Marie está rindo tanto? Sou assim, continuarrei sendo assim. Não ria, Marie, estou dizendo. Você perde uma irmã fiel!
Mariechen – Papai! Papai!
Segenreich – Ria, ria, é melhor do que chorar.
Mariechen – Mas estou chorando, papai.
Segenreich – Chorar, nada disso! Hoje ninguém pode me ofender. Quem chorar no meu grande dia me ofende. Marie, você está ofendendo seu pai em idade avançada. Meu nome honrado! Vai continuar assim por toda a eternidade. Oito netinhos não lhe são suficientes! Quer logo nove. Pois construí a casa, Marie, e você vai me pôr três netos no mundo, senão a mando pro diabo, eu deserdo você, quero que me dê três netinhos.
Mariechen – Papai, papai, Michel me beijou, Michel quer me beijar sem parar, Michel não dá sossego, não permito que Michel me beije!
Segenreich – O que há com ele? Será que também está bêbado? O rapaz não agüenta nada. Fica logo bêbado. O rapazola verde. Venha cá.

Segenreich toma Marie carinhosamente nos braços, acaricia-a, a conduz cavalheirescamente até a mesa, coloca doces à sua frente e parece menos embebedado, desde o momento em que começou a se ocupar da criança. Da única porta até agora fechada (que leva ao banheiro), sai Johanna. Ela nota o pai com filha.

JOHANNA (*severa*) – O que ela tem de novo?
SEGENREICH – Nada, nada. Já está bem. O ratinho! Agora tenho algo para o meu ratinho. Uma diversão de primeira, colossal, gigantesca! Meus senhores, eu me permito chamar sua atenção. Nós nos afastamos demasiado. Cada um por si, e quando devíamos estar todos juntos, porque é assim que deve ser em meu grande dia.

Devido aos choros e gemidos de antes, todos convidados estão bastante próximos. A música soa mais alto. Todos se aproximam da mesa.

ROSIG – Hoje esse aí não lavou a boca. Amanhã vamos lhe comprar uma escova de dente.
GALL – Não interrompa.
ROSIG – Não se excite, com essa vesícula doente. Devíamos limpar é sua vesícula.
SEGENREICH – Bem, meus senhores, o que propõem para a diversão geral do povo? Quem tiver algo a propor, dê um passo à frente e fale!

Alguém bate na porta.

CHRISTA – O que quer o velho asno?

Batem mais forte. Todas as cabeças se voltam espantadas para a porta. Entra, fazendo caretas, Pepi Kokosch.

BOCK – Quem está aí?
MARIECHEN – É a Pepi do porteiro, tio Bock.
BOCK – Ah! Ah!
CHRISTA – Você tem mais sorte do que todos nós juntos, tio Bock.
BOCK – Este foi sempre o meu caráter. Logo terei vivido cem anos.
SCHÖN – Isto todo mundo pode dizer.
BOCK – Por mim, só oitenta. Christa, ela está realmente bem. Preciso dar uma olhada. A música deve parar.

A música na sala ao lado pára.

Christa – Não disse que estivesse mal. Mas acho que estou melhor.
Bock – E vou lá me importar com o que você acha! (*Acena com o dedo.*) Venha cá, minha criança!

Pepi emite sons inarticulados e aponta para baixo.

Rosig – O Bock lava a moça com seus dedos.
Gall – Ele próprio tem dedos sujos.
Schön – Quando o Bock toca na mulher, ela se põe a rir.
Zart – Mas ela tem razão.
Christa – Sente antipatia por mulheres magras.
Monika – Mas se entende com todas. Está velho demais.
Johanna – O que faz a idiota aqui?
Mariechen (*corre para Pepi*) – Minha mãe disse para você ir embora! (*Empurra-a.*)
Horch – Engenheiro Segenreich, devíamos perguntar o que a pobre criatura quer.
Johanna – Nós mesmos sabemos, caro Horch, o que ela quer, está de olho no belo Michel.

Pepi devolve a Marie o empurrão.

Segenreich – Estava de olho em meus filhos, a estúpida. Meus filhos me pertencem!
Bock – Venha, sente-se em meu colo.

*Pepi senta-se no colo de Bock e continua apontando
para baixo. Tenta imitar os gestos da mãe
moribunda, mas continua fazendo caretas.*

Bock – Ela vai ficar aqui. Vai ficar aqui. Gosto quando alguém ri. Assim está certo, menina. Pupupu! Qui, qui, qui! Tatatá!
Rosig – Que vergonha essa música com suas luvinhas melindrosas, eles não estão tocando nada!
Gall – Deixe a música em paz.
Segenreich – Que a música seja tocada! Que a música seja toacada!

Toque atroante.

JOHANNA – Não quero ninguém mais entrando em casa.

CHRISTA – Toda a corja ainda nos vem aqui.

KARL – A Pepi não consegue falar.

ANITA – Isso você diz para que a gente fique imaginando coisas.

KARL – Oh, tive um caso com ela. Tem temperamento, a pequena!

ANITA – Será que ela já ganhou um beijo na escada?

CHRISTA – Nem isso.

HORCH – Temo que seu pai tenha esquecido o que estava se propondo há pouco.

CHRISTA – Em toda a sua vida ele nunca pretendeu coisa alguma.

HORCH – Você o despreza porque é o pai dela.

CHRISTA – Espero que não seja.

GALL – Essa é a juventude de hoje.

ROSIG – Você deve se calar, quando alguém não vem ao caso, deve se calar.

GALL – Hum! Sente-se no colo do Bock, Monika!

MONIKA – Você não tem que ficar me dando ordens. Sou uns vinte anos mais jovem do que você.

JOHANNA (*gritando*) – Tenho uma proposta deliciosa! Michel, o noivo, vai receber um doce beijo de cada mulher.

SEGENREICH – Rejeitada! Em minha casa, rejeitada!

SCHÖN – Foi o que pensei. Na casa dele, ele não permite uma coisa assim.

ZART – Nunca mais vai me chamar de mimosa.

SCHÖN – Tenho de fazer isso seis vezes ao dia? Agora você sabe que é.

MONIKA – Temo uma decepção.

ZART – Você vive decepcionada, Monika.

MONIKA – E você, nunca.

SEGENREICH – Aguardo uma proposta melhor. Peço que dirijam as propostas a mim, o feliz pai de três filhos. Aceitarei todas as propostas amigavelmente.

MARIECHEN – Vou chorar de novo.

MICHEL – Mas não lhe fiz nada.

MARIECHEN – Cale a boca, sujeito atrevido!

MICHEL – Gostaria de me desculpar.

ANITA – Pare com suas liberdades, seu...

BOCK – O quê, você não sabe quem é esse senhor, o mulherengos mais perigoso do século, você devia achar uma honra entrar nas memórias de um tal Casanova, sem o sobrenome, a mãe não fica sabendo de nada.

Anita – Agradeço muito, ao senhor, sujeito perigoso!
Karl – Mande o velho Bock para o inferno. Está bem? O mais bonito é que nem me leva a sério. Não sei por que essa história da luz não funcionou antes.

Entra correndo Toni Gilz.

Johanna – Agora já é demais! Quem deixou a porta aberta? Já disse que ninguém entra mais em meu apartamento. Fora! Fora!
Segenreich – Fora! Vá...
Christa – Mas mamãe, o que é isso? É a Toni Gilz, a neta da dona da casa, nós ainda estamos lhe devedo o aluguel.
Johanna – Será que uma pessoa não pode festejar o casamento da filha sem ser importunada? Gentalha não tem nada a procurar aqui. Fora!
Christa – Mamãe, você não está ouvindo? (*Pega seu braço e fala insistentemente com ela.*)
Johanna – Perdão, meu Deus, não a reconheci. Ah, a neta da sra. Gilz. Que gentileza de sua parte ter pensado em nós. Por que não veio antes? Com essas tranças louras tem um rosto lindo. A avó só pode ter alegria com uma neta assim. E quando vai se casar?
Toni Gilz – Ouvi a música e pensei que podia vir até aqui apreciar o ambiente. Não sabia que a Pepi do porteiro também estava aqui, não combino muito com ela, quem é o senhor de idade que está fazendo *assim* com o dedo?
Christa – É nosso médico de família, o dr. Bock.
Toni Gilz – É tão velho como minha avó.
Christa – Mais velho. Vai fazer logo oitenta.
Toni – Verdade? E não tem mulher?
Christa – Está sempre procurando, mas ainda não encontrou nenhuma.
Toni – E a tonta da Pepi, o que está fazendo sentada no colo dele?
Christa – Só está ajudando. Continua fazendo sinal para você.
Toni – Bem que ele poderia se casar comigo. Um homem velho e rico é o que, há muito, eu desejo para mim.
Christa – Por que velho?
Toni – Estou acostumada à velhice por causa de minha avó. Os jovens, duram muito. O que você acha, será que ainda vai viver muito tempo?
Christa – Você deve perguntar a ele.
Toni (*vai até o velho Bock*) – O que quer de mim, meu velho senhor? Já ganhei um beijo seu na escada.

Bock – Agora vai ganhar o segundo.
Toni – Aí não há lugar para mim.
Bock – Tenho um segundo joelho. Sente-se neste aqui.
Toni – Não. Com a tonta da Pepi não me sento. Não por ser retardada, mas por ser filha do porteiro.
Bock – Menina, você tem razão, mas a sua mãe está morrendo, hoje precisamos ser amáveis com ela. Sente-se.
Toni – Ah, bom, porque está morrendo? (*Senta-se.*) Minha avó também vai morrer logo.
Bock – Aí você fica com a casa?
Toni – É o que acho. O senhor é rico?
Bock – Se você me der a casa, sim.
Toni – Não, eu e que ficarei com ela. Sua aparência é de rico.
Bock – Você se enganou.
Toni – Não me enganei, não.
Bock – Por que você acha que sou tão rico, minha menina?
Toni – Por ser tão velho.
Bock – Por ser tão velho?
Toni – Não sei, mas quando as pessoas velhas morrem sempre deixam alguma herança.
Bock – Bem, então vamos nos casar. Eu fico com a sua casa – agora eu sei – é a do papagaio louco, não é?
Toni – É a de minha avó. Mas vou estrangulá-lo quando ela morrer, vou estrangulá-lo, o papagaio!
Bock – Bravo, a menina tem temperamento! Vamos, deixe-me examiná-la um pouquinho. Pois eu sou médico. Muito bem!
Christa – Isso é nojento. Ele nunca tem o suficiente, é preciso tirar o copo de sua mão. Se se envolvesse com alguma mulher! Mas nenhuma! E, podem me acreditar, isso aí é meu pai!
Horch – Vou agora propor um belo jogo. Para seu divertimento. Ou está cansada da reunião? Poderia compreendê-la.
Christa – Hoje você é meu único consolo.
Horch (*levanta-se*) – Tenho uma proposta excelente. Ouçam-me, senhores. Vamos nos distrair pensando no que uma pessoa faria à outra. Imaginem só, se o seu querido estivesse ameaçado, a pessoa mais querida entre os aqui presentes. Estamos todos sentados aqui, inocentemente, como costumam fazer as pessoas felizes, não pensamos em nada, não queremos nada, estamos imbuídos do espírito do casamento, e de repente cai um raio pelo telhado, um luminoso raio agudo. Não, um raio não é suficientemente traiçoeiro, mais traiçoeiro seria um *tremor*,

um terremoto. A rua diante da casa se abre, como se eu, sim, tivesse cortado uma fenda com uma faca imensa. Podem me dizer para onde foi a rua? A rua desapareceu, não existe mais, onde ela estava há apenas um grande abismo, um abismo devorador, e nós, nós despencamos dentro dele, em dois segundos, hóspedes e casa e comes e bebes!

Monika / Christa / Zart – Você é um idealista, Horch.

Segenreich – A casa eu construí, a casa não despenca! Que infâmia! E mesmo que tudo desabe, minha casa não desabará.

Horch – Não me interrompa, caro engenheiro, deixe-me desenvolver meus pensamentos!

Schön – Deixe-o desenvolvê-los! Caro amigo, deixe-o desenvolvê-los!

Johanna – O que o doce Michel diz sobre isso, o que diz?

Mariechen – Mamãe, ele já está querendo me beijar de novo.

Johanna – Quer parar com suas mentiras, menina mal educada! Imagine se vai querer beijar logo você!

Mariechen – Mas sim, sim!

Bock (*arfando*) – Vire-se, criança, é assim que tem que se sentar. Não consigo segurá-la.

Toni Gilz – Já está cansado. Sou muito pesada. O senhor é velho demais. Tem que se casar comigo, comigo!

Bock – Amanhã. Amanhã. A pequena tem temperamento. Quase tanto quanto eu.

Rosig – Esse Horch tem uma fantasia suja. Precisamos primeiro limpar sua fantasia...

Gall – Cale-se. Que se queimem, todos.

Segenreich – O homem tem idéias! Sim, senhor, como tem idéias! Posso beber o quanto quiser, nunca tenho idéias assim!

Schön – Veja, caro amigo, entregue a ele!

Segenreich – Está bem, porque é de brincadeira. Eu me declaro solenemente de acordo e me entrego (*risos*) e entrego a presidência desta ilustre reunião de casamento a nosso ilustre amigo Horch.

Horch – Aceito a presidência e peço, meus senhores, silêncio. Devo revelar-lhes um segredo. Desde que estamos aqui juntos estou me contendo. Eu o sinto, saboreio e ouço em cada palavra. Não posso mais me conter. É grande demais, sou fraco, está crescendo, não cresço com ele, sou pequeno demais, ajudem-me a carregá-lo.

Bock – Não, não.

HORCH – Ouçam, ouçam, mas não se assustem! Em quinze minutos o mundo vai acabar. Primeiro vão sentir um ligeiro tremor. Vão achar que é um carro pesado passando com ruído. O caminhão pára ruidosamente diante da casa e e não pode continuar. Vocês riem e olham para o lustre, ele balança de cá para lá, de lá pra cá, tonéis rolam do telhado pelas escadas, tonéis pesados, grandes tonéis desengonçados...

BOCK – Tonéis de Heidelberg.

MONIKA – Silêncio, seu cínico!

HORCH – Não riam ainda, estão rindo cedo demais! Quando o lustre desabar sobre a mesa e estilhaços de cristal penetrarem em sua carne, quando cambalearem e toda a luz sumir no barulho, quando ninguém mais olhar nos olhos um do outro, nem um vislumbre, nem uma sombra, escuro lá fora, escuro aqui dentro, a rua como a casa, e a casa como vocês mesmos, e não consigam segurar em nada, nem chamar, só gritar, então saberão, então saberemos onde estamos, tremendo diante da terra como a terra diante de nós, e o susto nos terá em seu punho apertado. Esperem! Quem terá tempo para si, quem pensará em si, quando seu ente querido estiver nas garras da morte? Somos seres humanos, não é mesmo, com isso vocês concordarão, e como estamos mergulhados em mentiras, como é agradável mentir em um casamento abençoado como este, dou-lhes de presente outra grande mentira. Será que voltarão a acreditar em mim?

ROSIG – Certo. Nós acreditamos. Não custa nada.

GALL – Você sempre pensando em dinheiro.

ROSIG – Essa é uma imunda mentira sua. Você ficou furioso porque eu penso em sua mulher, com quem vou dormir, assim que você estiver morto. Prometi a ela, não preciso de sua permissão, se você ficar malcriado, eu o mato.

HORCH – Silêncio! Imaginem que teriam seu ente mais querido aqui entre nós, entre os convidados do casamento. É difícil pensar nessa hipótese? Será que esqueceram essa pessoa em casa? Então deixem-na lá, onde está enterrada e escolham um dos presentes aqui. E se escolheram, nem bem escolheram aí ouvem o caminhão passar ruidosamente, o lustre lá em cima sacoleja, os tonéis rolam, o teto racha, o chão se abre, vem a escuridão. E vocês, o que farão pela pessoa querida?

VOZES (*em confusão*) – Eu? Está pensando em mim? Quero ser o primeiro. Já escolhi. Por favor, seu Idealista. Já sei.

HORCH – Silêncio! Vejo com alegria e grande satisfação que todos se apressam para a ruína. Ninguém fica para trás. Todos estão prontos e têm a pessoa querida mais preparada. Façam a festa! Perguntarei pela ordem, chamarei agora. Quem está mais próximo da morte? Bock!

BOCK – Gosto das fêmeas frescas.

HORCH – De qual gosta mais? De qual gosta mais?

BOCK – Hoje, da Gall.

HORCH – Quem está gordo e lustroso à custa da morte? Rosig!

ROSIG – Gostaria de ir enterrar minha velha em casa.

HORCH – De quem gosta mais? De quem gosta mais?

ROSIG – Fico com água na boca pela Monika Gall.

HORCH – Quem festá de cabelos brancos por causa da tísica? Gall.

GALL – Sou decente. Nem todo mundo pode ser um Bock!

HORCH – Estamos falando de você. De quem você gosta mais?

GALL – De ninguém.

HORCH – Não vale.

GALL – De mim.

HORCH – Quem é rico em filhos?

SEGENREICH – Sou o pai da noiva. A casa eu construí. Sou o pai dos três. Eu!

HORCH – De quem você gosta mais?

SEGENREICH – Christa, Karl e Marie. Ponto final, isso vale!

HORCH – A honorável dama mais honrada aqui...

JOHANNA – Não sou eu, não sou eu.

HORCH – Você gosta mais de quem?

JOHANNA – Gosto de meu genro Michel, loucamente.

HORCH – Quem carrega o nome como se fosse um chapéu errado? Schön!

SCHÖN – Estou acostumado com a dama da casa.

HORCH – Qual delas? A velha, a jovem, a mais moça?

SCHÖN – A velha. Não posso evitar. O que posso fazer?

HORCH – Que jovem é hoje adorada por dois velhos? Monika Gall!

MONIKA – Eu amo Horch. Confio em Horch.

HORCH – Quem especula com palavras, quem nos conhece a fundo? Horch! Eu me pergunto e digo: Christa!

MONIKA – Bandido!

ZART – Que tagarela!

HORCH – Em quem o marido pensou muito às portas da morte? Viúva Zart!

ZART – Agora fico com Schön.

HORCH – Quem está cansada da mãe moribunda? Pepi Kokosch!

TONI GILZ – Ela não pode brincar.

Johanna – A retardada não consegue falar.
Christa – Mas aguça o ouvido.

> *Mariechen dá um safanão em Pepi.*
> *Pepi dá um beijo estalado em Bock, cuja*
> *dentadura cai no chão. Risos.*

Horch – Alguém me diz que aqui está sentado um noivo. Michel!
Michel – Mas, senhor Horch!
Horch – De quem você gosta mais?
Michel – Não sei.
Horch – Você precisa saber.
Michel – Não posso.
Horch – Você pode!
Michel (*baixinho*) – Mariechen.
Mariechen – Mamãe, agora vai me acreditar, ele vive querendo sempre me beijar.
Johanna – Mariechen vai agora mesmo para a cama. É hora de crianças irem para a cama.
Horch – Quem é bonita demais para ser de *um* homem noiva? Christa!
Christa – Você, não. O mais certo ainda era o velho Bock.
Horch – Quem reclama de liberdades, mas grita por mais? Anita!
Anita (*gritando estridentemente*) – Bock! Bock!
Horch – Quem ninguém leva a sério no terceiro semestre? Karl!
Karl – Anita me prometeu um beijo.
Horch – Guarde-o para si. De quem gosta mais?
Karl – De Anita. Embora...
Horch – Quem é louca por velhos? Toni Gilz!
Toni – Gosto do Bock. Jesus, como o Bock é velho!
Horch – Quem tem que ir para a cama e não quer ir sozinha? Marie!
Mariechen – O Michel me ama. Eu amoo tio Bock.
Horch – Esperem! Ouço o caminhão passar ruidosamente. O lustre já balança, os tonéis rolam. Ouçam, vejam, o lustre balança, os tonéis rolam, lá fora o caminhão ruidosamente. Tenho muito medo, que o mundo vai acabar. Todos têm muito medo, muito medo o que vão fazer? Precisam fazer algo. O que vão fazer por último, a casa desaba, qual a última coisa que farão para a pessoa que mais amam? Bock!
Bock – Eu cubro a Gall. Assim morrerá confortavelmente.

Horch – Rosig!
Rosig – Tiro o Bock da Monika.
Horch – Gall!
Gall – Ponho meus pulmões em segurança.
Horch – Segenreich!
Segenreich – Ponho Christa nas costas, pego Karl com o braço esquerdo, Marie com o direito.
Horch – Johanna, a mãe!
Johanna – Salvo Michel rápido, levando-o para minha cama. Lá estará em segurança.
Horch – Schön!
Schön – Mostro a Johanna a saída daqui.
Horch – Monika Gall!
Monika – Peço a Horch o último favor.
Horch – Horch! Sou eu mesmo. Beijo Christa, rapidamente, antes de me salvar! Viúva Zart!
Zart – Penduro-me em Schön, ele vai me segurar firme.
Horch – Pepi Kokosch!

Pepi emite, excitada no auge da relação sons inarticulados.

Horch – De susto, talvez recupere a fala. (*Todos os homens ficam inquietos.*) Michel!
Michel – Pego a pela mão pequena Marie.
Horch – Christa!
Christa – Reservo o Bock para mais tarde.
Horch – Anita!
Anita – Talvez o sr. Bock tenha mais tempo para mim.
Horch – Karl!
Karl – Dou um beijo em Anita no escuro.
Horch – Toni Gilz!
Toni Gilz – Eu me caso com o Bock, antes que o tenham na glória.
Horch – Marie!
Mariechen – Eu pulo da cama. Pego o tio Bo...

Ainda enquanto Horch fala, ouve-se na rua lá fora um caminhão. Ele se aproxima com um ruído suave. Pára diante da casa e o ruído aumenta. A luz diminui, sem se apagar. Horch se cala. A rapidez que foi imprimindo a sua contagem passa a ser um lento espanto. Ele ouve. Todos ouvem. Ele olha para o lustre. Todos os olhares seguem o seu. O lustre sacode.

*Seu sacolejo se transmite para as cabeças. Sobre as
janelas descem grandes sombras. Tonéis batem
desajeitados nos degraus rangentes. As cabeças
se desprendem do lustre e se imobilizam, um
ouvido voltado para a rua, o outro para o interior
da casa. Todas as bonecas voltam a ser de
novo bonecas e calam, são de madeira. A casa
começa lentamente a tremer. De repente Toni
salta do joelho de Bock e grita furiosa:*

TONI – Minha casa! Minha casa! (*Atira-se sobre Segenreich, que está no outro extremo do salão.*) Como você a construiu? Minha casa! Minha casa está balançando. Minha casa!

SEGENREICH (*com dignidade*) – Não está acontecendo nada com a casa.

TONI – Mas eu sinto como ela oscila. Minha casa desmorona. A casa não tem nem vinte anos e desmorona!

SEGENREICH – Sou o superintendente de obras.

TONI – Superintendente de obras? Superindente de obras? Subintendente de obras? Intendente farsante de obras, isto sim!

SEGENREICH – Não *pode* acontecer nada à casa.

TONI – Você ficou com o dinheiro. Onde fica a casa? Quero minha casa! Vou dar parte de você!

SEGENREICH – Agora vou ficar bravo. Não está acontecendo nada com a casa!

TONI – Polícia! Preciso ir à polícia. Deixem-me sair! Polícia! Vou dar parte de você, vou mandar prendê-lo! Polícia!

SEGENREICH (*coloca-se diante da porta*) – Ninguém sai de minha casa. Não permito que me ofendam. Sou engenheiro. Esta casa, eu a construí. Uma casa que eu construí não desaba. Os senhores precisam acalmar-se. Eu convidei os senhores, aqui os senhores me farão o favor de acalmar-se. Com a casa não vai acontecer nada. Pois a casa, eu a construí. (*Toni luta com Segenreich.*)

HORCH – Vejam! Ouçam! O que vão fazer por seu ente mais querido?

*Gall se levanta. Fica ainda mais alto. Estende os braços, agarra
Rosig com a mão esquerda e Bock com a direita.*

GALL – Agora tenho os criminosos.

Rosig – Minha mulher está trancada em casa. Preciso dar uma olhada nela. Não posso deixá-la só. Ela tem medo.
Gall – Agora tenho os criminosos.
Rosig – Está dormindo sozinha. O apartamento começa a tremer. Você acha que está tremendo só aqui? Está tremendo também lá. Ela não pode se defender. Como vai se defender? Está trancada.
Gall – Você está trancado. Você também está trancado.
Bock – Não tenho mais dentes. Onde está minha dentadura?

Ele se abaixa e procura sob a mesa.
O braço de Gall o segue por todo lugar.

Rosig – Ela está na cama. Ela se despiu. A não ser a camisola, ela está nua. Assim não pode sair à rua, de camisola. Dorme pesado. Não ouve nada. É surda do ouvido esquerdo. Sempre dorme do lado direito, sempre. Vivo com ela há vinte e três anos.
Gall – Vinte.
Rosig – Vivemos como dois pombinhos. Toda manhã, um beijo. Nunca cozinhava o mesmo, nunca, sempre fazia novidade, ela própria cozinhava, para mim ela cozinhava, ela sabe cozinhar, não era uma dessas, agüentou calada, *tempi passati*, vinte e três anos.
Gall – Vinte.
Rosig (*choramingando*) – Ainda terei de enterrá-la. Casamentos de merda. Aqui estão se casando, em minha casa minha mulher morrendo. Se tivesse ficado em casa, teria podido salvá-la. A mulher. Minha mulher está morrendo. A mulher. Eu a salvo. Preciso salvá-la. Vinte e três anos.
Gall – Vinte.
Rosig – Vinte e três. Estou dizendo vinte e três. Não admito que falem de meu casamento. Ela é a melhor das mulheres. Todos a querem. Todos a amam. Tranco-a em casa. Senão me é roubada. Ela não é uma dessas rameiras. Eu a salvarei. Preciso me salvar. Deixem-na!
Gall – Vai ser degolado. Também vai ser degolado!
Rosig – Não me conhece mais? O que há com você? Está bêbado. Está louco. Solte-me!
Bock – Onde está minha dentadura? Ajudem-me a procurá-la. Não farei nada a sua mulher. O que posso fazer-lhe sem dentes?
Gall – (*agarra Rosig pelo pescoço*) – Agora eu o mato.

Rosig – Solte-me! Vou lhe revelar algo! Solte-me!
Gall – Vou matar você.
Rosig – Homem, trata-se de sua vida! Ela quer envená-lo. Tome cuidado!
Gall – Agora tenho os criminosos.
Rosig (*suplicando*) – A Monika vai matá-lo.
Bock (*levanta-se, como se tivesse achado a dentadura*) – Queria que eu fosse médico legista.
Monika – Ajudem-me a sair, senhores, ajudem-me a sair! Meu marido está morto! Preciso salvar a farmácia!
Bock – Que faço eu sem dentes?
Monika – Ouçam-me por favor. Meu marido está morto. A farmácia está sozinha.
Rosig – Largue-me. (*Choramingando.*) Lá está ela. Lá está ela em pessoa.
Monika – Estão roubando-a. Que farei sem ela? Estão me roubando.
Gall – Ele não está morto.
Monika – Está morto. Deixou de sofrer.
Gall – Está vivo.
Monika – Foi sua última vontade. Devo cuidar da farmácia. Ajudem-me a sair daqui.
Rosig – Agora precisa agarrá-la direito. Com uma mão não basta. Com as duas.
Gall – Quero saber: o que tinha ele?
Monika – Não sei. Como posso saber? Foi o susto que o matou.
Gall – Quando?
Monika – Naquele dia. No casamento. Na grande infelicidade. Ajude-me a sair!
Gall – Aonde vai?
Monika – À farmácia. Um brutamontes está diante da porta e não deixa ninguém passar.
Gall – A mim ele deixa, a mim.
Monika – Sim, sim. Leve-me junto.
Rosig – Ela, ela, ela é a culpada. Estrangule-a!
Monika – Sou viúva. Eu me casarei com você. Fica com a metade da farmácia.

Gall estrangula sua mulher.

Rosig – Socorro! Socorro! Estou com minha mulher em casa. Socorro!
Bock – Pensei, que fosse minha dentadura, peguei e não é minha dentadura.

Horch – Vejam, ouçam, o que vão fazer pela pessoa que mais amam?
Karl – Agora está escuro.
Anita – O que está pensando?
Karl – Agora ninguém vê.
Anita – Estou noiva.
Karl – Desde quando está noiva?
Anita – Desde agora.
Karl – Você é minha noiva.
Anita – Meu noivo está esperando. (*Ela se solta e corre, virando cadeiras, empurrando a mesa, na direção de Segenreich.*) Adeus, engenheiro. Foi muito agradável. Há muito não era tão agradável. Infelizmente meu noivo está me esperando.
Segenreich – Ninguém passa por aqui.
Anita – Temo que ele já esteja inquieto. Está esperando lá embaixo por mim. Ele quase não me deixou sair.
Segenreich – Não se concedem passes.
Anita – Então permita que o traga aqui. Não posso deixá-lo esperar mais. Ele não vai incomodá-lo.
Segenreich – Ninguém passa por aqui.
Anita – É um tipo responsável. É capaz de ficar calado a noite inteira. Pensar nele o tempo todo . Nós nos amamos.
Segenreich – O homem fica em seu posto e morre uma morte heróica.
Anita – Sabe, ele é tão calmo, quando entrar vai acalmar todas as pessoas.
Peter Hell (*de fora*) – Não consigo entrar. Deixem-me entrar. Não me entenda mal.
Johanna – Ninguém deve entrar no apartamento. A gentalha não pode entrar.
Peter Hell – Não sou gentalha. Por favor, não me entenda mal.
Anita – Peter? Sim! Veja, é ele. É meu noivo. Já está ficando inquieto.
Johanna – Uns vinte mendigos tocam a campainha por dia. Que a gentalha não passe o umbral. Estou farta desses mendigos! Estou farta deles!
Peter Hell – Anita, onde está você? Está me entendendo?
Anita – Agora abra só um pouquinho a porta, engenheiro, para que meu pobre rapaz possa entrar.
Johanna – Pobre, pobre? Mendigos, fora!
Segenreich – A porta permanecerá fechada.
Anita – Há muito tempo quer conhecê-lo.
Segenreich – A porta permanecerá fechada!
Peter – Anita! Anita!

ANITA – Peter, não me deixam ir até você! Meu Peter!
PETER – Estamos separados.
ANITA – Não podemos ficar juntos.
PETER – Nós nos amamos.
ANITA – Temos saudade.
PETER – Você é como a rosa.
ANITA – Você está aí.
PETER – O que acontecerá com as flores? Por favor, não me entenda mal.
HORCH – Vejam, ouçam, o que vão fazer pela pessoa que mais amam?

*Parte do telhado desaba. Ainda durante o barulho,
através da nuvem de pó causada pela parede
desmoronando, ouve-se vindo do andar de cima:*

THUT – Agora uma pergunta – do que você tem medo, Magdalena?
LENI – A criança desaba.
THUT – Você quer dizer a casa. Como já disse, uma casa é inquebrantável, como a palavra do homem.
LENI – Precisamos correr, venha.
THUT – Você está se precipitando novamente, Magdalena.
LENI – Antes que as escadas desabem, venha.
THUT – Não sou do tipo de gente que tem medo.
LENI – Antes que a casa desabe, venha.
THUT – Você parece uma criança.
LENI – Ele dorme de um jeito tão doce. Devemos levá-lo?
THUT – Acaba de adormecer.
LENI – Vai acordar.
THUT – Vai se resfriar.
LENI – Pode morrer.
THUT – Agasalhe-o bem!
LENI – Vou deixá-lo cair.
THUT – Segure-o firme!
LENI – Sou fraca demais.
THUT – Seja forte, Magdalena.
LENI – Pegue-o você.
THUT – Sou forte demais. Posso amassá-lo.
LENI – Cuidado.
Thut – Esse é meu jeito.
LENI – Você vai pegá-lo?
THUT – Pegue-o você!

LENI – Você é o pai.
THUT – E você, a mãe.
LENI – Você é esperto.
THUT – Você entende disso.
LENI – Mas não correndo.
THUT – Pegue a metade.
LENI – Já peguei.
THUT – Agora pegue a outra metade!
LENI – Carregue-a você.
THUT – Eu digo não. Absolutamente não.
LENI – Então deixo a minha metade cair.
THUT – Uma boa mãe!
LENI – Você nunca foi um pai!
THUT – E a idéia da casa?
LENI – Está caindo! Está caindo!
THUT – Não pode tomar cuidado?
LENI – Pelo buraco! Pelo buraco! Agora está morto!
THUT – Como disse anteontem...
LENI – Agora ele está morto!
THUT – Um sinal do destino.
HORCH – Vejam, ouçam, o que vão fazer pela pessoa que mais amam?
KARL (*agarra Pepi com ambas as mãos*) – Você se casa comigo?
(*Pepi emite um arrulho.*)
KARL – Anita não me quer. Sei por que não me quer. Não fiz nada para ela. Não me suporta. E olhe que estou no terceiro semestre. Muitos estão só no segundo. Agora ficou noiva. Será que sou tão inexperiente? Você também é um ser humano. Você se casa comigo, Pepi?

Pepi arrulha e dá palmadas nas coxas. Seus pés batem no chão.
Seus braços se erguem em movimentos no ritmados.

KARL – Você se casa comigo? De verdade?

Pepi sacode a cabeça com energia e alisa levemente
o rosto contraído pelas caretas.

KARL – Você se casa comigo?

Pepi dança em direção a ele, cambaleando como
a casa. Seu corpo diz sim, sim.

KARL (*agarra-a, larga-a agarra-a de novo e grita*) – Tenho uma mulher! Tenho uma mulher! Ela me quer! Tenho uma mulher! Ela me quer! Tenho uma mulher! No terceiro semestre! Tenho uma mulher!

Cambaleiam juntos, uma sombra pesada, confusa, para frente e para trás, para trás e para frente. O chão se rompe e eles mergulham na terra.

HORCH (*baixinho*) – Vejam, ouçam, o que vocês vão fazer pela pessoa que mais amam?

CHRISTA – Michel!

MICHEL – Sim.

CHRISTA – Você é meu marido.

MICHEL – Mas mamãe!

CHRISTA – Você é meu marido. Você precisa me ajudar. Você me ama.

MICHEL – Mas mamãe!

CHRISTA – Não sou sua mãe. Meu doce Michel. Ele tem olhos destrambelhados e o cabelo cândido. Você me ama. Eu me casei com você.

MICHEL – Mas mamãe!

CHRISTA – Não deixa ninguém sair. Enlouqueceu. Você precisa me salvar. Ele é forte. Tire-o de lá com um empurrão para fora! Empurre-o para o lado! Ele é forte. Ele vai matá-lo. Meu doce Michel. Ele não pode matá-lo. Você precisa me salvar. Mate-o! Mate-o!

MICHEL – Mas mamãe!

CHRISTA – Você é tão esperto. Só me chama de mamãe. Ele não percebe nada. Venha, pelo lado, sem fazer barulho, eu o ajudo. Ele quer me matar. Você me ama. Venha!

MICHEL – Mas mamãe!

CHRISTA – Venha, dê-me a mão. Não puxe. O que está fazendo? Está me puxando para trás. Venha!

MARIECHEN – Tenho medo! Tenho medo!

CHRISTA – Não lhe dê ouvidos! Você precisa me salvar. A mim. A mim. Você me ama.

MICHEL – Mas mamãe!

MARIECHEN – Tenho medo! Tenho medo!

CHRISTA – Deixe-a. Ela não vale nada. Ele vai lhe dar um pontapé. Vou segurar a perna dele. Vá por trás, meu querido. Também vou empurrá-lo.

MICHEL – Mas mamãe!

MARIECHEN – Tenho medo! Tenho medo!
CHRISTA – Que se cale. Quem é ela? Uma menina! Uma menina! Eu sou mãe. Carrego um filho seu. Doce Michel. Sou mãe. Tenho um filho seu.
MICHEL – Mas mamãe!
MARIECHEN – Tenho medo! Tenho medo!
CHRISTA – Está me ouvindo? Sou mãe, Michel. Você ama seu filho. Venha! Venha por trás. Vou segurar a perna dele. Quebra a poltrona na cabeça dele. Do pai. Está me ouvindo? Do pai. Pegue esta poltrona, a pesada, aqui, a poltrona! Vou na frente, com cuidado. Eu o seguro, venha, você bate na cabeça do pai. Dê-me a mão, doce Michel, eu o amo, dê-me a mão!
MICHEL – Mas mamãe!
MARIECHEN – Tenho medo! Tenho medo!
CHRISTA – Quebre a poltrona em sua cabeça.
HORCH – Vejam, ouçam, o que vão fazer pela pessoa que mais amam?

Uma parte da parede, à direita, desaba com estrépito. Ouve-se ao lado:

GRETCHEN – Max, a base sobe, Max, a base sobe!
MAX – Fique feliz.
GRETCHEN – Eu estou. Max, o terreno vai subir!
MAX – Se isso fosse verdade!
GRETCHEN – É verdade. Max, o terreno vai subir!
MAX – Esperemos pelo melhor.
GRETCHEN – A parede já desabou, o teto está por um fio, as janelas se estraçalharam e o chão está balançando. Não é um terremoto qualquer, é um terremoto muito caro, um terremoto de primeira classe, meia cidade está desabando. Amanhã o medo os dominará, depois de amanhã voltarão a construir. Mas eu digo a você, será uma construção diferente, será uma construção prática, vão construir direito, e a estação vai ficar justamente aqui. Calculo quanto podemos exigir – o triplo!
MAX – O quádruplo!
GRETCHEN – Digamos o quíntuplo.
MAX – O sêxtuplo. Afirmo o sêxtuplo. Tenho um motivo para isso. A empresa economiza um monte de dinheiro. A casa desaba por si. Está sentindo, eu estou, nem três minutos e a casa vai desabar!
GRETCHEN – Estou sentindo. Que sorte!

Max – Mandaremosos retirar os escombros.
Gretchen – Por nossa conta.
Max – Por nossa conta. Por toda parte, escombros em cima de escombros, um deserto impagável, pessoas sérias sacodem a cabeça, mas nosso terreno está limpíssimo, limpíssimo. O quê, querem construir aqui? Sua estação sobre o nosso terreno? Logo sobre o nosso terreno? Por favor, construam, mas quanto querem pagar, quanto pagam pelo terreno?
Gretchen – O sêxtuplo!
Max – O sêxtuplo! Só a morte é de graça.
Gretchen – Está sentindo a parede? A parede treme.
Max – Em todo o corpo.
Gretchen – Conheço uma empresa barata. Vai levar esses escombros em três dias.
Max – Empresa? Não precisamos de nenhuma empresa. Contrataremos a gentalha jovem.
Gretchen – Por um pedaço de pão com manteiga.
Max – E ainda ficarão felizes. Quem vai achar algo de comer sob os escombros? Pagamos em espécie.
Gretchen – O chão! O chão está se movendo! Ainda perco a cabeça!
Max – De alegria.
Gretchen – Compraremos todos os gêneros alimentícios de uma vez.
Max – Pode sobrar muita coisa.
Gretchen – O que houver aí, nós compraremos. Damos de comer a nossos operários.
Max – Uma parte. A maioria revenderemos. O teto!
Gretchen – Está pendurado por um fio.
Max – Primeiro afundará o chão.
Gretchen – Onde?
Max – Sob nossos pés.
Gretchen – Que sorte! Que sorte!
Max – Sabe, é bonito...
Gretchen – Nos entendermos tão bem.
Max – Somos um só coração...
Gretchen – E uma só alma!

Barulho terrível. A parede da direita desaba.

Horch – Vejam, ouçam, o que vão fazer pela pessoa que mais amam?
Zart – Sou sua mimosa, Schön.

Schön – O que ganho com isso?
Zart – Sou sua mimosa, Schön?
Schön – Como vou saber? Como vou saber?
Zart – Tremo como uma mimosa, Schön.
Schön – Pare, não trema, você me deixa nervoso.
Zart – Você pensou em mim, Schön?
Schön – Eu penso em mim.
Zart – Não se esqueça, Schön, ainda sou jovem.
Schön – Eu também.
Zart – Você precisa pensar em mim, Schön.
Schön – Olhe, caro amigo. Não.
Zart – Schön, você fez seu testamento?
Schön – Isso não é próprio de você, caro amigo. Não.
Zart – Você não pensou em sua mimosa, Schön.
Schön – Olhe, vou comprar-lhe balas. Vai e peça a seu pai, para que ele o deixe sair. Não.
Zart – Schön, você não vai ter descanso no túmulo.
Schön – Papai, não vou ter meu semestre reconhecido. Você precisa me deixar passar. Deixe-o passar depressa, caro amigo. Não.
Zart – Pense em mim, Schön, você não vai ter descanso no túmulo.
Schön – Papai, tenho um netinho para você. Já o estou sentindo. Não.
Zart – Você pensou em sua mimosa, Schön?

Schön joga-a no chão. Aproxima-se de Segenreich, que, com as pernas escarranchadas, parece uma figura de pedra, postada diante da porta que já não existe.

Johanna (*Barra a passagem de Schön. Cola seu corpo no dele*) – Veja, tenho formas.
Schön – Qualquer um pode dizer isso.
Johanna – Ouça, você é testemunha.
Schön – Que tenho eu com isso?
Johanna – Ouça, há um mendigo lá fora.
Schön – Eu tenho fome.
Johanna – Ouça, quero dar algo ao mendigo.
Schön – Dê para mim.
Johanna – Ouça, eu o engano com o belo Michel.
Schön – Como quiser.
Johanna – Ouça vou contar para meu marido.
Schön – Eu mesmo conto. Caro amigo. Enganei sua mulher.
Johanna – Com quem? Com quem?

Schön – Com quem? Com a noiva. Olhe, caro amigo, enganei sua mulher com sua filha.
Segenreich – Quem está falando algo de minha filha?
Christa – Quebre a poltrona em sua cabeça.
Schön – Sua filha foi minha. Dormi com uma. Dormi com a outra. Com sua mulher eu também dormi. Com sua mulher, mas isto não lhe causa nenhuma impressão. Tudo bem, mas suas filhas. A pequena só tem catorze anos. A outra se casou hoje. Caro amigo, você há de concordar, é uma safadeza de minha parte. Você não precisa agüentar isso. Ponha-me na rua. Caro amigo, você não pode agüentar isso em sua casa. Isso você não pode. Isso não.
Christa – Quebre a poltrona em sua cabeça!
Segenreich – Se continuar falando assim, parto-lhe a cabeça.
Schön – Imagine, é honra demais, caro amigo! Um cão sarnento a gente põe para fora.
Segenreich – Chô!
Schön – Olhe, assim é melhor. Um chô, um pontapé e o bicho sai voando. Um cachorro não deve fazer sujeira dentro de casa. Se fizer, será posto para fora. Au! Au! Au!
Segenreich – Chô, chô!

A poltrona pesada, que Michel e Christa carregam juntos suspensa no ar, cai com todo o seu peso sobre a cabeça de Segenreich. Ele desaba gemendo. Diante do vazio estão:

Johanna – Onde está a porta? Não há nenhuma porta!
Christa – Michel, onde está a porta?
Schön – Au! Au! Au!
Michel – Mas mamãe!
Christa – A porta, a porta!
Horch – Vejam, ouçam, o que vão fazer pela pessoa que mais amam?

O chão afunda completamente. Gritos horríveis e cheios
de ódio desgarram-se num amargo silêncio.

A Velha Kokosch – Ei, homem. Preciso dizer-lhe algo. (*Silêncio.*) Me deixe falar. Me deixe falar. Ei, homem, a vassoura está no chão. Esqueci a vassoura no chão. Não xingue. A vassoura está no chão. (*Gemidos.*)
Karl (*abraça a velha moribunda, em cuja cama ele caiu*) Tenho uma mulher! Tenho uma mulher!

A Velha Kokosch – Então me levou até o altar e me beijou e foi tão carinhoso!

(Silêncio)

Papagaio – Casa, casa, casa.
A Velha Gilz – Ainda estou viva. Ainda... *(Gemidos.)*
Papagaio – Casa, casa, casa.

FIM

Comédia da Vaidade

Drama em três partes

Personagens

O Pregoeiro Wenzel Wondrak
Senhorita Mai, Viúva Weihrauch e Enfermeira Luise,
  três excelentes amigas
Barloch, Empacotador
Anna Barloch, sua Esposa
François Fant, Filho
Franzl Nada, um Velho Entregador
Franzi Nada, sua Irmã
Hansi, Puppi, Gretl, Lizzi, Hedi e Lori, Seis Mocinhas
Fritz Schakerl, Professor
Emilie Fant, Mãe
Heinrich Föhn e Leda Frisch, um Casal
Egon Kaldaun
Lya, sua Esposa
Marie, a Moça faz Tudo
O Filho Único dos Kaldaun
O Pregador Brosam
Therese Kreiss, Dona de uma Mercearia
Milli Kreiss, sua Filha
Fritz Held, Cabeleireiro
Josef Garaus, Diretor
S. Bleiss

Primeira Parte

*Sobre um palco totalmente vazio encontra-se o
Pregoeiro Wenzel Wondrak.*

Pregoeiro Wenzel Wondrak – E nós, senhoras e senhores, e nós, e nós, senhoras e senhores, e nós, e nós, nós temos algo em vista. O que temos em vista? Temos em vista algo colossal, algo extremamente colossal, algo extraordinário, e nós, senhoras e senhores, nós somos colossais, e temos algo em vista. O que temos em vista, senhoras e senhores, e nós, e nós, e nós, senhoras e senhores? Acreditamos que ainda estamos aqui, hoje, hoje, sim, mas amanhã não estaremos aqui, amanhã não estaremos absolutamente aqui, convençam-se, examinem, lancem um amável olhar à oitava, nona, décima, décima primeira maravilha do mundo! Eu digo décima primeira, não digo décima segunda, mas se os senhores quiserem, direi também décima terceira. Quem será então supersticioso, senhoras e senhores, quem será, quem será então supersticioso? Entrem, eu os convido cortesmente. Também podem rir, se quiserem, não é proibido rir, o riso ainda é permitido, devem até rir, rir como o palhaço, que é como penso em me apresentar respeitavelmente ao distinto público.

E nós, e nós e nós, senhoras e senhores, e nós, e nós, aqui podem, senhoras e senhores, apontar para sua venerável imagem. Os senhores recebem cinco bolas redondas, cinco bolas redondas e duras, impecáveis e intactas. Se me permitem, recebem na mão essas bolas grátis e livres de gastos. Eu lhes forneço, senhoras e senhores, cinco bolas na mão. Quem as paga? Não os senhores! Não têm nada a pagar. Não devem pagar nada. Pois nós, senhoras e senhores, e nós, e nós, e nós pegamos as bolas na mão – e o que acontece com as bolas? Para onde apontam suas veneráveis mãos? Para suas próprias imagens! Têm diante de si suas imagens, suas imagens muito veneradas. Apontam para suas imagens e destroçam suas imagens. Atirem à vontade! Um inesgotável depósito de espelhos está à disposição. Atrás trazem seus espelhos. À frente destroçam suas imagens. Esta é a verdadeira virtude. Este é o coração nobre. E nós, e nós, e nós, senhoras e senhores, e nós, nós queremos desaparecer e não estar mais aqui. Quem quer tentar? Quem quer experimentar? Os senhores destroçam suas imagens. Meu senhor, o senhor é vaidoso? Então, entre! E nós, e nós, e nós, senhoras e senhores, tentem a sorte, entrem, entrem, o homem não é sempre um porco, o homem também pode ser um anjo, um bem-aventurado anjo. E nós, e nós, e nós, senhoras e senhores...

O palco gira, levando o Pregoeiro embora.
Sua voz se apaga lentamente.

Senhorita Mai, Viúva Weihrauch, Enfermeira Luise, três excelentes amigas, entram no palco. Cada uma tem debaixo do braço um pacote envolto em papel de jornal.

MAI – Você contou as suas?
WEIHRAUCH – Eu não. São demasiadas.
LUISE – Acho que está exagerando.
WEIHRAUCH – É o que eu digo.
MAI – Eu contei as minhas.
WEIHRAUCH – Bem, quantas você tem?
LUISE – Também gostaria de saber.
WEIHRAUCH – Agora, o que isso lhe diz respeito, enfermeira Luise?
MAI – Posso dizer a vocês.
WEIHRAUCH – E então? Quantas você tem?

Mai – O que você acha?
Weihrauch – Mostre-as!
Luise – O pouquinho!
Mai – Pois você não tem nada.
Luise – Pois fique sabendo que tenho muito, muito mais.

Senhorita Mai ri estridentemente.
Viúva Weihrauch, com estrondo.

Luise – Eu as contei.
Weihrauch – A enfermeira Luise contou as suas. Ela não se envergonha.
Luise – Veremos quem tem mais.
Weihrauch – Você, senhorita Mai, você já pode contar?
Mai – Você é uns três anos mais velha do que eu. Certo?
Luise – Melhor seria que mostrasse o pacote.
Weihrauch – Quantas você pode ter, senhorita Mai? Deve ter umas trinta!
Luise – O que você está dizendo? De onde ela vai tirar trinta? Ela não tem família.
Weihrauch – Se eu contar só meus irmãos e irmãs, já são nove. E de cada um tenho talvez uma boa dúzia. Pode fazer a conta quando quiser: 9 vezes 12 são 84, digo 108. E agora ainda vem meu defunto!
Mai – Não depende da família.
Weihrauch – Claro, de onde você vai tirar as suas se não tem nenhuma família?
Luise – Já sei. A senhorita Mai as tem de artistas de cinema. A senhorita Mai vai toda noite ao cinema. Vê três vezes cada filme.
Mai – Cinco vezes, se me agradar.
Weihrauch – Bem, pois agora acabou-se a diversão com os cinemas.
Luise (*lê um grande cartaz, até agora só visto em contornos*) – Proclamação. Primeiro. Não. Segundo. Não. Terceiro. Não. Quarto. Aqui está. Todos os cinemas serão fechados. Todos os filmes, tanto os originais como as cópias serão entregues para destruição. Toda a produção de filmes será suspensa. Projeções privadas em sociedade fechada serão punidas com um mínimo de oito anos de prisão.
Mai – Vocês acham que podem me envenenar.
Luise – Claro, se não se tem orgulho.
Weihrauch – Pode insultá-la quanto quiser, não adianta nada.
Mai – Gosto de me sentir insultada, mas o que importa agora é contar. Exijo que se conte.

LUISE – Por favor, posso me permitir isso. Economizei durante muito tempo. Sempre soube que esta hora ia chegar.
WEIHRAUCH – É o que digo: a que menos tem é a que mais fica ofendida.
MAI – Há muita sujeira.
LUISE – Onde? No chão pouco apetitoso?
WEIHRAUCH – Que acontece agora com a limpeza? Não gosto de me lavar a cada instante. Agora os grandes pacotes serão queimados.
LUISE – Mas, por favor, posso me permitir isso.
MAI – No chão? (*Hesita.*) Bem.

Todas as três se ajoelham, colocam os pacotes diante de si, desatam os fios múltiplos e firmes, e começam a contar. Contam muito rápido para chegar logo a um número elevado. Contam muito devagar porque ficam presas a cada foto. Prestam muita atenção umas nas outras. Na verdade, cada uma conta o conteúdo dos três pacotes ao mesmo tempo. Por entre o zumbido irregular ouve-se às vezes um tilintar alto, gritos e um murmúrio como o produzido por muitas pessoas.

LUISE (*dirigindo-se a Weihrauch*) – Não é certo, você só está no trinta e três.
WEIHRAUCH – Foi justamente isso que eu disse – 33.
LUISE – Não, você disse 35, mas está só no 33.
WEIHRAUCH – 34 – meu cunhado Otto. (*Mostra-lhe uma foto.*) – Vocês não o conheceram. Era o homem mais elegante do mundo. Cortou o pulso. Costumava sempre dizer – Se alguma vez cortar o pulso, você será a culpada. Ele me amava muito. O homem mais elegante que tivemos na família – 35, 36, 37.
MAI – 46 – Mas não era como o Rodolfo Valentino. Olhem só que homem! Só se pode dizer "um tipão" e que olhos ardentes! – 47, 48, 49.
LUISE – 50 – Mas todos os artistas de cinema são assim – 51, 52, 53.
WEIHRAUCH – 50 – senão qualquer um serviria – 51, 52, 53.
LUISE – 57 – Olhem, este é o capitão piloto von Rönnetal, com dedicatória de próprio punho. Cuidei dele. Cada vez ficava mais terno. Um homem fino. Eu cuidei dele até se curar. – 58, 59, 60.
WEIHRAUCH – 60 – Bem, e como está ele agora? – 61, 62.
LUISE – 65 – Assim que ficou são, o derrubaram. Cada vez ficava mais terno. – 66, 67, 68.

MAI – 80 – Mariano Bello, antes do desastre de carro que ele teve. Nessa época ele ainda era um tipão e tinha olhos ardentes. Depois tiveram que remendá-lo. Aí seu nome perdeu o sentido. – 81, 82, 83.

WEIHRAUCH – 78 – Meu falecido comigo no colo. Aqui ele tinha 25 anos e eu, 5. Ele me conheceu quando eu ainda não ia à escola. Tinha me visto uma vez num fotógrafo, e seu coração tomou uma decisão – esta ou nenhuma. Bem, daí ele esperou por mim quinze anos. E eu, o que obtive com isso? Absolutamente nada, porque morreu dois meses depois da noite de núpcias. Um homem elegante, um homem muito elegante, mas tinha um coração pouco sadio. E nos dávamos bem. Não ficava nunca ofendido. – Jesus, 79, 80, 81.

LUISE – 100 – "Esta lembrança, dedica-lhe seu agradecido devedor, Theodor Buch." Um homem nobre. Cuidei dele. Nunca foi terno com uma mulher. Essa era sua natureza. Tinha 29 anos. A mim ele confessou tudo. Ele disse: à senhora gostaria de me confessar, enfermeira Luise. – 101, 102, 103.

*Uma voz alta de homem, no fundo, interrompe
as mulheres de sua ocupação.*

BARLOCH – Tome esta outra! Você quer andar? Não quer andar? E agora começa com essas? Bem, isto está em minhas mãos, e você não pode fazer nada contra. Bum. Bum. Esta você notou, não é? Esta você notou. E ainda por cima fica atrevida? Era o que me faltava! Pois aí vai outra e outra e outra!

*Nesse ínterim o empacotador Barloch entra em cena.
Empurra com seus grossos punhos um gigantesco
fardo, cuidadosamente atado com cordas. Sua mulher Anna
caminha atrás dele, choramingando e magra, dando
leves e inúteis puxões nas cordas, como se
quisesse reter o fardo.*

ANNA – Isso você não pode fazer. Não fica bem.

BARLOCH – O que não fica bem? Para mim tudo fica bem. Agora quando eu quiser, despedaço a cidade inteira. Para mim, fica bem, a cidade inteira. (*Dá um empurrão depois de cada frase.*)

ANNA – Vai haver uma desgraça.

BARLOCH – O que, uma desgraça! Não vai haver nenhuma desgraça. Isto precisa ir para o fogo, e vai para o fogo.

ANNA – Mas isso não é seu.
BARLOCH – E quem vai jogá-lo no fogo? Eu!
ANNA – Mas isso é roubo de propriedade alheia.
BARLOCH – Propriedade? Propriedade? Estamos bem com a propriedade. Isto não é nenhuma propriedade. Isto é um crime.
ANNA – Ouço todos chegando. Tenho tanto medo!
BARLOCH – Você vai ver quando chegarem. Sou o grande herói. Você vai ver.

Ouve-se aproximar um grande número de pessoas, e do barulho que fazem parece desprender-se um murmúrio que soa como Barloch, Barloch.

ANNA – Aí você tem. Tenho tanto medo!
BARLOCH – Ande, sua tola! Sabe o que lhes direi quando chegarem? Dizer, não lhes direi nada. Mas vou fazer um discurso. Meus senhores, não fica bem eu estar fazendo isto. Com o suor de meu rosto, vou me levando como posso. Os senhores é que deviam tê-lo feito, e quem está fazendo sou eu. As fotografias, eu as roubei pessoalmente das casas. Elas estão proibidas. Se vão ao fogo agora ou mais tarde, tanto faz. Elas estão proibidas. E não fica bem que haja frutos proibidos. O fruto de meu amargo suor é este pacote, que é pequeno, mas porque não tive tempo para ir a outras casas. E agora digam-me os senhores se não tenho razão.

O ruído passou ao longe. Nesse ínterim, as três mulheres mais prestaram atenção do que contaram. De repente, a viúva Weihrauch agarra o montão de fotos que estão no chão, apanha o que pode e se dirige a Barloch com os braços carregados. Durante o trajeto diz em voz alta: – Um homem elegante! *Ela coloca as fotos sobre o fardo de Barloch.*

WEIHRAUCH – Aqui estão estas. Você tem razão. Eu digo o mesmo que você. Nós mesmas queríamos levá-las, eu e aquelas duas ali que são minhas amigas.

A Enfermeira Luise e a Senhorita Mai estremecem de medo.

BARLOCH – Gosto de você.
WEIHRAUCH – Um homem tão elegante!
BARLOCH – Gosto de você. Há algo em você. (*Agarra-a pelos ombros e costas.*) Assim não. (*Aponta de modo depreciativo para sua mulher.*)

ANNA – Aí está! Agora ela também pode empurrar.
LUISE (*com olhos úmidos*) – Atenção, ele vai ficar terno.
MAI (*titubeando*) – Mas não é elegante nem tem olhos ardentes.
LUISE – Mas vai ficar terno.

Ambas transportam o resto das fotos.

LUISE – Aqui estão. Podemos permitir isto. São 174 minhas e 166 da senhorita Mai. A viúva Weihrauch também tem quase 150.
WEIHRAUCH – Bem, sou a que menos tem.
BARLOCH – Vai tudo para o fogo. Vai tudo para o fogo. Ajudem-me, meninas. Não preciso de vocês. Com meus braços, podia ter feito um fardo três vezes maior. Mas não sou invejoso. Ajudem-me todas. (*Dirigindo-se à viúva Weihrauch.*) Faladeira, você também pode ajudar. (*Dá-lhe uma palmada nas costas.*)
LUISE (*pondo mãos à obra*) – Eu também.
ANNA – Agora todos ajudam você. De que se queixava tanto?
MAI (*que ficou para trás com Anna Barloch, conquistada*) – Elegante e de olhos ardentes.
ANNA – Aí está.

Escuta-se ao longe o Pregoeiro:
E nós, e nós, e nós, senhoras e senhores!

François Fant, jovem e elegante, aproxima-se com passos de dança. Atrás dele, está Franzl Nada, um velho entregador, curvado sob uma pesada carga de espelhos.

NADA – Pesado, pesado, meu jovem.
FANT – Vá em frente, e verá como consegue.
NADA – Se eu tivesse sabido que seriam tantos espelhos! Como pesam!
FANT – Caro amigo, ou sim ou não.
NADA – Estava apenas dizendo.
FANT (*fica parado*) – Aliás, se não quiser seguir em frente, encontrarei outra pessoa.
NADA (*assustado*) – Mas, meu jovem, não era essa a minha intenção. Com meus cabelos grisalhos! Quem está bravo?
FANT – Pois bem.
NADA – Arre! Arre!
FANT – O que é agora?
NADA – Nada.

Fant – Onde está você? Será que não pode se apressar?
Nada – Creio que não posso mais.
Fant – Se continua fazendo essas parvoíces, terei que carregar alguns também.
Nada – Pelo amor de Deus, meu jovem, não me faça passar essa vergonha. Com meus cabelos grisalhos! Se minha irmã soubesse disso! Já sou entregador há 56 anos.
Fant – Pois seja.
Nada – É só a idade.
Fant – Cada um faz sua parte.
Nada – O jovem tem razão. Quando ainda tinha minha irmã...
Fant – Venha, um pouquinho mais.
Nada – Já vou! Já vou! Minha irmã se chamava Franzi, e eu me chamo Franz.
Fant – Depressa, vamos, senão chegaremos tarde.
Nada – Em frente!
Fant – Assim está bem, adiante! Cada um faz sua parte. Cada um sacrifica algo. Eu sacrifico todos os meus espelhos, e são 14. Você me ajuda a carregar os espelhos, porque senão não tem nada a sacrificar. Nem todo mundo pode fazer sacrifícios tão grandes. Quanto você acha que custam os espelhos?
Nada – Bem, eles devem ter algum valor. Franzi, que era minha irmã...
Fant – Quanto você calcula?
Nada – Bem, um valor colossal! A Franzi...
Fant – Isso diria eu. Colossal, uma boa palavra. E vou destroçá-los todos com a mão, com umas bolas. Muito elegante.

Nada ofega.

Fant – Cuidado, lá vai uma pedra! Que nada se quebre! Cuidado, digo eu! Você não está cuidando dos espelhos!

Nada ofega e ofega.

Fant (*gritando*) – Agora só faltam três minutos. Rápido! Rápido! Três minutos! Aí pode descansar quanto quiser.

Nada desaba, os espelhos tilintam.

Fant (*furioso*) – Era só o que me faltava! Não se deve ter piedade. Eu devia ter pego outra pessoa, e não me teria custado nada. (*Empurra o velho para o lado com um pontapé.*) Espero que não tenham ido todas para o diabo: 1, 2, 3, 4, 5, 6, 7, 8. Oito peças ainda estão inteiras. Podia ter sido pior. Quem vai carregar tudo isto agora?

Franzi Nada, uma velha criada, chega se arrastando penosamente.

FANT – Bem, aonde vamos, avozinha?
FRANZI – Quero ir à festa. Ter, não tenho nada. Só vou olhar.
FANT – Espere, vamos ver. Você podia pegar os espelhos, oito peças, aí teria também algo para carregar.
FRANZI – Não é possível! Que barbaridade! Agora fiquei com os oito espelhos! Não é possível! Que coisa!
FANT (*coloca os espelhos sobre ela*) – O que é uma lástima são esses cacos.
FRANZI – Eu tomo cuidado, meu jovem, eu tomo cuidado. Não precisa ter medo. Meu próprio irmão era entregador.
FANT – Que tal essa carga?
FRANZI – Muito obrigada, senhor. Meu irmão, que era entregador, eu o perdi há trinta anos. Obrigada, senhor. Ele se chamava Franzl, e eu me chamo Franzi. Não posso acreditar! Beijo-lhe as mãos, meu senhor. Eu tinha pensado que o encontraria na festa, porque lá um entregador deve ter trabalho.
FANT – Interessante. Mas agora em frente! Os belos cacos!
FRANZI – Muitíssimo obrigada, meu senhor, que coisa! Muitíssimo obrigada, beijo-lhe as mãos, meu senhor, muitíssimo obrigada.
FANT – Os belos cacos! Teria podido levar catorze espelhos.
FRANZI – Beijo-lhe as mãos, meu senhor. Que fino, bom e amável é o senhor.

Enquanto eles saem, ouve-se o Pregoeiro: E nós, e nós, e nós, senhoras e senhores, e nós...

O Velho Nada ergue-se com dificuldade e apalpa os ossos: Com meus cabelos grisalhos! Que vergonha! Se a Franzi tivesse visto isso!

Seis Mocinhas aproximam-se saltitando.

HANSI – Eu posso ir junto.
PUPPI – Eu também.
GRETL – Ela não pode vir!

Puppi – Como não, posso, sim.
Gretl – Não, ela não pode.
Hansi – Eu posso ir junto.
Lizzi – Olhem todas para cá, eu tenho algo!
Hansi, Puppi, Gretl – Mostre!
Lizzi – Não, não mostro.
Hedi – Vamos, mostre, se você mostrar, pode dar uma lambida. (*Ela lhe dá um pirulito.*)
Lizzi – Primeiro quero dar uma lambida.
Hedi – Está bem! (*Lambida solene.*)
Lizzi – Bem, agora eu mostro. Mas só a você. As outras não podem ver.
Gretl – Vamos, ela é tão invejosa.
Lori (*que até agora estava quieta e afastada*) – Ela não tem nada.
Lizzi (*volta-se como um raio*) – A você é que não mostro.
Hansi, Puppi, Gretl – Ela não tem nada, está fingindo.
Lizzi – Venham todas aqui, vou lhes mostrar. Só a alta não pode ver.

Hansi, Puppi, Gretl aproximam-se correndo. Lori se afasta ainda mais, com cara de desprezo. Hansi, Puppi, Gretl correm excitadas em direção a Lori e falam alto, todas juntas.

Gretl – Ela tem uma fotografia do pai.
Hansi – Ela tem permissão de queimá-la.
Puppi – Também tem uma da mãe.
Hedi – E do irmão mais velho.
Gretl – Ela as pegou em casa.
Puppi – Não ganhei nenhuma.
Gretl – Bem, você, você não pode vir junto.
Puppi (*começa a chorar*) – Posso, sim.
Lizzi – Deixe-a em paz! Ela pode vir junto. Eu a levo. Eu a levo comigo.

As outras se calam sem jeito. Puppi ri novamente.

Lizzi (*para Lori*) – Bem, será que tenho algo? Agora você não pode dizer nada. Pode dizer algo? Não pode dizer nada. Esta é do meu pai. Esta é da minha mãe. E esta é do meu irmão mais velho.
Lori – Você deve tê-las roubado.
Lizzi (*dá-lhe um tapa no rosto*) – Agora você é má! Má! Meu pai diz que é boa, mas é má!
Lori (*ri caçoando*) – Quantas você tem? Três? (*Tira da blusa um pacote.*) Eu tenho vinte e três. (*Ela o segura diante do rosto da*

outra.) Também não as roubei. Minha mãe está doente, e eu vou em seu lugar à festa.

As meninas se colocam todas ao lado de Lori.

Lizzi (*para Puppi*) – Você também vai com ela?
Puppi – É que ela tem vinte e três.
Lori – Venha, eu a levo comigo, você pode vir junto.
Lizzi – Eu lhe dou de presente a fotografia de meu irmão.

Puppi hesita.

Lori – E você a joga no fogo, está bem?
Puppi – Posso jogar seu próprio irmão no fogo?
Lizzi – Não, meu irmão, não, minha mãe, ela você pode.
Hansi – Eu a pego.
Gretl – Eu também.
Hedi – Eu também.
Puppi – Agora quem ganha sou eu!
Lori – Vamos, fique aí, vou lhe dar duas fotos de presente. (*Ela tira o pacote da blusa, pega duas fotos e as dá a Puppi.*)
Puppi (*segura as fotos diante do nariz das outras*) – Agora tenho duas!
Hansi – Eu também quero!
Gretl – Eu também!
Hedi – Eu também!
Lizzi – Pode ficar com a mamãe, em troca posso dar mais uma lambida.
Hedi – Está bem.
Lori – Vamos, fique aí, você vai ganhar também duas. (*Tira de novo o pacote da blusa e dá também a Hedi duas fotos.*)
Hedi (*dá um empurrão em Puppi*) – Agora também tenho duas.

Hansi e Gretl fazem cara de choro.

Lizzi (*vai até elas*) – A mamãe, eu dou a vocês. Ela pertence a vocês duas juntas.

Hansi e Gretl torcem o nariz, mas cada uma estica uma mão.

Lori (*se interpõe*) – Cada uma de vocês ganha também duas. (*Repete-se o mesmo processo.*)

Hansi e Gretl viram as costas a Lizzi.

Lori – Agora todas precisam vir comigo. Quem tem minhas fotos vem comigo.
Hansi – Com esta também?
Puppi – Com esta não vai ninguém.
Gretl – Ela com sua mamãezinha!
Hedi – Pode ficar com ela.
Lizzi – Minha mãezinha é bonita.
Gretl – É vesga.
Lizzi (*lhe dá uma bofetada*) – Agora você está sendo maldosa!
Gretl (*devolve a bofetada*) – É vesga e feia como uma bruxa e tem um narigão e manca ao andar e tem uma corcunda e fede! Não se agüenta ficar com ela na mesma sala, diz minha mãe. E é vesga, e tem um nariz torto!
Hansi – Eu também vi.
Hedi – Na foto.
Puppi – Eu também.

Lizzi chora e bate, Gretl chora e xinga, Lori ri,
as outras as olham. Surge Fritz Schakerl,
professor, mas não professor
dessas crianças.

Schakerl – Cri-cri-anças não têm nada a fazer a-qui-qui. Cri-cri-anças pre-pre-cisam ir para ca-ca-casa.

Todas as seis mocinhas ficam paralisadas.

Schakerl – Ir para ca-ca-casa, digo eu, num abrir-brir e fechar de olhos. Cri-cri-anças não têm nada a fazer a-qui-qui.
Lori (*avança*) – Minha mãe está doente e me mandou com 23 fotos. Todas vão para um grande fogo.

As outras levantam, indecisas, suas fotos.

Schakerl – Quan-quantas?
Lori – Vinte e três. (*Ela recolhe de Hansi, Puppi, Gretl e Hedi, que não reagem, todas as fotos que lhes havia presenteado.*) – Minha mãe disse.
Schakerl – Merece a pe-pena, por-por vin-vin-vinte e três. Dê-mas, que-que as jo-jo-jogarei. (*Arrebata o pacote da mão de Lori.*) –

Vo-você também tem – tem al-go-go. (*Pega as três fotos de Lizzi. Ela as agarra convulsivamente. Três minúsculos pedaços ficam em sua mão.*)

Todas as seis moçinhas começam a chorar desconsoladamente.

SCHAKERL – E ago-go-ra saiam. Rá-rápido, saiam, estou di-di-dizendo.

Com fortes e secos golpes expulsa as moças, que se juntaram em um grupo apertado. Seus gritos se mesclam com o ruído da feira atrás e acabam transformando-se nos gritos de uma mulher.

EMILIE FANT (*uma mulher bem gorda, e muito pintada, coberta de jóias de cima a baixo, atravessa a cena, gesticulando com vivacidade*) – Meu filho! Onde está meu filho? Minha criança saiu correndo de perto de mim. Ninguém viu meu filho? Meu filho! A gente se mata de trabalhar, a língua de fora, e isso dia e noite, dia e noite, sem parar. A gente pensa que está acumulando riqueza. E para quê? Isso não é trabalho. Será que eu mereço isso? Meu filho! Onde está meu filho? Meu filho saiu correndo. Onde posso encontrar meu filho? Será que alguém viu meu filho?
FRITZ SCHAKERL (*que até então tinha ficado de lado, caminha muito rígido até a mulher e gagueja*) – Hoje é um gran-gran-grande dia. Não gri-gri-grite!
A FANT (*que o nota apenas agora, lança-se sobre ele e grita*) – Viu meu filho? Onde está o meu filho? O senhor sabe. Eu sei que o senhor sabe.
SCHAKERL – Não gri-gri-grite. Não!
A FANT – Como não devo gritar? O mundo todo deve saber! Meu único filho! E todo o meu trabalho, para quem? Diga onde está meu filho! O senhor sabe! Eu sei que o senhor sabe!
SCHAKERL – Não te-te-tenho as fo-fo-fotos.
A FANT – Minhas fotos? Ele não as tem. Quem está falando de minhas fotos? Mas meus espelhos, ele os levou todos de casa. Catorze espelhos! Meus catorze espelhos! Como minhas moças vão trabalhar sem meus espelhos? Isso não é nenhum trabalho. Assim não se pode trabalhar. Minhas moças estão desesperadas!
SCHAKERL (*durante as últimas palavras foi se empertigando. Tira um papel do bolso e o lê com voz alta, sem gaguejar nenhuma*

vez) – PROCLAMAÇÃO. O governo decidiu. Primeiro – Fica proibida a posse e o uso de espelhos. Todos os espelhos disponíveis serão destruídos. A fabricação de espelhos fica interrompida. Passados trinta dias, todos os que forem surpreendidos em posse ou fazendo uso de um espelho serão castigados com pena de prisão de doze a vinte anos. A fabricação de espelhos será castigada com a pena de morte.

A Fant – Ah, sim, pena de morte. Eu teria dado seis dos meus espelhos, de livre e espontânea vontade, nem teria exigido indenização. Mas os catorze! Não é possível. Isso já não é trabalho. Assim não se pode trabalhar. Pergunte às minhas moças!

Schakerl – Ca-ca-cale-se! Segundo – Fica proibido fotografar pessoas ou seres semelhantes a pessoas. Todas as fotos disponíveis de pessoas ou seres semelhantes a pessoas serão destruídas. Aparelhos fotográficos de todos os tipos devem ser entregues, a partir de hoje, às autoridades. Fica interrompida, a partir de hoje, a fabricação de tais aparelhos. Passados trinta dias, todo aquele em cujo poder se encontrem fotos de pessoas ou seres semelhantes a pessoas será castigado com pena de prisão de três a cinco anos. Fotografar pessoas ou seres semelhantes a pessoas será castigado com a pena de morte.

A Fant – Ah, sim, pena de morte. Não posso entregar minhas fotos. Minhas meninas necessitam das fotos para os clientes. Sem fotos, os clientes decentes não aparecerão mais em minha casa. Como se estivéssemos acumulando riquezas!

Schakerl – Ca-ca-ca-le-se! Terceiro – Fica proibida a execução de retratos e auto-retratos a carvão, pastel, aquarela, óleo ou qualquer outro procedimento. Todos os retratos e auto-retratos disponíveis terão de ser entregues às autoridades, sendo destruídos em sua maior parte. A comissão de peritos designada para isso fará uma estrita seleção destinada ao futuro Museu da Vaidade. Passados trinta dias, a posse de um retrato ou auto-retrato será castigada com uma pena de prisão de oito a doze anos. A execução de retratos ou auto-retratos será punida com a pena de morte.

A Fant – De novo a pena de morte! Agora estou farta. Não roubo meu tempo. O senhor viu meu François ou não? O senhor deve tê-lo visto com meus catorze espelhos, todos bem grandes!

Schakerl – Ca-ca-ca-le-se! Quarto:

A Fant – Deixe-me em paz! Não roubo meu tempo. Chega de bobagens! Que ganho eu com isso tudo? Terei que pôr minhas moças

na rua? O senhor não tem coração! Tenho de recuperar meus
espelhos. Eu trabalho. Pode-se trabalhar assim? Homem sem coração!

SCHAKERL (*grasnando*) – Quarto! (*Ela não o deixa falar.*) Te-te-tenha
cuidado! Eu a de-de-denunciarei!

A FANT (*saindo correndo*) – Homem sem coração! Como se a gente
acumulasse riquezas! Meu filho! Onde está meu filho! Alguém
viu o meu filho? Meu filho!

Schakerl, desde o momento em que voltou a gaguejar, está
prostrado e se retira para o lado da cena, como antes.

Heinrich Föhn e Leda Frisch dão um passeio
enquanto conversam.

FÖHN – Desculpe-me, senhora, mas o assunto não é esse. Não se
trata aqui de umas quantas medidas mesquinhas. Não queremos viver sempre pela metade. Acostumamo-nos com meta-
des, como o dia e a noite, por exemplo, mas isso tem que mudar.

LEDA (*friamente*) – Sim, na verdade também li isso mesmo ontem. O
senhor certamente tem razão.

FÖHN – Não porque já as leu, senhora. Não sei onde pode tê-lo lido.
Não costumo fazer citações, também não tenho necessidade de
pedir emprestado pensamentos a outros, pois a mim ocorrem alguns, como já deve saber. Não, trata-se de uma totalidade no mais
elevado sentido da palavra. Examine de perto a vida, tal como foi
até agora. Que faziam as pessoas assim que se levantavam de manhã? Se lavavam. Onde? Diante de um espelho. Se penteavam.
Onde? Diante de um espelho. Faziam a barba. Onde? Diante de
um espelho.

LEDA – Se maquiavam. Onde? Diante de um espelho. Se empoavam.
Onde? Diante de um espelho.

FÖHN – Fico feliz com seus sarcasmos, porque só me servem de
ajuda. Sem o notar, passou a citar exemplos da vida feminina.
Com isso, pôs em minha mão a arma que eu procurava há muito
tempo. Estamos afeminados. Está aí nossa desgraça. O espelho, um instrumento da vida profissional da mulher, tomou posse, no sentido estrito da palavra, de todos nós, inclusive dos
homens. Já não nos lançamos mais à frente como antes; passa-
mos boa parte de nosso tempo contemplando a nós mesmos,
com tanta minúcia como se fôssemos nos pintar, e com tanto

amor como se quiséssemos nos casar conosco. Isto é, cada um de nós está casado com a própria imagem no espelho. Quando comemos, alimentamos a imagem; quando nos vestimos, vestimos a imagem, e ainda que estejamos enfermos, maus e na miséria, procuramos conservar a saúde de nossa imagem, pois de outro modo não nos sobraria alegria alguma na vida.

Leda – Encanta-me ouvi-lo quando fala assim. Há algo verdadeiramente masculino no senhor, quando o faz.

Föhn – Não! Não! Trata-se agora de algo mais que minha própria pessoa. De qualquer forma, que seu comentário lhe sirva de advertência. Quando falo do grande assunto que a todos nos concerne, da luta contra o espelho, pareço masculino, como a senhora diz.

Leda – Combativo, na realidade. Vitorioso.

Föhn – Acha? Vitorioso?

Leda – Conservando o sorriso nos lábios fortes, mesmo depois de morto.

Föhn – Lábios fortes? Sim. Como queira, sim. Mas, de que falávamos?

Leda – Em realidade, da vaidade feminina, da que agora os homens também são escravos.

Föhn – Certo. E, diga-me, acaso não acontece o mesmo com a fotografia? Colocamo-nos sem vergonha frente a qualquer buraco, desfiguramos rosto em máscaras, que em si talvez não fossem tão desagradáveis, máscaras que em sua maioria nos são prescritas pelos fotógrafos. As fotografias são um compromisso entre a vaidade do fotógrafo e a do fotografado. Talvez as amemos tanto porque nelas, edulcoradas, podemos nos contemplar o quanto quisermos. Não são, por acaso, esses álbuns ridículos em que a gente se mostra aos outros, digamos, umas trezentas vezes, do berço ao túmulo, uma das invenções mais humilhantes do demônio da vaidade?

Leda – A verdade é que não sei. Gosto muito das fotos de crianças. O senhor tem fotos suas, de quando era pequeno?

Föhn – Oh, sim, naturalmente. Por que pergunta?

Leda – Gostaria muito de vê-las. Estou certa de que, quando criança, era um pequeno diabinho.

Föhn – Nisso toda a família está de acordo. Era extraordinariamente esperto e já sabia ler aos quatro anos. Contam sobre mim, nessa época, as histórias mais assombrosas. Parece que certa ocasião – ainda não havia completado cinco anos – corrigi meu pai, que lia o jornal, comigo apoiado sobre seus ombros. E o corrigi bem.

Leda – Encantador! Esta é a história mais encantadora que já ouvi. Que diabinho delicioso! Corrigir os erros do pai! Encantador! (*Ela consegue se colocar em seus braços.*)

Föhn (*enquanto a deixa agir*) – Acha isso também encantador?
Fritz Schakerl (*que entretanto estava se esforçando para tomar ar, engole saliva repetidamente e move a boca. Pegou um papel e lê em voz baixa, exercitando. Finalmente se sente seguro no instante em que ambos se abraçam. Avança rigidamente até o par e grasna.*) – Os se-se-senhores têm mui-mui-muita razão. (*Heinrich Föhn e Leda Frisch se separam.*) Co-co-conhecem isto? (*Ergue o papel e torna a grasnar, sem gaguejar.*) – "Não é possível seguir contemplando o terrível incremento da vaidade em todos os campos da vida pública e privada. Crescem dia a dia a frivolidade, o gosto pelos bailes e pela moda. Não há ser vivo cujo objetivo supremo não seja vestir-se bem e ter o aspecto de um príncipe disfarçado."
Föhn – Obrigado. Eu conheço isso.
Schakerl – A se-se-senhora não co-co-conhece. "As vitrines estão repletas de deuses falsos. Toda a dor do mundo se afoga em elegância. Já ninguém resiste nem luta em favor da simplicidade."
Föhn – Obrigado. A senhora também conhece. Deveras.
Leda – Na verdade, sim.
Schakerl – Os se-se-senhores co-co-conhecem isto? "Uma horda de babuínos barulhentos, com rabo carmezim, plumas na cabeça e anel no nariz, passeia pelas ruas e infecta o ar."
Föhn – Isso também conheço. E conheço outras coisas.
Leda – Meu noivo conhece realmente tudo. (*Ambos caminham mais rápido.*)
Schakerl (*mantém-se próximo deles*) – Mas esse ou-ou-outro não co-co-conhecem. "O povo está maduro para a sua ruína."
Föhn – Conheço tudo. Conheço tudo.
Leda – Meu noivo conhece tudo.
Schakerl – Quem se atreveria a jurar que não carrega um espelho no bolso?

A família Kaldaun é formada por quatro pessoas. Egon Kaldaun está mergulhado em pensamentos. Lya, sua esposa, ocupa-se com sua bolsa. Marie, a moça faz tudo, já não muito jovem, caminha atrás, empurrando o carro de bebê com o filho único dos Kaldaun.

Lya – Que devo sacrificar hoje, Egon?
Egon – As calças estão novamente sem passar.
Lya – Egon, que devo sacrificar hoje?

Egon – Estou falando das calças. As calças estão novamente sem passar. É simples.
Lya – Devo sacrificar hoje o espelho de bolso, Egon?
Egon – Não tenho por que consentir. Outra vez as calças estão sem passar.
Lya – Marie, você não está ouvindo, como sempre. As calças não estão passadas. Meu marido, o senhor, não tem por que consentir.
Egon – Então entregue seu espelho, se quiser. É bem simples.
Lya – Acha que devo? Não sei.
Egon – Pode-se andar assim?
Lya – Marie, meu marido, o senhor, se envergonha de andar assim pela rua. O senhor, está me ouvindo?
Egon – Eu pegaria calmamente o espelho. Parece bonito. Uma vergonha.
Lya – Você acredita que meu marido, o senhor, vai à festa só para se divertir? O que pensa você, Marie?
Egon – Você deve puxá-lo do bolso. Decisão rápida. Simplesmente. E eu estou envergonhado. Não sei o que fazer.
Lya – Veja, Marie, eu lhe digo pela centésima vez. Meu marido, o senhor, está farto e não sabe o que fazer. Mas o que devo fazer com ele, Egon?
Egon – Você o pega e joga no fogo. Será bonito. Simplesmente. Tem que jogá-lo quando todos estiverem olhando. Diretamente no fogo. Não vou permitir que me sigam amargurando a vida. Olhe estas dobras. Diretamente no fogo.
O Filho Único (*grita de repente*) – Fo-go! Fo-go!

O brilho avermelhado do fogo, que não está longe, vai aumentando lentamente de intensidade. As vozes que se ouvem soam mais próximas e excitadas.

Lya – Pego-o diretamente e jogo no fogo. Marie, quando você passou pela última vez as calças do senhor?
O Filho Único – Fo-go! Fo-go!
Marie – Não é tão terrível. Hoje cedo, antes do senhor vesti-las. As calças foram passadas hoje cedo, e estão bem. Eu me retiro! Quero que o saiba! Calças! (*Ela deixa o carrinho do bebê no meio da rua. Nem bem retirou a mão do carro, já grita.*)
O Filho Único (*estridentemente*) – Fo-go! Fo-go!
Lya – Será que terei de acalmar o bebê, Marie? Agora não tenho tempo. Tenho que jogar o espelho diretamente no fogo. Que devo dizer, Egon? Faça-o você. Está decidido?

Egon – Marie, digo-lhe pela centésima vez – você fica. Simplesmente.
O Filho Único – Fo-go! Fo-go!

Marie se aproxima do carrinho e torna a empurrá-lo.

Lya – Devo pegar já o espelho, Egon?
Egon – Espere até estarmos mais próximos, será mais bonito.
O Filho Único (*com alegria*) – Fo-go! Fo-go!

*Na praça, aonde a família Kaldaun chegou, arde à direita
um fogo que vai crescendo minuto a minuto. No fundo,
à esquerda, está a barraca do pregoeiro. Nem se iria
notá-la, não fosse o contínuo tilintar de espelhos, ao
qual se acostuma lentamente, como à voz do pregoeiro.
Entre o fogo e a barraca passeiam muitas pessoas,
entre as quais estão, com exceção das seis mocinhas,
todas as personagens que conhecemos nas cenas
anteriores. Ao lado do fogo está, sobre um caixote,
um Pregador atarracado, com rosto gordo, em torno
do qual se achega a maioria das pessoas.*

O Pregador Brosam – Mas não estamos aqui para disputar, e sim para combater! Queridos irmãos, lutemos contra a obscena lascívia da vaidade. Satã nos tem em suas garras verdes. Nos tem agarrados, e nos róe como se fôssemos um pedaço de pão duro. Ele engasga e cospe e não consegue nos engolir. Olhem, queridos irmãos, somos demasiado venenosos para Satã. Se esforça para engolir e se sufoca, se afoga, e sua carantonha vermelha torna-se verde como suas garras. Ele bufa, arreganha os dentes, mas nenhum demônio ajuda, pois ele próprio é o demônio, e ele precisa nos comer. Somos, pois, para o demônio, seu alimento mais venenoso. E, ouço-os perguntar, por que somos para o demônio o mais fedorento dos alimentos? Acaso não se trata do demônio? Acaso não é ele mais depravado do que todos nós? Vou responder a vocês, pobre gente. O demônio é mau e depravado, mas não carrega nenhum espelhinho no bolso, não tem fotos nem fotinhas. Estive muito tempo com ele, podem me acreditar. Enfiei as mãos em todos os seus ardentes bolsinhos, registrei o cofre de suas maldades, explorei todas as suas supurantes guaridas, suas câmaras de tortura, negras como a pez, percorri incansável todo o inferno fervente – e é muito grande, com lugar para muita gente e cada hora que passa cresce e cresce – mas em parte alguma encontrei um espelho, em nenhuma parte, ainda que fosse um bem pequenino. No inferno não há espelhos. Só nós temos espelhos e retratos e fotografias, e aquele que se coloca no olho da câmera é pior do que o demônio, e nem sequer há lugar para ele no inferno. Onde arderá, então? Aonde irá parar sua alma? Isso não sei dizer a vocês. Mas não estamos aqui para disputar, e sim para combater! Queridos irmãos, lutemos contra a...

Uma voz aguda se destaca em meio ao estrondo geral:
Agora esta e agora esta e agora esta e agora esta!
*O cenário gira um pouco, o brilho do fogo
segue forte, mas as pessoas não
estão tão apinhadas.*

THERESE KREISS (*dona de uma mercearia, rasga fotografias desesperadamente e lança os pedaços na direção do fogo*) – Agora esta e agora esta e agora esta e agora esta!

MILLI (*sua filha*) – Mas o que está fazendo, mamãe!

THERESE – Agora esta e agora esta e agora esta e agora esta!

FRITZ HELD (*cabeleireiro, que se encontra perto dela*) – Sempre uma por uma. Que bonito!

MILLI – Mãe, meus retratos estão também aí?

THERESE – Eles ainda vêm. Tudo vem a seu tempo. Agora esta e agora esta!

MILLI – Mas, mãezinha, não tinha por que pegar meus retratos hoje mesmo.

THERESE – Os seus, os seus com mais motivo. Porque você tem a vaidade metida no corpo, como o verme da madeira nas raízes.

MILLI – Mas se acabo de tirá-las para Fritzl, as belas fotografias.

THERESE – O Fritzl conhece você assim mesmo.

MILLI – Ele disse que me ama por causa das fotos. Mas o que está fazendo, mãe? O que está fazendo?

THERESE – Sem o Fritz também dá certo.

MILLI – Agora o está rasgando. Agora também está rasgando o Fritzl! Não quero saber disso!

HELD – Meu nome é Fritz, minha senhora.

MILLI – Não quero saber disso, mãe!

HELD – Mas, minha senhora, eu me chamo Fritz!

MILLI – Mãe, o que está fazendo? Mãe, o que está fazendo? Agora rasgou o Fritzl. Você me rasgou o Fritzl!

HELD – Minha senhora, há mais de um Fritz. Eu por exemplo também me chamo Fritz.

MILLI – O Fritzl não voltará nunca mais. (*Soluçando amargamente.*) – Quando ele não encontrar mais sua foto, não virá mais.

HELD – Mudando de conversa, como se costuma dizer em linguagem popular, diga-me, por favor, não sou também um belo Fritz?

MILLI – O que há com você, que fica se apresentando a todo instante? Não o conheço em absoluto.

HELD – Com a maior discrição, permito-me oferecer-lhe um retrato de Fritz.

MILLI – Venha, mostre-o! De onde o tirou?

HELD – Rogo-lhe que mantenha o segredo. Estamos sendo observados.

MILLI – Estamos sendo observados. O Fritzl também sempre dizia isso.

HELD – Não podíamos ir um pouco para um lado?

MILLI – Primeiro me mostre o retrato!

HELD – Peço-lhe por favor.

MILLI – Este não é o Fritzl.

HELD – O cavaleiro, cuja foto você está segurando em suas adoráveis mãos, se chama Fritz.

MILLI – Este é você.

HELD – E, como disse, me chamo Fritz.

MILLI – Bem, e que me importa?

HELD – Permito-me pedir-lhe que fique com o retrato.

MILLI – Você diz que o retrato me pertence?

HELD – Peço-lhe encarecidamente.

MILLI – Pertence só a mim? Não brinque comigo.

HELD – A você somente, como meu coração. Não quer sair um pouquinho?

MILLI – Sim, se a foto me pertence, encantada!

HELD – É como disse.

MILLI – Um retrato tão bonito! Será possível! Fritzl!

THERESE – Agora esta e agora esta e agora esta e agora esta!

O PREGADOR – Há muitos animais sobre a terra, quadrúpedes, pássaros, serpentes, e não nasceu o homem cuja língua possa dar nome a todos. Mas eu sei que há um animal mais sujo do que todos os outros. Diariamente o levam à boca, e diariamente o saboreiam. Devem dar um nome a esse animal, vocês mesmos devem nomeá-lo, por isso faço esta pergunta – Vaidade, qual é seu nome verdadeiro?

*Em um lugar mais silencioso, mas não longe do
fogo, o senhor Josef Garaus, diretor, sorri
condescendente para todos
os lados. Está sozinho.*

GARAUS – Olhe só, um fogo. Um fogo assim é algo para mim. Gosto de um fogo. O brilho vermelho. As pessoas quando vêem um espetáculo, correm para cá e têm a sua diversão. E por que não? Também são gente. Alimentam o fogo com fotos e, que labaredas! Tampouco é o caso de se lamentar pelas fotinhas que estão ardendo. Você, guarde as suas bem guardadas. (*Tira um espelhinho de mão e se observa longa e cuidadosamente.*) Isso está bem para o povo, que gasta até o último centavo e não tem medida. (*Guarda o espelho lentamente.*) Como estou suando! Já sei, deve ter sido há três semanas. Passava diante de um estúdio fotográfico, e o fotógrafo havia colocado um carro em frente à porta do negócio. A mim essas coisas não chocam, mas me pus a pensar. Por que terá colocado carro ali? Sentei-me em um banco para esperar um pouco, apareceu um casal muito agarrado. Nenhum dos dois tinha um tostão, mas se fotografaram com o carro atrás. Casal de noivos, capital básico: um carro. Sou um diretor e não tenho carro. Mas eles em seguida têm de se fotografar com o carro, porque o amor é grátis. É algo que não posso suportar. Assim acho. Se conhecerem alguém que lhes pergunte: a que se dedicam?, eles vão responder: proprietários de carros. Ademais, podem demonstrá-lo, porque têm a foto no bolso. Não posso suportar isso. Mas isso se acabou, meu distinto casal, proprietários de carros. Agora, aquele que tem carro, tem, e o que não tem nenhum, não tem nenhum. E eu, que sou diretor, não tenho nenhum, e vocês já podem ir jogando no fogo as fotos bonitas, porque estão proibidas. Por falar nisso, onde estão as minhas? (*Tira uma carteira do bolso e dela um pacotinho com fotos e se observa afetuosa, minuciosamente.*) Agora gostaria de saber se tenho o nariz assim (*dá um piparote numa das fotos*) ou assim (*dá um piparote em outra.*) Nós saberemos em seguida. (*Torna a tirar o espelho e o mantém entre os dois narizes em conflito.*) Um momento, por favor. Essa não! Pois sim. Jamais me teria ocorrido. Exatamente algo que não posso suportar. Bom, talvez o fogo tenha a culpa. Naturalmente o brilho do fogo é o culpado! Olhe o fogo. Veja que apetite tem! Não, muito obrigado! (*Com gesto pouco amistoso, volta as cos-*

tas para o fogo e embrulha as fotos com ternura.) Com o pouco que gosto de intrometidos. Bem, querido. Isso está bem para o povo, que gasta até o último centavo e não tem medida. *(Volta a se contemplar no espelho.)* O fogo me deixou com o rosto vermelho. Que intrometido.

S. BLEISS *(atrás dele)* – O senhor ainda tem?

GARAUS *(volta-se desconcertado e de mau humor)* – O quê?

BLEISS – O senhor ainda tem? Se tem, dê-me cá.

GARAUS – Sim, o que devo ter?

BLEIS – Dê-me cá. Meus preços são os mais favoráveis do mercado.

GARAUS – Gostaria de saber o que realmente quer de mim, senhor!

BLEISS – Nada. Nada. Só pergunto se ainda as tem. Compro tudo. Se ainda as tem, dê-ma!

GARAUS – Aqui não se compra nem se vende nada, senhor!

BLEISS – Talvez alguma de sua senhora, dos meninos, da família. Por dúzia pago mais.

GARAUS *(grita)* – Mas, senhor! Será que pensa que sou casado? Um homem como eu, casado! Não sou nenhum imbecil!

BLEISS – Está bem, mas o senhor deve ter uma amiga, ou melhor, duas – uma loura e uma morena. Também não há nada disso?

GARAUS – Não tenho nenhuma amiga. Pois bem! Prefiro gastar o dinheiro comigo mesmo.

BLEISS – Mas o senhor é um homem elegante, e com essa aparência asseguro que tem montanhas. Suas, quero dizer. Por centena pago mais.

GARAUS – O que acontece, senhor, será que não tem ideais? Aqui não se regateia, aqui se queimam coisas. O povo está farto de sanguessugas como vocês. Eu sei o que fazia antes, senhor, era fotógrafo, eu o conheço ainda, agora eu sei. O senhor é aquele do carro, o fotógrafo!

Bleiss desaparece rapidamente.

GARAUS – Não suporto isso, alguém que já foi fotógrafo e ainda se atreve a circular entre as pessoas!

O PREGADOR – A vaidade é uma porca, uma porca obscena e fedorenta. Que importa que se adorne com futilidades e lantejoulas. Mesmo que resplandeça como a vela de um barco ou se exiba como um pavão real, de que adianta? A gente a conhece pelo focinho vermelho, pintado, ela o pinta, ela o mete em toda parte. Pois onde vocês acham que ela mais gosta de ficar? Na sujeira, é onde prefere estar, na sujeira. Arranquem-lhe os enfeites do corpo, a pele lustrosa, e o que encontrarão, queridos irmãos! Debaixo dessa pele não há nada senão uma porca obscena e fedorenta! A vaidade é uma porca...

Franzi Nada, diminuta e encurvada, desliza velozmente através da praça. Mal desapareceu, já a vemos regressar pelo mesmo caminho, como se tivesse perdido algo e o procurasse.

FRITZ SCHAKERL (*grasnando*) – Pare! O que es-tá-tá fazen-zen-do?

Franzi se sobressalta, e suas costas pequenas e serviçais começam a tremer.

SCHAKERL – Que es-tá-tá fazen-zen-do aí?

Franzi treme.

SCHAKERL – O que que está fa-zen-zen-do aí, per-per-pergunto eu.
FRANZI – Por favor, por favor, por favor, meu senhor.
SCHAKERL – Eu a ob-ob-observei. Esta-ta-tava pro-pro-curando alguém.
FRANZIA – Por favor, por favor, por favor, meu senhor.
SCHAKERL – Pre-pre-pretende enga-ga-ganar-me?
FRANZI – Por favor, meu senhor.
SCHAKERL – Está pro-pro-procurando há mei-mei-meia hora. A quem pro-pro-procurava?
FRANZI – Por favor, meu irmão, senhor.
SCHAKERL – O ir-ir-irmão. Mui-mui-muito bem. Dê-mo cá.
FRANZI – Não o tenho, senhor, por favor, por favor, não o tenho.
SCHAKERL – Muito bem. Aquele que-que não quer-quer-quer ouvir, sabe o que o espera. Entregue-o.
FRANZI – Mas, o que é que quer de meu irmão, senhor? Será que precisa de um entregador?
SCHAKERL – O ir-ir-irmão precisa ir para o fo-fo-fogo. Dê-me cá.
FRANZI (*grita, ela não treme mais*) Meu irmão eu não dou, meu irmão não, não, meu irmão não!
SCHAKERL (*grasnando*) – Você está presa! (*Ele a agarra.*)
FRANZI – Meu irmão não, meu irmão não!
SCHAKERL – Você está presa. Ve-ve-nha comigo!
FRANZI – Meu irmão não, não, meu irmão não! (*Sua voz vai se extinguindo.*)

Heinrich Föhn – Falta-lhe o sentimento para a gravidade do momento. Eu...

Leda Frisch – A verdade é que é demasiado velha para isso. Eu...

Franzl Nada – Ela grita como se estivesse no espeto. O que está acontecendo com essa mulher, jovem senhor?

Föhn (*dirigindo-se ao velho com condescendência*) – Ela foi presa. (*Para Leda Frisch.*) Para mim...

Leda (*dirige-se ao velho, imitando Heinrich*) – Por causa de fotos proibidas. (*Para Heinrich.*) Para mim...

Franzl – Bem feito para ela. Que fazia com as fotos de um lado para outro? Que sentido tem isso? Bem feito para ela! Minha irmã, a Franzi, sempre dizia...

Föhn (*voltando-se*) Pelo menos este compreendeu do que se trata. Eu...

Leda – Na verdade não há nenhum mérito com tal fogo assim. Isso ilumina as pessoas. Para mim...

François Fant (*diante da barraca de espelhos*) – Elegante, o que acha disto?

O Pregoeiro – Colossal, senhoras e senhores, absolutamente colossal! Cada bola, um alvo. Cada, cada bola, um golpe no próprio rosto!

François – Ei, o que está acontecendo aí atrás? Onde estão os espelhos? Acabaram. É indignante. Que significa isso? Vamos, ponha espelhos novos aí. Acaso terei de apontar para o ar? Repugnante! Ah, já chegam os meus. Impressionante.

Emilie Fant (*a suas costas*) – Meu filho, eu lhe peço, não faça isso, meu filho!

François – Só faltava que a velha cabra viesse estorvar a gente. (*Ele mira.*)

Emilie – Meu filho, meu filho único, a quem eu mais quero, eu lhe peço, não faça isso, meu filho!

François – O que a senhora quer realmente? Está atrapalhando.

Emilie – Filho meu, o que está fazendo? Isto já não é trabalho, creia-me, creia-me, filho meu. Como vou trabalhar? Dia e noite, dia e noite, dia e noite!

François – Atenção! Vou atirar.

Emilie – Não! Meus espelhos! Meus espelhos! Não deve fazer isso! (*Ela o segura pelo braço.*)

François (*se liberta com um safanão*) – Mas como se atreve? Não me agarre! Você é uma...

Emilie (*lança-se entre o filho e os espelhos*) – Terá que ser por cima do meu cadáver!

François (*lança as bolas contra a mãe*) – Tire essa pessoa daí! Como vou me enxergar assim? Está me atrapalhando!

Pregoeiro – Saiam, saiam, saiam do caminho, senhoras e senhores, e nós, e nós, e nós, aqui se atira, aqui se aponta, senhoras e senhores, aqui se aponta e se atira, e quem não sai do meio, cai no chão duplamente morto. E nós, e nós, e nós, senhoras e senhores, e nós...

Garaus – Alguém viu o fotógrafo? Procuro o fotógrafo. Ouça, por aí anda solto um fotógrafo. Entre as pessoas. Atreve-se a aparecer em público. Deveríamos atrapalhar-lhe o negócio. O senhor conhece o fotógrafo? É o do carro.

Schakerl – E-e-esse não é um fo-fo-fotógrafo. É uma fo-fo- fotógrafa. Eu me-mes-mesmo a pren-pren-prendi.

Garaus – Ora, então não há mais o que falar. Ainda por cima, disfarçado. Digo disfarçada. Uma pessoa perigosíssima. Falar, falava como um homem. Teria podido jurar que era um homem.

Schakerl – U-u-usava uma peruca grisalha e o-o-olhava sem-sem-sempre para o chão.

Garaus – Isso. É ela mesma.

Schakerl – Pe- pe-pego com as mãos na ma-ma-massa.

Garaus – Uma mulher. Claro, por isso queria me casar a todo custo.

Schakerl – Anote tu-tu-tudo bem para o ju-ju-julgamento.

Garaus – Não, ela não tem motivo para rir agora! Testemunharei contra ela! Eu creio.

Uma voz ao longe: – Sou uma porca! Sou uma porca!

Barloch (*perto do fogo*) – Esses calores! Eu lhes digo, esses calores! Posso ficar furioso por causa desse calor!

Anna Barloch – Mas agora não vai ficar furioso por causa dos calores!

Barloch – Fico furioso porque gosto.

Anna – Já não tem nada para jogar no fogo.

Barloch (*aponta para um carrinho de bebê que está próximo*) – Essa tem algo no carrinho. Tragam-no aqui!

Anna – Você não vai pôr a mão em um carrinho alheio. Não pode fazer isso!

Barloch – Ande, tonta! Como vai haver uma criança no carrinho tão perto do fogo? O que há aí dentro é um monte de pacotinhos para serem queimados. Tudo para queimar. E quem queimará? Eu! Está ouvindo?

WEIHRAUCH – Aqui vai haver confusão! Eu irei!
Uma Voz ao Longe – Sou uma porca! Sou uma porca!
O FILHO ÚNICO DE KALDAUN – Fo-go! Fo-go! Fo-go!
MAI – Mas está gritando, sim!
LUISE – Acho que vem de outra direção.
WEIHRAUCH – Não é uma criança que grita! A senhorita Mai está sempre pensando nas crianças.
LUISE – Ela pode se permitir isso, a senhorita.
MAI – Mas eu ouvi.
Uma Voz ao Longe – Sou uma porca! Sou uma porca!
WEIHRAUCH – Não é uma criança que grita. O homem tem razão. (*Aproxima-se do carrinho, Marie se põe em seu caminho.*)
WEIHRAUCH – Dê-me cá!

Marie cala-se.

WEIHRAUCH – Dê-me cá! Ele está esperando.

Marie cala-se.

WEIHRAUCH – Não, dê-me cá! Ali está ele.

Marie cala-se.

WEIHRAUCH – Não o quero para mim. Vocês não o vêem?
LYA KALDAUN (*ao lado*) – Egon, devo já lançar?
EGON KALDAUN – Espere ainda. É simples.
WEIHRAUCH – Está olhando na direção errada. Refiro-me àquele moço elegante. E agora, me dê isso já!
LYA – Egon, eu o tenho na mão. O que diz?
EGON – Você o lança diretamente dentro. Mas lentamente, bem simples.
WEIHRAUCH – Jesus, que bobalhona! Até que ela o entende! Tem que mirar ali. E agora, dê-m isso! (*Empurra Marie.*)
MARIE (*bufando*) – Não dou nada, fique sabendo, nada de nada!
O FILHO ÚNICO DE KALDAUN (*desesperadamente*) – Fo-go! Fo-go! Fo-go! (*Weihrauch retrocede.*)
LYA – Egon, vou lançar.
EGON – Bem, lance! (*Lya lança.*)
WEIHRAUCH (*cuspindo*) – Que horror! Olhe, deixar uma criança assim perto do fogo! Que horror! Gostaria de ver os pais do menino!
Uma Voz ao Longe – Sou uma porca! Sou uma porca!

Anna – Não vai tirar a roupa porque faz calor! Só faltava você tirar a roupa!
Barloch – Pois vou, sim, tirar a roupa. A jaqueta nova está totalmente suada!
Anna – Viu? Devia ter vestido a velha.
Mai – O que um homem assim poderá chegar a comer!
Luise – O capitão piloto von Rönnetal também tinha sempre fome. Sempre que ficava terno tinha fome.
Mai – É que um homem precisa comer, senão não vale nada.
Luise – Está tirando a roupa!
Mai – Está tirando a roupa!
Luise – Um homem pode se permitir isso, menina.
Mai – Como o Mariano Bello antes do acidente de carro.
Anna – Aí o tem! Agora todas o estão vendo despido!
Weihrauch (*com mãos vazias*) – Que posso fazer? Que horror! Deixar um bebê perto da fogueira! Que horror!
Therese Kreiss (*chega saltando à fogueira em meio a gritos estridentes. Correndo vai arrancando as roupas em farrapos do corpo*) – Sou uma porca! Sou uma porca!
Milli (*atrás dela*) – A mãe! Pelo amor de Deus! A mãe vai se atirar no fogo!
Therese – Sou uma porca! Sou uma porca!
Milli – Fritzl! Corra! A mãe vai se atirar no fogo! Que faz aí parado? Corra!
Fritz Held – O sangue não chegará ao rio.
Weihrauch – Ai, Deus, essa se atira no fogo de verdade!
Luise – Quer ir para o fogo. Deus misericordioso, tem piedade de nós!
Therese – Sou uma porca! Sou uma porca!
Mai – Uma alma nobre, um coração barato.
Milli – Fritzl! A mãe! A mãe! Fritzl!
Barloch – Abram caminho que vou salvá-la, abram caminho!
Therese – Sou uma porca! Sou uma porca!

De todos os lados chegam pessoas. Em meio ao barulho infernal só se ouvem os gritos de Therese Kreiss. Caiu a noite, e o fogo brilha com intensidade. Enquanto a cortina desce, ouve-se, aumentando e diminuindo de volume, a voz do Pregoeiro:

Pregoeiro – E nós, e nós, e nós, senhoras e senhores, e nós!

Segunda Parte

UM LADO DA RUA

À direita e à esquerda, algumas casas baixas. No centro desemboca uma segunda rua que vem de longe. Cada casa tem suas próprias cores. Procedente de ambas as ruas, uma confusão de mil canções une-se no cruzamento formando um dueto de barulho. Na rua não se vê uma alma. Não há jeito de saber quem canta. De repente abrem-se as janelas de todas as casas. De cada uma sai uma cabeça e gritam todas ao mesmo tempo: Silêncio! As janelas tornam a cerrar-se. Mal desapareceram as cabeças, começam de novo os cantos, só que com mais força. É evidente que cada uma dessas pessoas tem sua própria canção e a está ensaiando com toda a energia de que é capaz. Dá a impressão de que os instrumentos não são aqui muito apreciados, escutam-se apenas vozes. Depois de um tempo, tornam a se abrir as janelas, mas com mais violência, tanta, que alguns cristais tilintam. As cabeças já não são todas da mesma opinião.

Silêncio!
Desafinado!

Desafinado!
Você desafina!
Feche a janela!
Calem-se! Estão incomodando!
Estão me incomodando!
Cale-se!
Silêncio!

Alguns já começam a cantar, enquanto os outros ainda protestam. O abrir e fechar das janelas se repete, cada vez mais seguido, cada vez mais irregularmente. Logo todos berram e cantam em selvagem desordem.

SALA DE ESTAR EM CASA DE BARLOCH

Viúva Weihrauch, Senhorita Mai e Enfermeira Luise.

WEIHRAUCH – Tem o coração saudável. Todos os dez anos que agora estou com ele, nunca teve nada no coração. Não lhe acontece nada. Vai viver ainda muito tempo. Não como meu finado. Para meu finado chegou logo. Dois meses como as rolas, e estava morto.

MAI – Tenho a sensação de que logo vai se suicidar.

WEIHRAUCH – O Barloch? Está lhe faltando um parafuso. Enquanto me amar, viverá. Ele mesmo disse.

LUISE – Por favor, não tenho nada contra, mas pode-se permitir ser a primeira mulher na casa?

WEIHRAUCH – Ele precisa dela para brigar, disse ele. Fico feliz de que ela esteja aqui. Se não estivesse, contra quem se lançaria? Contra mim, é claro!

MAI – Os homens se excitam tão facilmente. Antes...

LUISE – Perdão, mas meu Josef é um homem finíssimo. Em casa tenho de chamá-lo sempre de senhor diretor.

WEIHRAUCH – O Barloch, quando quer, vira uma fúria. Se lhe digo: "Barloch, mostre o que é capaz de fazer", ele tira a roupa e dá murros nas paredes. Um milagre que a casa ainda não tenha desabado. (*Orgulhosa.*) Ontem nos puseram para fora.

MAI – Mais isso? Para onde vocês vão?

Weihrauch – Tem uma força! Uma servidora não pode com ele.
Mai *(olha com timidez ao redor e dá uma risadinha)* – O sexo frágil.
Weihrauch – Já começa de novo!
Luise – Perdão, mas meu Josef é podre de rico. Assim pode se dar ao luxo de ser diretor. Tampouco posso queixar-me dos cuidados. Nunca em minha vida tive tanta coisa para fazer. Ele tem idéias imensas. Uma sala cheia de doentes não daria mais problemas. Um homem finíssimo, viu? O amor o repugna. Diz que não se casou para amar.
Mai – Então, ambos não são felizes *(risinhos),* como na canção da felicidade.
Weihrauch – A senhorita Mai não vai sossegar até nos levar à delegacia.
Bleiss *(um vendedor ambulante aparece na porta, a cesta no braço)* – As senhoras desculpem a amolação. Não precisam de nada? Belos sabonetes. Belas meias. Belos sutiãs para belos bustos.
Weihrauch – Ouça, como o senhor entrou?
Bleiss – Pela porta, senhoras. Dêem uma olhada, senhoras, sem compromisso, não precisam comprar nada, se não quiserem.
Weihrauch – Não creio que tenha muita sorte, senhor, aqui em casa não há um tostão, nunca, absolutamente nunca.
Luise – Um momento, posso me permitir algo.
Mai – O que um homem pode carregar!
Bleiss – Podem pegar, senhoras. Cheguem até o fundo, senhoras. Mas não tão ao fundo, senhoras. Um momento, senhoras, por favor. O que tenho aqui?

Algo brilha em sua mão. As três mulheres soltam gritos agudos.

Weihrauch – Que bacana!
Mai – Um doce segredo!
Luise – Deus misericordioso, tem piedade de nós!
Bleiss – As senhoras não têm por que se assustar. Tudo é possível, senhoras. Em dois minutos tudo terá passado. O preço é ridículo – um real por pessoa. Digam-me as senhoras onde viram algo igual.

As mulheres começam a mover-se com extraordinário nervosismo. A Senhorita Mai mexe na blusa. A Enfermeira Luise balança

*involuntariamente a cabeça. A Viúva Weihrauch agarra
rapidamente o espelhinho redondo que S. Bleiss
mostra sedutoramente às mulheres,
mas pelo lado contrário.*

WEIHRAUCH – Dê isso aqui!
MAI (*enquanto continua mexendo na blusa*) – Um doce segredo.
LUISE – Tão de repente. Como um apóstolo.
BLEISS – Permitem as senhoras que lhes recorde o pagamento?

*Weihrauch corre pesadamente em busca de dinheiro.
A Enfermeira Luise pega a bolsa. Mai tem
dinheiro na blusa.*

WEIHRAUCH – Onde deixei meu dinheiro? Tinha dinheiro aqui! Onde pus o último dinheiro que tinha?
BLEISS – A senhora já encontrará. Para mim as senhoras têm sempre um último tostão na casa. Ainda não surgiu a ocasião em que uma senhora não tivesse algo para mim.
LUISE – Sei muito bem onde tenho dinheiro. Tão de repente!
MAI – Estou preparada. Estou preparada.
BLEISS (*recebe dela uma nota*) – Obrigado, senhora. Permita-me dar uma olhadinha no relógio. O retrato só será descoberto às quatro e vinte quatro.
LUISE – Por favor, depois é a minha vez. Aqui está o dinheiro.
BLEISS – Obrigado, senhora. Um momento, por favor, atenção! São quatro e vinte e quatro. (*Segura o espelhinho diante do rosto da senhorita Mai.*)
WEIHRAUCH (*furiosa*) – Não encontro. Não encontro. Ele tornou a me roubar! Ele vai ver uma coisa! Pode me emprestar, Luisinha?
LUISE – Psiu! Calma. Não atrapalhem. Ela está olhando.

*Faz-se um silêncio penetrante. De repente
ouvem-se vozes lá fora.*

BARLOCH – Eu? Eu? Será que não sou ninguém?
ANNA – Agora não vai querer afirmar que é alguém.
BARLOCH – Sou um homem livre. Posso fazer o que quiser. Comigo posso fazer o que quiser. É isso aí. Por que você sempre me segue?
ANNA – Agora você não vai querer afirmar que o sigo sempre.
BARLOCH – Hoje é a segunda vez que me segue.
ANNA – Se tivesse ficado em casa, não o teria seguido. Aí está.

BARLOCH – Você não pode saber para onde eu vou. Você não entende nada. É uma tonta.
ANNA – Pois você disse que não tinha dinheiro.
BARLOCH – Não é da sua conta para onde eu vou com meu dinheiro.
ANNA – Agora você não vai querer dizer que de repente tem dinheiro.
WEIHRAUCH – Tornou a me roubar. Ele me roubou.
LUISE (*suplicante*) – Psiu! Logo ela está pronta!

A Viúva Weihrauch deixa a sala.

BLEISS – Atenção! São quatro e vinte e seis.
MAI – Logo estou pronta. Estou logo pronta.
LUISE – Perdão, estou esperando já há muito tempo. Meu Josef está esperando. Não posso me permitir esperar tanto.
BLEISS (*para a senhorita Mai*) – Sinto muito, senhora. A outra senhora também fez o pagamento.
MAI – Mas eu quero só tirar rapidamente a blusa. (*Choramingando.*) Estou logo pronta. Meio minuto! Um quarto de minuto!
BLEISS – Sinto muito, senhora.
MAI – Eu pago mais uma vez. Tenho o suficiente. Eu pago. Aqui está o dinheiro.
LUISE – Perdão, então recebo o meu dinheiro de volta. Também estou no mundo.
BLEISS – A senhora número um despe a blusa. Quando a senhora número dois acabar de olhar, é novamente a vez da senhora número um. Um julgamento salomônico, senhoras.
MAI (*soluçando*) – Mas eu gostaria que fosse logo. Não gosto de ser interrompida. Eu...
LUISE (*sibilante*) – De quem é o es...? O senhor pode se permitir um julgamento salomônico. Afinal, o senhor é o proprietário.
BLEISS – Atenção, senhora! São quatro e vinte e sete. (*Rápido como um raio, segura o espelho diante da Enfermeira Luise.*)
WEIHRAUCH (*puxa Barloch para dentro. Anna segue queixosa.*) – Seu ladrão, seu miserável! Roubou-me novamente! Roubou! Tinha-o colocado na cesta de costura!
ANNA – Viu só, você roubou!
BARLOCH – Não se trata de roubar. A Weihrauch é minha mulher. Eu o peguei.
LUISE (*sem desviar o olhar, fixo no espelhinho, como se fosse rezar*) – Silêncio, por favor! Silêncio, por favor! Eu não consigo. Por favor. Eu não...

Mai está afastada e luta com sua blusa obstinada. Não se deixa distrair com a entrada de Barloch.

BARLOCH – Ah, é assim! O bandido vai com um espelhinho de casa em casa! Para isso ela precisa de dinheiro, a Weihrauch! Muito próprio de vocês! Mulheres! O que vocês estão pensando? Em minha casa! Vou denunciá-las! Vou denunciar todas vocês! (*Arrebata o espelho de S. Bleiss. Com a outra mão dá-lhe uma terrível bofetada.*)

LUISE (*como que embriagada*) – Eu... eu não estou... ainda... pronta.

BARLOCH – Ah, não está pronta, sua porca imunda, sua miserável! Em minha própria casa! Vou denunciar vocês todas! Todas vocês! E o bandido, vou lhe arrancar a pele!

ANNA – Eu estava fora. Não o trouxe aqui. Se você não tivesse ido, eu não teria ido. Eu o teria posto na rua em seguida. Não teria me seguido pelo umbral da porta. (*Ela se aproxima da mão de Barloch.*)

BARLOCH – O que, ainda quer se safar! (*Ele agarra S. Bleiss pelo colarinho.*) Se ainda tenho as duas moças em casa!

ANNA – Você viu, eu o mandei embora. Se não o tivesse mandado embora!

BLEISS – Tenha piedade, senhor. Tenho oito filhos em casa, senhor. Tenho de encher muitas bocas famintas, a mulher no leito de morte, há trinta anos agonizando, minha mulher, senhor. Pense na mulher e nos filhos, senhor!

BARLOCH – Seu porco, seu miserável, será que não pode trabalhar? Também preciso trabalhar! Sou uma pessoa extraordinária e preciso trabalhar. Tenho duas mulheres e dois filhos, também os tenho. Acha que isso não custa nada, seu porco?

BLEISS – Eu trabalho, senhor. Se soubesse como trabalho dia e noite, senhor, e as surras que levo em toda parte, porque dou satisfação às pessoas. Tenho eu acaso satisfações? Nenhuma, um pobre vendedor ambulante na maior miséria, senhor. Um frio cruel em casa, nenhum pedaço de pão em casa, e as surras que sempre recebo, mas ninguém nunca me denunciou, senhor! Por que, perguntam-se as pessoas, fará isso? Pena de morte, pai de oito filhos e a mulher agonizando, senhor! (*Ele se ajoelha e junta as mãos.*)

BARLOCH (*soltando-o*) – Mas o espelhinho eu quebro, cachorro! Eu o faço em estilhaços! Já pode ir pensando onde vai arrumar outro! (*Ergue a mão que segura o espelho. As quatro mulheres gritam.*)

Anna – Pelo amor de Deus! O espelho caro!
Weihrauch – Que horror! Como se pode ser tão grosseiro!
Luise – Deus misericordioso, tem piedade de nós!
Mai – Louco! Louco!

Elas se aproximam guinchando e choramingando, como que desesperadas, de Barloch. S. Bleiss desaparece o mais rápido possível.

Barloch – Vocês gostariam de ter um espelhinho como este, hein? Pois vou arrebentá-lo. Sim, frutos proibidos! Assim são as mulheres! Vocês gostariam que encontrassem o espelhinho em minha casa e eu fosse condenado à morte, não é?
Weihrauch – Pelo menos vai permitir que eu dê uma olhadinha.
Anna – Agora você pode vendê-lo. Ganharia dez mil reais por ele!
Luise – Por favor, podemos destruí-lo mais tarde.
Mai – Eu já estava tão preparada!
Barloch – Pois vou arrebentá-lo. Para que saibam o que é medo, suas idiotas!

Ele joga o espelho no chão, com toda a força. As mulheres se lançam em cima. Ele desenreda a espessa meada que elas formam, e apanha o espelho. Ele está intacto. Barloch ri ameaçadoramente.

Barloch – Isso vocês não sabiam, mulheres! Não se pode arrebentá-lo. É de metal. De metal. Amanhã ele tem de desaparecer desta casa. por estou farto da economia feminina. Dêem o fora! Fora da casa, mulheres! (*Para Anna.*) Você vai cozinhar. (*Para a viúva Weihrauch.*) Você vai com suas amigas, como deve ser. Amigas são acompanhadas até a casa. Elas têm medo de andar sozinhas na rua. Eu fico, hoje não saio mais.
Anna – Você vê, se tivesse ficado em casa. (*Ela vai cozinhar.*)
Weihrauch – Eu volto logo.
Luise – Por favor, temos mesmo de ir já? Poderia nos permitir mais uma meia hora.
Barloch – Agora quero descansar. Estou farto de mulheres.
Mai – De que coisas um homem precisa! Uma mulher podia morrer de fome.

NA RUA

*Na esquina, à esquerda, está Franzl Nada, dez anos mais velho
e ainda mais encurvado, como se nos últimos anos de
sua vida tivesse carregado mais peso do que nos
setenta anteriores. Pela esquerda chega
passeando François Fant. Nada salta
sobre ele, sem propriamente
deixar o lugar.*

Nada – Jesus, é o belo e jovem senhor!

Fant não o olha.

Nada – O belo e jovem senhor! Agora faz muito tempo que não o via!

Fant lhe dá uma olhada curta e depreciativa.

Nada – Será que o senhor não me conhece, belo e jovem senhor? Sim, quando se está velho e feio e abobalhado como eu! Por isso já não me conhece. Eu o reconheci em seguida. O belo e jovem senhor!

Fant – Mas como? O que está dizendo?

Nada – Eu o reconheci em seguida. Ainda está mais bonito. Jesus, tão bonito! Não é possível ficar tão bonito!

Fant – Como? O que significa isso?

Nada – É o que penso. Conheço o jovem senhor há tanto tempo! Sempre pensava: acabou-se a formosura, mais é impossível, e me entristecia o coração.

Fant – Que descarado é o velho asno!

Nada – Isso digo eu, isso digo eu, isso digo sempre, jovem senhor. Entenda-me bem. Um velho asno e feio e abobalhado. Porque toda vez que revejo o belo e jovem senhor, ele está ainda mais belo. Será o mesmo, me pergunto em silêncio. Existe isso? É humanamente possível? Pois claro que sim, digo eu. É o mesmo, porque algo tão belo (*cantando*) "Só ocorre uma vez, não volta mais!"

Fant – O que o senhor quer?

Nada – Nada, por Deus, belo e jovem senhor. Não quero absolutamente nada! Alegro-me porque estou aqui tão abobalhado e velho e feio, e então vejo o belo e jovem senhor. Aí o coração se alegra tanto, que poderia dançar e saltar de tanta alegria!

Fant – Como o senhor faz isso?

NADA – O senhor tem razão, belo e jovem senhor, o senhor tem razão, pode me xingar. Um velho estropiado que vai por aí levando tombos e não serve para nada, e é abobalhado e feio.
FANT – Este é o seu lugar?
NADA – Se o senhor não tem nada contra, belo e jovem senhor. Agora não o vejo há tanto tempo. Já estava sentindo verdadeira nostalgia, e uma saudade maravilhosa no coração. Agora vai morrer, pensava eu, e não verá mais o belo e jovem senhor.
FANT – Quando foi a última vez que passei aqui?
NADA – Faz tanto tempo, belo e jovem senhor. São exatamente oito dias terríveis.
FANT – Pois é isso! (*Dá-lhe uma moeda.*) Mas não torne a me adular, entendeu? (*Continua passeando.*)

Da direita vem Lya Kaldaun com muitos pacotes. Atrás dela, Fritz Held, saudando elegantemente e sem parar com seu chapéu.

FRITZ HELD – Meu mais solícito e amável agradecimento, senhora.
LYA KALDAUN – Que lhe passa pela cabeça?
HELD – O mundo masculino lhe está eternamente grato. Sou o único? Como pode ver, não sou. Todos se sentem honrados em segui-la.
LYA – Por favor, deixe-me!
HELD – Não posso, minha senhora, Gostaria de poder deixá-la em paz, é o que mais desejaria no mundo! Mas não é possível.
LYA – No meio da rua! O senhor me dá medo.
HELD – Senhora, permita-me dizer-lhe que não conheço o medo. Ponho meu coração aos pés de uma mulher formosa.
LYA – Sou casada.
HELD – Se me permite, gentilmente, que lhe diga, isso não me importa. Uma mulher formosa é como o sol. Acaso o sol não brilha para todos?
LYA – Para todos, diz o senhor? Não sei o que fazer.
HELD – Digo todos e me refiro a mim. Não sou todos. Um chefe de quadrilha como eu.

À esquerda Wenzel Wondrak passa velozmente por Nada.

NADA – Jesus, o belo e jovem senhor!
WONDRAK – Vá se deitar! (*Ele vira na ruela.*)

Nada – Que mau humor! Hoje à noite não comeu nada.
Lya – Foi o que imaginei.
Held – Não sou nenhum gastador. Um chefe de quadrilha como eu também sabe apreciar o valor do dinheiro. Mas na vida há diferenças, bela senhora. Por uma dama dou meu último tostão. Já amei muitas damas, principalmente damas da boa sociedade.
Lya – Isso é sério?
Held – Seríssimo. Posso dar-lhe um enigma para solucionar, bela senhora?
Lya – Mas rápido, logo estarei em casa.
Held – Quem tem olhos como estrelas, uma boca de rosa e cabelos negros como a noite oriental? Adivinhe, bela senhora, e fará uma pessoa feliz.
Lya – Parece-me muito difícil.
Held – A solução premiada é uma canção – você, você, apenas você!
Lya – Já entendi.
Held – Posso pedir-lhe um favor inestimável, bela senhora?
Lya – Se puder fazê-lo.
Held – Essa canção não é minha, bela senhora. Só a canto porque pertence ao enigma.
Lya – Qual é sua canção?
Held – Isso não vou revelar. Eu a reservo para a despedida.
Lya – Infelizmente não dá. Se meu marido o vir!
Held – Não tenha medo, bela senhora. Tudo é possível, tudo chega, até minha oportunidade. E agora vou lhe dar, imagine o que?
Lya – Gostaria muito de saber.
Held – Vou lhe dar... meu retrato.
Lya (*grita alto*) – Não é possível!
Held – Comigo, minha senhora, tudo é possível. Talvez não acredite em mim. Porque já se sabe como são os homens, prometem montanhas de ouro e não cumprem. Mas a senhora o verá com seus próprios olhos de estrelas. Permite-me, senhora? (*Ele lhe entrega um retrato.*) Cuidado, estamos sendo observados!
Lya – O que posso dizer? Este é o senhor. Uma raridade!
Held – Eu pessoalmente.
Lya – A gente gostaria de olhar até se fartar.
Held – Como disse, por uma dama dou meu último tostão. Permite-me?
Lya – É pena. Realmente. É muita pena. (*Ela lhe devolve o retrato.*)
Held – Um dia este retrato será seu, bela senhora.

LYA – O senhor é esplêndido. Logo estarei em casa. Amanhã, então.
HELD – À mesma hora, na frente da mesma loja.
LYA – Traga de novo o retrato.
HELD – Seu desejo é uma ordem, bela senhora!
LYA – Até a vista!
HELD (*canta, levantando o chapéu*) – Beijo-lhe a mão, madame.
NADA – Jesus, a bela e jovem senhora, a bela e jovem senhora. Há quanto tempo não a vejo.

Lya passa ao largo e não lhe dá atenção. Garaus aparece pela esquerda, muito digno e vestido com esmero.

NADA – Jesus, o belo e jovem senhor. Não o vejo há muito tempo. O belo e jovem...
GARAUS (*volta-se para Nada e o olha diretamente*) – Espere, seu malandro!

Ele continua a andar. Ao chegar à direita do cenário, entra pela esquerda a Enfermeira Luise. No braço traz um sobretudo e um cachecol; na mão, chapéu e bengala. Garaus pára, a Enfermeira Luise também. Ela espera. Ele lhe acena com negligência. Ela corre rápido em sua direção.

LUISE – Trocar de roupa, talvez?
GARAUS – Ninguém pode me proibir.
LUISE – Por favor, mas sem se resfriar. Isso não podemos nos permitir. (*Ela o ajuda a se trocar.*)
GARAUS – Se se faz corretamente, não acontece nada. É preciso fazer corretamente. É o que penso.
LUISE – Eu tomo cuidado.
GARAUS – Ei! Ei! Isso dói! Não sou nenhuma marionete! Sou um ser humano!
LUISE – Desculpe-me, por favor, Josef. Não voltará a acontecer.
GARAUS – Acho isso uma desconsideração.
LUISE – Eu tomo cuidado. Não vai acontecer mais. Por favor, desculpe-me, Josef.
GARAUS – Pronto, que venha agora alguém me proibir!
LUISE – Por favor, aonde vamos?
GARAUS – Voltar, naturalmente. Sempre as mesmas perguntas estúpidas!

LUISE – Desculpe-me, hoje não estava muito segura.
GARAUS – Gosto disso. Só falta que me esqueça! Então vou embora.

A Enfermeira Luise fica parada com o casaco, o cachecol e o chapéu, que antes Garaus estava usando. Ele volta para Nada e, lentamente, dá uma volta completa.

NADA – Jesus, o belo e jovem senhor! O senhor está mais bonito ainda, mais jovem, como por arte de magia. Logo ninguém o reconhecerá. Mais bonito, mais jovem, como por magia.

Garaus concorda e se retira.

LUISE (*Segue. Põe uma moeda na mão de Nada.*) – Por favor, de meu marido.

COZINHA NA CASA DA SENHORITA MAI

À mesa, Wenzel Wondrak, junto ao fogão, a Senhorita Mai.

WONDRAK – Ei, o que há com a comida? Não tenho tempo.
MAI – Logo, logo.
WONDRAK – Logo, senhoras e senhores, logo, absolutamente logo, ou acontecerá algo que não vai ser nenhuma brincadeira.
MAI – Preparei algo bom. Tão bom!
WONDRAK – E então?
MAI – Já estou aqui. Já estou aqui.
WONDRAK (*examina o que ela coloca na mesa*) – Bem, para esta porcaria não precisava tanta história. Onde, onde, onde está o vinho?
MAI – Devo buscar rapidamente um pouco? Vou buscar rápido um pouco. Logo estarei de volta. (*Sai cantarolando.*) "Pra você, meu amor..."
WONDRAK – Mas vamos, vamos! E tenha cuidado para não quebrar esses seus jarretes velhos, senão tem que lamber o vinho do chão. Porque eu, eu, eu não bebo do chão! Só em taça de cristal, senhoras e senhores, só em taça de cristal, cristal de proibido, pois isto não é cristal. (*Ergue o recipiente, um copo de barro sem esmalte.*) O que, o que é isto? Isto é o barro, isto é a argila, isto é a porcaria (*lança o recipiente com toda a força ao*

chão), com a qual Deus fez o homem. (*Canta.*) Atenção, lá vou eu, eu, eu. (*Come e vocifera entre cada bocado.*) Eu! Eu! Eu!
MAI (*sem fôlego*) – Já estou aqui! Já estou aqui!
WONDRAK – Passe para cá o vinho!
MAI (*canta*) – Para você, meu amor, eu me fiz bonita.
WONDRAK – A comida está totalmente fria. E agora vou deixar você gelada. Atenção, lá vou eu.
MAI – Você parece muitíssimo com ele. Principalmente quando canta. Um tipo, de olhos ardentes.
WONDRAK – Aqui não se chama ninguém de você, mas de senhor, senhor, senhor e não você! Pronto.
MAI – Você precisa comer mais alguma coisa. Um homem precisa comer, senão não vale nada.
WONDRAK – Bem, dê-me isso. Enquanto comer, ficarei aqui.
MAI – Ainda tem. Logo. Logo. (*Vai até o fogão e cantarola.*) Pra você, meu amor...
WONDRAK – Porca, maluca, com seus cento e cinqüenta anos.
MAI – Já estou aqui. Já estou aqui.
WONDRAK – Bem, isso ainda vou comer. Mas se fez outro tipo de elucubração, enganou-se tremendamente, tremendamente, colossalmente, senhoras e senhores.
MAI – Mas quem vai pensar uma coisa assim, senhor Wondrak! Eu me permiti convidá-lo, porque sei que é o senhor em pessoa. (*Dá uma risadinha e cochicha algo no ouvido dele.*)
WONDRAK – Isso me é conhecido. Estou incógnito. Sei quem sou, incógnito. E o que me tornei? Porteiro. Um porteiro secreto.
MAI – Mas oficialmente, não se esqueça disso, oficialmente.
WONDRAK – Certo. Certo. Certo.
MAI – É que aconteceu algo em casa de Barloch, aqui em cima, para onde se mudou desgraçadamente minha amiga, a viúva Weihrauch. Eu estava presente. Entrou um canalha e quis nos enganar. Nós, as amigas, gritamos todas juntas: – Prendam-no! Aí o Barloch apareceu e ficou para ele.
WONDRAK (*dá um salto, gritando*) – O quê? Lá em cima há um espelho? E diz isso só agora! Vai ver só o que a espera. (*Sai disparado.*)
MAI – Agora a Weihrauch vai para a cadeia com o seu Barloch. Detida, detida. Bem feito! Ela destruiu a felicidade matrimonial alheia. "Pra você, meu amor..."

QUARTO DE DORMIR NA CASA DOS KALDAUN

Lya – O que devo vestir hoje, Egon?
Egon – O peitilho está outra vez demasiado engomado, sinplesmente. É a centésima vez que lhe digo isto!
Lya – O que devo vestir hoje, Egon?
Egon – É muito simples. Não tenho por que consenti-lo. Renuncio a um peitilho como este. Renuncio, é muito simples, não vou. É isso.
Lya – O que você acha, que devo vestir hoje, Egon? Poderia pôr o marrom, mas não gosto destas mangas. Pareço nele, como você diz sempre... Egon?
Egon – Não sou de ar. Isso machuca. Estou sintindo. Duro é bom, mas tão duro, não. É o fim, simplesmente.
Lya – E essa pessoa manchou o marrom. O que devo fazer? Uma mancha no marrom. Egon, não posso vestir o marrom.
Egon – É muito simples. Vamos pôr a camisa de novo no lugar. Qual é o lugar da camisa? Não interessa a ninguém. Mas por favor. Colocâmo-la simplesmente no lugar, não vou sair. É isso.
Lya – O que devo vestir agora? Que se atreva a entrar essa pessoa e lhe arranco os olhos. Estou sem fala. Egon, o marrom tem uma mancha. O que devo vestir hoje?
Egon (*Senta-se em uma cadeira, põe as mãos no colo e olha, enquanto ela fala, com um olhar fixo. Quando ela termina de falar, ele levanta de um salto.*) – Vou dizer pela última vez. Simplesmente não saio. É isso.
Lya – Devo vestir assim mesmo o marrom, Egon? Dê uma olhada nesta mancha. Olhe só para esta mancha! Será que devo? Talvez não esteja tão ruim assim.
Egon (*cantarola*) – "Menina, você dança tão bem quanto minha mulher." Prefiro essas velhas canções. É muito simples. Deslizava-se no parquete, brilhante como um espelho. (*A assusta e olha em torno.*) Quem está escutando de novo atrás da porta?
Marie (*Entra. Fala suas frases alternativamente para a direita e para a esquerda.*) – Não fiz a mancha. O peitilho está como o senhor desejava. Não pode haver mancha aí. O senhor mesmo provou o peitilho. E ele estava bem. A senhora experimentou o vestido antes, e onde estava a mancha? Permita-me, senhor, que toque no peitilho! A senhora ficará assombrada. Um, dois, três, a mancha desapareceu. Tenho dois ouvidos muito bons na cabeça. Antes eu tinha sossego, havia ainda espelhos.
Lya – Marie, estou sem fala! O que tenho dito a você? Não deve usar palavras indecentes. Se as crianças a ouvissem! Não sei o que fazer.

Egon – É muito simples, não dá! Vou dizer pela última vez. Marie, não permito isso.
Lya – O que devo lhe dizer ainda? Meu marido deu uma ordem. As crianças não devem ouvir palavras indecentes.
Marie – O quê! Antes também havia espelhos, e ninguém via algo de mal.
Lya – Marie, meu marido está lhe dizendo pela última vez. É muito simples, ele não permite isso.
Egon – Que devo lhe dizer, Marie? Estou sem fala. Não sei o que fazer.
Marie – Onde está a mancha? Não há mancha alguma. E o peitilho está em ordem. Chega de insultos. Sempre escuto minha própria vergonha! Mas vou embora! Quero que os senhores saibam (*soltando gritos agudos*) Espelho, espelho, espelho! (*Sai correndo.*)
Egon e Lya – Temos que agüentar isso?
Egon – Sempre com sua mancha! Já nem lhe dou ouvidos. Você acha que sua mancha me interessa? Sei simplesmente que não há mancha alguma. Quando você mente, é como se não existisse para mim.
Lya – E o que quer que lhe diga, Egon? O peitilho está ótimo. Nunca esteve tão ótimo como hoje. Eu poderia vesti-lo. E você vai reconhecer que tenho peito de mulher. Não tenho razão, Egon?
Egon – Sim, quando você fala assim! Esperava por isso. O que tem que fazer é isso, interessar-se. Você acha o peitilho em ordem? Toque-o de novo, é simples. Se você acha... eu o visto como está.
Lya – Estou sem fala. Nunca ficou tão bom. Desde que nos casamos, o peitilho nunca esteve tão bom. Você parece alguém. Sou a favor do marrom, o que você acha?
Egon – Então o vista. Valorizo suas idéias. Simplesmente, por tratar-se de você. Então você o acha perfeito hoje! Você diz que nele pareço alguém, não é? Diga mais alguma coisa.
Lya – O que devo dizer, Egon? Prefiro aprontar-me agora. Vamos chegar outra vez tarde demais. Fico com o marrom, você concorda?
Egon – Você o acha tão em ordem, hoje, eu nunca o achei tão horrível, mas enfim... Você é uma aventureira. Simplesmente aventureira, sempre surpreendendo, ninguém a entende, e a gente fica curioso.
Lya – Egon, Egon, isso é o que você diz para mim? Como sou eu? Aventureira? Egon, Egon, eu, aventureira! Você está tão curio-

so! Estou sem fala. Está curioso por minha causa? Egon, Egon, meu querido, fico com o marrom.

Egon – É simples, sim.

O Segundo Filho dos Kaldaun (*uma menina pequena, muito feia, entra correndo*) – Papai, mamãe, mamãe, papai, por favor, o que é espelho? Por favor, por favor, o que é espelho? Quero um espelho. A Marie diz espelho. Também quero um espelho. Papai, mamãe, é bonito o espelho? O que é um espelho? Por favor, por favor, o que é espelho? Por favor, por favor!

Os Pais (*interrompem a toalete e gritam com toda a sua força*) – Caca! Caca! Caca! (*A pequena recebe um tapa forte na boca.*)

NA RUA

Hansi, Puppi, Gretl, Lizzi, Hedi e Lori, seis mocinhas por volta dos dezoito anos, descem a rua, alegres, rindo muito e alto.

Lori – Puppi, venha cá!
Puppi – Você é alta demais.
Lori – Trepe aqui na pedra.
Puppi – Posso cair.
Lori – Eu a seguro.
Puppi – Sim, por quanto tempo?
Lori – Muitíssimo tempo.
Puppi – E de repente me deixa cair.
Lori – Não!
Puppi – Isso você diz sempre.
Lori – Eu juro a você.
Lizzi (*para Puppi*) – Não acredite em Lori. Ela a está enganando de novo.
Lori – Puppi, venha!
Puppi – Você é a mais alta, e eu sou a mais baixa. Não combinamos em absoluto.
Lori – Isso não importa. Os seus são tão cinza.
Lizzi (*para Lori*) – Deixe-a em paz, se ela não quiser.
Lori (*para Lizzi*) – Não gosto de você com os seus carvões.
Lizzi – Tampouco a deixo. Não precisa acreditar.
Lori – Puppi, venha logo! Depois lhe contarei uma coisa. Só para você.

Puppi – Está bem, mas não por muito tempo.

Ela sobe na pedra. Lori se aproxima dela e a segura firme por ambos os braços.

Lori – Você agüenta bem?
Puppi – Sim, mas me segure.

Elas se olham longamente nos olhos.

Luzzi – Ei, Hansi, a Lori gosta tanto de seu vestido novo.
Hansi – Ele tem uma cor bonita.
Lizzi – Quanto tempo fica se olhando!
Hansi – A Puppi tem os olhos certos para isso. Bem cinzas.
Lizzi – O vestido não combina de jeito algum com cinza! Não tem o menor gosto, a Lori.
Hansi – Você não a suporta, é isso. Foram pescar ontem de novo?
Lizzi – Sim, mas pela última vez, disse meu pai.
Hansi – Por quê? Seu pai estava tão entusiasmado com a pesca!
Gretl – (*risos*) Você não sabe então? Os peixes estão todos mortos!
Lizzi – O guarda é um descarado. Não se pode nem se mexer. Como ele vigia! Ontem multou meu pai.
Hansi – E por quê?
Lizzi – Abriu os olhos cedo demais. E quando os tinha aberto, não havia nenhum peixe lá. É o que afirma o guarda. Mas meu pai tinha percebido perfeitamente que havia um peixe no anzol, senão não teria aberto os olhos. O peixe escapou, isso acontece, diz meu pai, ele não é louco de abrir os olhos sem que haja um peixe no anzol. Ele não quer ir contra a lei. É um homem decente e tem provado isso. E também cumpre o compromisso que assinou. O guarda não deu nenhum sossego. Que homem nojento!
Gretl – Ei, por que é preciso assinar um compromisso para pescar?
Hansi – Isso também gostaria de saber.
Lizzi – Ah, vocês não sabem? É que nunca foram pescar. Sem o compromisso, ninguém é aceito no clube. E isso custa um dinheirão. A pesca me custa uma fortuna, diz meu pai.
Gretl – O que está escrito no compromisso?
Lizzi – No compromisso está escrito como se deve comportar durante a pesca. Os olhos precisam estar fechados. Só devem ser abertos quando se sente o peixe no anzol. Também se deve

pescar de costas para a água. Quem gosta de pescar, de costas pode ficar de olhos abertos. Pode-se olhar o peixe só de longe. O clube tem seu próprio guarda para tomar conta, ele é muito simpático. Mas além disso há outro do governo lá, para que não haja abusos. Ele é nojento.

GRETL – Então não iria pescar em absoluto, se é tão aborrecido.

LIZZI – Nós também não vamos mais. Foi a última vez, disse o meu...

HANSI – Imaginava que pescar fosse mais divertido. Pensava que a pessoa se sentava e ficava olhando para a água.

LIZZI – Vocês não têm a menor idéia! Nunca foram pescar.

HEDI – Um peixe é liso. Como eram antes os metais. Antes só havia metais lisos.

GRETL – Pois é, e também se podia antes ir nadar. Sim, antes!

HANSI – Olhem só a Lori, ainda não está pronta.

LIZZI – Meu Deus, como ela gosta de si!

HEDI – Vou buscar a Puppi. (*Volta correndo.*)

GRETL – O que vocês têm com a Puppi! Eu fico com Hansi. (*Ela abraça Hansi.*)

HANSI – Eu espero a Puppi.

LIZZI – A Puppi eu espero.

GRETL – Hansi, você está comigo.

HANSI – Me aborrece estar sempre com você.

GRETL – Você se aborrece! Feia é o que você é!

HANSI – Não gosto de estar sempre com você.

GRETL – Você disse que tenho olhos azuis.

HANSI – Sim, e daí? Olhos azuis há muitos.

GRETL – Você disse que comigo fica mais bonita.

HANSI – Isso também.

GRETL – Você disse que com a Puppi fica toda cinza.

HANSI – Isso eu só disse por dizer. Não quis ofendê-la.

GRETL – Ofender-me? Você não pode me ofender em absoluto!

HANSI – Não quero ofendê-la. Mas se quer saber...

GRETL – Agora quero saber. Agora quero saber. Preciso saber por que você é tão má comigo.

HANSI – Má? Você é que é má! Você tem olhos bem pequeninos, se quer saber. Você acha que posso ver algo? Não vejo droga nenhuma!

GRETL – Vá embora, não quero saber de você. Prefiro a Puppi. Ela tem olhos muito mais bonitos do que os seus. (*Ela controla o choro.*)

HANSI – Comece a chorar agora, para que não falte nada.

GRETL – Eu não choro! Aquele lá é que chora.

Um jovem chorando atravessa a rua.

HANSI – O que é que tem ele?
LORI (*aproxima-se*) – É o jovem Kaldaun.
HANSI – A Puppi está livre! (*Ela corre até Puppi.*)
GRETL (*grita para Hansi*) – Vá! Eu fico com você, Lori.

Hedi abraça Puppi e começa a conversar com ela. Lizzi e Hansi discutem vivamente a respeito de Puppi. Elas entram em acordo e a olham alternadamente nos olhos, enquanto Hedi espera de novo pacientemente.

LORI – Por que o jovem Kaldaun está chorando?
GRETL – Vá pra casa, garoto!
JOVEM – Não quero.
LORI – Por que é que chora, então?
JUNGE – Porque preciso.
LORI – Quem é que vai querer chorar? Isso não é normal.
JUNGE – Mas se preciso!
LORI – Um garotão!
GRETL – Quantos anos você tem?
JOVEM – Não sei. (*Continua chorando.*)
LORI – Mas você precisa saber quantos anos tem.
GRETL – Um garotão!
JUNGE – Não sei. Por isso é que choro.
LORI – Pergunte à sua mãe!
GRETL – E também a seu pai. Então vai saber melhor.
JUNGE – Eles não me dizem. Por isso é que choro.
LORI E GRETL (*olham-se significativamente*) – Ah, é isso!
JUNGE – Será que já tenho doze anos?
LORI – Isso não podemos saber.
JUNGE – Quero dizer, parece que tenho doze anos?
LORI – Oh, sim, doze você tem com certeza. Mais de doze.
JUNGE (*para Gretl*) – O que você acha?
GRETL – Eu teria dito catorze.
LORI – Mas não precisa chorar por causa disso.
JUNGE – Não estou chorando de modo algum.
GRETL – Mas antes você estava.

JUNGE (*faz uma careta*) – Só queria saber quantos anos pareço ter.
(*Sai correndo fazendo caretas.*)
GRETL – Ele é esclarecido.
LORI – Gostaria de saber quem o esclareceu tanto!

*O jovem se volta a alguma distância e grita para as moças
"espelho". Então, desaparece velozmente.*

GRETL – Veja as coisas que sabe fazer!
LORI – Tão esclarecido!

*Puppi e Hedi chegam de braços dados. De cada lado,
Hansi e Lizzi.*

PUPPI – O François é o homem mais lindo do mundo.
HEDI – O Fritzl usa sempre óculos escuros.
PUPPI – O François também tem óculos escuros, mas prefere carregá-los no bolso.
HEDI – Então para que os tem?
PUPPI – Precisa deles para a reunião! Hoje posso acompanhá-lo à reunião.
GRETL – À reunião? Isso não é verdade!
HEDI – O Fritzl não deixa. Nunca sei onde o Fritzl tem suas reuniões. Altamente secretas, diz ele.
PUPPI – Mas o François encontra o seu Fritz nas reuniões, são exatamente as mesmas.
HEDI – Pode ser. O Fritzl é alguém especial. Não é tão comum. O Fritzl precisa usar sempre os óculos. Senão também seria meramente comum.
PUPPI – Por que admitem o Fritzl nessas reuniões? O François é muito mais bonito.
HEDI – Sabe, depende do caráter. O Fritzl tem um tal caráter! Quando o chamo de Fritzl, fica três dias bravo. Agora não posso chamá-lo nem de Fritz, seu nome é Friedrich.
PUPPI – Em compensação, pode morar com ele.
HEDI – Sim, de fato. Às vezes fica sem falar oito dias seguidos. Ninguém sabe por quê. Não deixa chamar o médico. Aí vem da escola e fica de olhar fixo. Tem dor de cabeça, diz. Você não pode dizer nenhuma palavra. Se fala uma palavra com ele, ele vira uma fera. Ele tem um caráter! Se ao menos não ficasse tão bravo às vezes!
PUPPI – Você é engraçada. Em compensação, você pode sempre estar com ele. Eu tenho sempre de ir para casa. O François diz...

Lá está ele. Adeus. Adeus. Adeus. (*Em voz alta para François.*) Ei, posso acompanhá-lo hoje à reunião?

FRANÇOIS (*responde em voz alta*) – Hoje preciso ir à reunião, infelizmente. Sim.

As cinco moças afastam-se lentamente. Nesse ínterim ficou escuro. Puppi corre em direção a François e tenta beijá-lo na boca. Ele remexe no bolso.

FRANÇOIS – Espere. Espere um pouco!
PUPPI – Onde está?
FRANÇOIS – Espere um momento. Deve ter escorregado para o forro. Impertinente.
PUPPI – Venha logo! Você é estranho.
FRANÇOIS – Estranho? Eu, estranho? Nunca. Isso pode acontecer.
PUPPI – Sabe, você poderia tê-la procurado antes.
FRANÇOIS – Em geral faço sempre assim. Impertinente. Hoje eu tinha a reunião na cabeça.
PUPPI – Você devia tê-la procurado antes.
FRANÇOIS – Agora pare com isso. Inacreditável. Não devo tê-la esquecido. Isso nunca me aconteceu. (*Seus movimentos se tornam mais inquietos.*)
PUPPI – Ei, sabe de uma coisa? Nunca nos beijamos no escuro. Deve ser divertido.
FRANÇOIS – Aborrecido. Para quê? Não tem nenhum sentido.
PUPPI – Mas, se você não encontrar a lanterna?
FRANÇOIS – Pare com isso! Que maldade!
PUPPI (*quase chorando*) – Se você não quer me dar um beijo...
FRANÇOIS – Mas eu quero, sim. Inacreditável. Eu a encontrei!
PUPPI – Sim?

Ele tira uma lanterna de bolso. Ele pressiona. Ela se acende. Puppi o agarra e o beija na boca. Ele aponta a luz para os seus olhos.

FRANÇOIS – Não seja tão fogosa! Não vejo nada.
PUPPI – Espere. Mais uma vez.
FRANÇOIS – Ela falha. Maldição! Agora estou farto! (*Ele se desprende bruscamente, lança ao solo a lanterna e a pisoteia com raiva.*) Impertinente!
PUPPI – O que está fazendo?

François – A lanterna não vale nada. Estou farto de ficar me torturando.
Puppi – Mas o estojo. Podiam ter comprado pilhas novas...
François – Não agüento mais esta lanterna impertinente. É a segunda vez que me acontece isso. Ela me dá nos nervos. Que arrogância! Quero uma nova, de minha mãe. Mais esportiva.
Puppi – É pena. Eu queria justamente...
François – Agora não podemos nos beijar. Que se há de fazer! (*Nota que Fritz Schakerl está parado na esquina, olhando fixamente para a loja de* Therese Kreiss, *do outro lado.*) É impossível, agora preciso ir à reunião. Adeus. (*Entra correndo na loja.*)

A MERCEARIA DE THERESE KREISS

É pequena, baixa e escura. Nas paredes estão pendurados grandes quadros com inscrições, iluminado por uma lâmpada especialmente disposta para tal efeito, a de luz mais intensa em todo o reduzido local.

O ADULADOR CAVA SUA PRÓPRIA SEPULTURA
NÃO ADULE! DESISTA! DESISTA!
TRABALHO TRAZ PÃO
ADULAÇÃO, MORTE.
O ADULADOR BRILHA COM FALSA LUZ.
OH, NÃO CREIA NELE! OH, NÃO CREIA NELE!
O ADULADOR NÃO ME DÁ SOSSEGO.
AJUDE-ME, PAI, DIGA-ME O QUE FAZER!

Atrás do balcão está Therese Kreiss. Entra François Fant.

Therese – Senhor François! Quanta honra! Sim, a reunião!
François – Boa noite.
Therese – O senhor François é o primeiro. Os outros senhores ainda não estão aqui.
François – Para a senhora não sou o senhor François. A senhora não sabe como me chamo?
Therese – Sim, é claro que sei. O senhor François é o filho da senhora Fant. A senhora vivia antes em nossa rua. Comprava em minha

loja. Como vai a senhora sua mamãe? A senhora não aparece mais.

FRANÇOIS – Muito trabalho. Muitíssimo.

THERESE – Sim, como trabalha, essa mulher!

FRANÇOIS – Senhora. Para a senhora sou o senhor Fant, entendido?

THERESE – Mas conheci o jovem senhor quando ainda usada fraldas.

FRANÇOIS – Nunca usei fraldas.

THERESE – Quando era um bebezinho, quis dizer. Não queria adulá-lo, nunca adulo, absolutamente nunca (*aponta para o quadro*), mas o senhor já era bonito naquela época. Na rua, todas as mulheres lhe cravavam uns olhos grandes. Como agora. Onde está minha filha Milli agora?

FRANÇOIS – Sua filha. Também a conheço. Bonita. Muito bonita mesmo. Poderia ser uma beleza, precisaria apenas andar bem vestida. Elegante. Com roupa escolhida por mim.

THERESE – Pelo amor de Deus! Jovem senhor, não cometa o pecado da adulação. Nada de adulação.

FRANÇOIS – O quê? Se ela não está aqui. A senhora não vai contar a ela, vai? Também quero que saiba que acho sua filha muito especial.

THERESE – Especial. Sim, todas as pessoas dizem isso. (*Caminha devagar até uma porta, abre-a bruscamente e dá uma olhada no quarto de trás*) Bem. Ela não está lá. Porque às vezes entra devagar e fica escutando o que as pessoas falam dela. Carrego uma cruz com essa moça. No mais é bem comportada. Só é preciso cuidar. Não queremos qualquer homem para ela.

Fritz Schakerl atravessa o local bem empertigado. Está de óculos escuros e não cumprimenta ninguém.
François e Therese calam-se e ficam imóveis.
Só depois que ele fechou a porta do
quarto de trás, Therese diz

THERESE – Agora está dentro.

FRANÇOIS – Uma pessoa ideal. Não há palavras. Impressionante.

THERESE – Sinto-me toda vez honrada. Mesmo que só passe ao largo, já me sinto honrada. Ele tem um ar tão nobre com os óculos escuros. Não saúda ninguém e passa ao largo.

FRANÇOIS – Agora preciso entrar. Ele me viu. (*Entra no quarto de trás*)

THERESE – Uma pessoa ideal.

WENZEL WONDRAK (*irrompe no local*) – A Milli!

Therese olha para ele, abre a boca e não responde.

Wondrak – Onde está a Milli?
Therese – Não sei.
Wondrak *(ameaçando)* – Perguntei onde está a Milli.
Therese – Poderia ser um pouco mais cortês, Wondrak.
Wondrak – Não tenho tempo.
Therese – Lá vem ela.
Milli Kreiss *(entra)* – Ah, o Wenzel! O que tem hoje para mim?
Wondrak – Não diga bobagem. Não tenho nada. Venha para fora!
Therese – Vocês já estão de novo com segredos?
Wondrak *(diante da loja, para Milli)* – Guarde bem isto. Amanhã pegarei.
Milli – De onde você tirou isso?
Wondrak – Não lhe interessa! Razia na casa de Barloch.
Milli – O Barloch? Ele?
Wondrak – Ele chorou. O senhor Josef Barloch vai me passar semanalmente a metade de seu salário. Durante todo um ano. Em troca livrei o da pena da morte.
Milli – Sim, o que aconteceu com ele? É um pobre-diabo, o Barloch! Onde ele arrumou isto?
Wondrak – Não me interessa nem um pouco. Também não lhe interessa. Guarde-o bem! Ouviu? *(Ele quer entrar.)*
Milli *(o segura)* – Ei, posso dar uma olhada?
Wondrak – Se o fizer, dou-lhe um par de sopapos. Para que a velha a pegue.
Milli – Vou para o porão.
Wondrak – Lá não há luz.
Milli – Levo a luz junto.
Wondrak – Você vai perdê-la.
Milli – Ande, não vou perdê-la. Ainda a encontraria, mesmo que o porão tivesse o dobro do tamanho. Não precisa ter medo.
Wondrak – Eu proíbo isso e basta! Um porão está cheio de tralha.
Milli – Eu vou ao sótão.
Wondrak – Poderia cair escada abaixo.
Milli *(nesse ínterim tirou o espelho de um pequeno estojo)* – Ei, é de metal!
Wondrak *(arranca ambos de sua mão)* – Por isso mesmo poderia ser arranhado. Vou pô-lo de volta no estojo. Sei exatamente como o coloquei.
Milli – Você é assim. O Fritzl não é assim. O Fritzl uma vez *(lânguida)* me deu de presente um retrato dele.

Wondrak – Não fale tanta bobagem. Isso foi há dez anos, e também já o pegou de volta.
Milli (*quase chorando*) – Vamos, deixe-me uma vez, só uma vez!
Wondrak – Se você der uma olhada, tudo estará acabado entre nós! Eu a conheço e saberei se der uma olhada! (*Atravessa o local em direção ao quarto dos fundos, Milli se retira chorando.*)
Fritz Schakerl (*abre de um golpe a porta detrás e se dirige com atitude de reprovação a Therese Kreiss*) – Como a senhora imaginou isso, senhora Kreiss?
Therese (*gaguejando*) – Mas, senhor... senhor Schakerl. Está faltando algo?
Schakerl – O principal.
Therese – Bem, eu poderia... buscar rápido... se me permite – ou a Milli.
Schakerl – Não posso desempenhar minhas funções de presidente. Preciso de dois caixotes diferentes. Um pequeno, um grande.
Therese – Pois pode tê-los logo, senhor... senhor Schakerl. Tenho caixotes suficientes . (*Arrasta dois caixotes.*)
Schakerl – São o bem diferentes?
Therese – Olhe o senhor.
Schakerl – Está bem. A senhora tem um lenço preto?
Therese – Um lenço preto também tenho. (*Tira de uma gaveta um xale preto.*)

Fritz Held aparece na porta e se detém respeitosamente.

Schakerl – Dê-me cá. Serve. Wondrak!

Wondrak vem do quarto dos fundos, pega ambos os caixotes e os arrasta para dentro. Schakerl carrega o xale. Ele não agradece. A porta se fecha atrás dele.

Therese (*a ninguém em particular*) – Às ordens. Parece um marechal-de-campo com esses óculos escuros. Eu já o conhecia quando e ainda gaguejava. Há dez anos. Ao seu lado, somos todos indignos. (*Dirige-se a Fritz Held, num tom totalmente diferente.*) A Milli ainda não está aqui.
Held – Posso perguntar, com a maior amabilidade, quando se dignará a vir?

Therese – Pergunte a ela mesma.
Held – Poderia fazê-lo, querida sogra. Mas como isso é possível, se ela não está?
Therese – Não pergunto mais a ela.
Held – Um pouquinho daqui, um pouquinho dali, e tudo voltará a ficar bem.
Therese – Nada voltará a ficar bem!
Held – E por que não, se posso perguntar?
Therese – Perdeu a cabeça, a moça.
Held – Para essa cabeça estou disposto a fazer a mais bonita das perucas.
Therese – Só me faltava isso, que a moça se tornasse ainda mais tola! A moça é (*como se conjurasse o perigo*) vaidosa!
Held – Ela me arrelia o bastante por um... bem, já sabe. Quer que parta um pedaço e o traga para ela. Acaso posso? Perderia imediatamente meu emprego.
Milli (*aparece, muito excitada*) – Ele não pode nada. Mas contemplar-se, isso ele pode fazer, o dia inteiro.
Held – Perdão, mas vai admitir que com o emprego que tenho, isso não tem mérito.
Milli – Um belo emprego, que todo dia pode mandar prender alguém.
Held – A inveja dos proletários.
Milli – Vá, Fritzl, não consegue nenhum pedacinho em toda a casa?
Held – Cada pedaço é uma fortuna. Com a clientela tão distinta que temos! Exigimos preços enormes. Só o risco que se corre!
Milli – Também não quer me levar com você?
Held – Menina, isso me custa a cabeça.
Milli – Não seria nenhuma lástima.
Held – Por favor, por favor, outras mães têm também belas filhas. (*Vai para o quarto dos fundos.*)
Therese – Se ele vier novamente à mercearia, esse macaco!
O Pregador Brosam (*aparece na porta*) – Não xingue, boa mulher!
Therese (*vermelha como um tomate*) – Jesus, o senhor pregador, que honra, pessoalmente em minha modesta loja!
Brosam – Não xingue, boa mulher, o próximo também é um ser humano.
Therese – Primeiro dê uma olhada no macaco!
Milli – Mãe! (*Põe-se a arrumar alguma coisa atrás do balcão.*)
Therese – Primeiro briga com ele depois tem medo que ele não volte. Você crê que ele se deixa expulsar? Pode lhe dizer o que quiser, ele não se deixa expulsar. É um criminoso! Aparece aqui todos os dias!

Brosam – Por acaso não é uma pessoa como todos nós? Não tem dois olhos? Um nariz? Uma boca? E também duas orelhas?

A mercearia escurece.

NO QUARTO DOS FUNDOS

Num grande caixote, diante de um menor, coberto com um lenço preto, está sentado Fritz Schakerl. Diante dele, em três pequenos caixotes colocados em linha reta, estão Wenzel Wondrak, François Fant e Fritz Held, todos de óculos escuros.

Schakerl – Os abusos continuam a se repetir. Como defensores da ordem e guardiães do crime que se ofereceram voluntariamente, somos obrigados a cumprir nossa missão.
Os Três – Bravo!
Schakerl – Obrigado. Mas não importa. Pensem melhor nas catástrofes que se originaram dessa miséria e se haverá um coração que não soluce atenazado pela pergunta: – vale a pena continuar vivendo mais um instante?
Fant – Bravo! Com que elegância se expressou! Peço a palavra.
Schakerl – Tem a palavra o senhor tesoureiro, o senhor François Fant.
Fant – Sou de opinião que se deve ter mais cuidado com as moças. Elas passeiam em público e sempre se olham nos olhos. Numa pessoa normal o sangue sobe à cabeça. O que se pode fazer contra os olhos? Solicito uma discussão sobre o assunto e que se levem as conclusões adotadas à assembléia dos quatro.
Wondrak – Furar seus olhos, meus senhores, furar seus olhos. É o único meio que pode ajudar.
Schakerl – Infelizmente tenho que pedir ao senhor vice-presidente que peça a palavra!
Held – Peço cortesmente a palavra.
Schakerl – O senhor interventor tem a palavra.
Held – Meus senhores, não sou a favor de furar os olhos. Furar olhos não é uma arte; com todo o respeito, senhores, se me permitem expressá-lo assim, isso qualquer um pode fazer. Muito mais inteligente seria se explicássemos às moças, uma por uma, que não devem olhar tanto nos olhos. A verdade é que isso não lhes adianta muito. Proponho que façamos a prova. O que

é que se pode ver em um olho? Meus senhores, eu lhes direi cabalmente: nada. Vamos tentar?

Wondrak – Furar os olhos, meus senhores! Insisto em furar os olhos!

Schakerl – Devo recordar que o senhor vice-presidente deve pedir a palavra. Se não o fizer, serei obrigado a fazer uso das penas previstas em nossos estatutos.

Fant – Impressionante. Está bem, eu peço a palavra.

Schakerl – O senhor tesoureiro tem a palavra.

Fant – Já sei. Vamos votar. É a solução mais elegante.

Schakerl – Eu me junto à proposta. Procedamos à votação. Senhor vice-presidente?

Wondrak – Furar os olhos, meus senhores! Insisto em furar os olhos! É a única coisa que pode nos ajudar, senhores! Furar os olhos e nada mais!

Schakerl – Senhor interventor?

Held – Sou, respeitosamente, contra. Furar os olhos não tem nenhum mérito.

Schakerl – Um a um. Posso perguntar a opinião do senhor tesoureiro?

Fant – Por mim, por que não? É uma nova idéia. Gostaria de ver o medo que vão passar. Impressionante.

Wondrak – Colossal, digo eu, absolutamente colossal!

Schakerl – O senhor vice-presidente está sendo advertido pela última vez. Os votos estão 2 a 1. Como presidente, voto por... furar os olhos. O resultado da votação é de 3 a 1. A proposta será levada à assembléia dos quatro, ou, em seu lugar, ao seu presidente. Com isso, meus senhores, dou por encerrada a sessão de hoje e a declaro solenemente suspensa. Todos podem ir para casa. Pensem no assunto. A próxima sessão será amanhã às nove em minha escola. (*Os três guardam os óculos escuros.*) Esperem! Uma coisa mais, meus senhores. Peço desculpas, pois esqueci algo importante. (*Os três colocam novamente os óculos escuros.*) Retiro solenemente a suspensão da sessão e volto a declará-la solenemente aberta. (*O quarto dos fundos se escurece de novo.*)

A MERCEARIA

Puppi (*entra*) – Boa noite, senhora Kreiss.

Therese – Seja bem-vinda, senhorita. Aconteceu alguma coisa, assim tão tarde?
Puppi – Vi que ainda havia luz aqui. É que me aconteceu uma desgraça. Perdi minha lanterna, e as lojas já estão todas fechadas.
Milli (*inquieta*) – Não vendemos lanternas.
Therese – O que está dizendo? Não sabe de nada e tem que falar! Também tenho lanternas, senhorita. Ainda tenho uma.
Milli – Desde quando você tem lanternas, mãe?
Therese – Desde hoje. Que boba!
Milli – A que está aqui é para o nosso uso.
Therese – Falaremos depois. (*Abre uma gaveta.*) Por favor, senhorita, uma lanterna, muito fina, a última. Parece-me que ainda tenho outra. Não. O que é isso? (*Tira da gaveta um pequeno estojo e o ilumina com a lanterna. Seu corpo inteiro treme. Do estojo escorrega como uma cobra um espelho, sobre o qual incide em cheio a luz da lanterna. Therese se vê e dá um berro agudo.*) O diabo! O diabo! (*Ela segura o espelho e a lanterna com as mãos crispadas e não tira os olhos dele.*) O diabo! O diabo! (*Ela dança com o espelho e a lanterna pela loja, como se tivesse carvão ardente nas mãos.*) O diabo! O diabo! (*Milli e o pregador lançam-se sobre ela, Puppi retira-se até a porta e contempla a possuída com grandes olhos assustados.*)
Milli – Pelo amor de Deus, mãe, fique quieta!
Brosam (*arranca-lhe a lanterna e a enfia automaticamente no bolso da calça*) – O que está havendo, boa senhora? Acalme-se! O que está acontecendo? Boa senhora, o diabo não entra nesta loja.

Therese desmorona, como se tivesse perdido os sentidos,
mal lhe arrancam a lanterna. O Pregador a segura
em seus braços. Milli mantém sua boca fechada.
Puppi desaparece bem devagar.

Milli – Ela deve ter ainda algo na mão. Não abre a mão.
Brosam – Abra a mão, boa senhora, abra a mão!
Therese (*com voz abafada*) – Para ela não vou dar! Para ela não! Ela está possuída!
Brosam – Para mim, para mim, boa senhora, dê-me isso. Minha intenção é boa, acalme-se, assim! (*Therese abre a mão. Ele vê o espelho e dá um pulo para trás. Mas não solta a mão dela.*) Vou levá-lo. Pela senhora, eu o levarei. A senhora é uma boa

alma. Se encontrarem isso com a senhora, estará perdida. Vou destruí-lo. (*Com um movimento de braço muito rígido, enfia o espelho no bolso, junto da lanterna.*)

Milli livra a mãe e soluça pungentemente.

THERESE (*murmurando em voz baixa*) – O diabo! O diabo!

A RUA À NOITE

O Pregador Brosam atravessa a rua. Está muito escuro, o bolso direito de sua calça brilha. Nele leva o espelho e a lanterna acesa, que na pressa esqueceu de apagar. Às vezes ele se inclina para a esquerda, como para compensar o peso do lado direito. Leva a mão freqüentemente até o bolso, mas a retira rapidamente. Quente. Quente. Meu Deus, como está quente! *A luz de seu bolso é percebida em toda a rua, que está mal iluminada. As poucas lâmpadas são tão altas que sua luz não brilha mais forte do que a de seu bolso. No meio do tenebroso silêncio, ouve-se de repente um lamento. Brosam se detém. Não muito longe brilha uma luz semelhante à sua, mas mais baixa, perto do chão. Hesitante, ele se aproxima; o lamento fica mais forte. Depois de alguns passos firmes, chega perto da luz.*

BROSAM – O que aconteceu? O senhor está ferido?

Lamentos.

– Quero ajudá-lo. O que o senhor tem?

Lamentos.

– Pobre homem! Deve estar sentindo dores fortes! Venha, quero ajudá-lo.

Lamentos, dando a entender: "Luz! Luz!"

BROSAM – O senhor quer luz? Imediatamente, bom homem, imediatamente! (*Ele se ajoelha, pega do bolso do homem que está no chão a lanterna e o ilumina.*) Não está sangrando. Não vejo sangue em lugar algum.

Lamentos.

– Deve ter ferimentos graves, provavelmente internos. Venha, bom homem.

Lamentos: Luz! Luz! *Brosam coloca rapidamente a lanterna do outro em seu bolso esquerdo e o levanta com esforço. Então, carrega-o, mais do que o apoia, até o poste de luz mais próximo, onde o encosta com cuidado. Aí ele pega a lanterna do homem e ilumina, desta vez mais detidamente, o seu rosto.*
Mas o homem cambaleia.

BROSAM – Bem, agora vamos dar uma olhada, bom homem. Tomarei bastante cuidado. Não tenha medo, não vou machucá-lo. Venha, acalme-se. Não é assim tão sério. Nem sequer está pálido! Um homem tão jovem! Um rapaz tão forte! Na flor da vida! Que idade pode ter? No máximo trinta. As bochechas vermelhas! Um rosto como uma maçã! Isso será superado, creia-me, bom homem, tudo se supera. Que fizeram com o senhor? Bem, agora abra bem a boca! Que dentes! Dá alegria vê-los! Posso pedir ao bom Deus uns dentes assim, mas não adianta nada, os meus já não têm remédio. Mas o senhor! Que dentes! Um mais bonito que o outro e não falta nenhum. Uma maravilha! Na flor da idade! Onde está doendo? Onde? (*O homem não geme mais e continua calado.*) O senhor tem dificuldade para falar, naturalmente. Fique agora aqui. Buscarei auxílio. Logo estarei de volta, logo.

O HOMEM (*secamente*) – Minha lanterna!
BROSAM – Está bem, o senhor quer sua lanterna. Aqui está ela.

O Homem apaga a lanterna, diz Obrigado *e vai embora, como alguém totalmente sadio.*

BROSAM (*observando-o fixamente*) – Mas o que foi isso? Não tinha nada! Pobre pecador mentiroso!

Ao falar "pecador", leva a mão rapidamente ao seu bolso.
Então segue seu caminho, muito mais lentamente do que antes,

como se esperasse ainda a volta do homem, de sua luz e seus lamentos. Ao invés de uma luz, emergem muitas, cada vez mais luzes, a rua se povoa de luzes, e múltiplos lamentos enchem a noite. Quanto mais se tornam, tanto melhor são entendidos. As queixas se atropelam umas as outras.

— Socorro! Estou sufocando!
— Estou morrendo de sede! Água!
— Estou morrendo!
— Estou esvaindo em sangue!
— Oooh!

Brosam — O que querem? O que querem? Estou sozinho. Não posso ajudá-los.

De repente alguém se levanta de um salto junto a ele e grita:

— O que o senhor tem no bolso?

Brosam *(Se sobressalta. Caminha mais depressa. Suspira. Depois de um momento, diz em voz alta.)* — Meu Deus, meu Deus, é tão terrível não poder se ver?

No mesmo instante surge um homem diante dele.

Bleiss — O senhor quer se ver!
Brosam — O quê?
Bleiss — Que o senhor quer se ver!
Brosam — Mas como?
Bleiss — Não custa muito. Não lhe pesará.
Brosam — Bom homem...
Bleiss — Não invente histórias! Tanto dinheiro ainda tem!
Brosam — Mas eu...
Bleiss — Dois reais, dois minutos. A iluminação está garantida.

Uma pequena lanterna de bolso se acende.
S. Bleiss é reconhecido.

Brosam — Homem, homem!
Bleiss — Venha para baixo da entrada da casa, não tenha medo!
Brosam — O senhor por acaso sabe o que está fazendo?
Bleiss — Isso é problema meu. O senhor quer se ver?
Brosam — Olhe em torno! O senhor não tem coração? Contemple todas essas luzes!

Bleiss – Gentalha. Não têm dinheiro. Pode crer! Nenhuma dessas pessoas se vê há anos. Só esperam que lhes diga algumas palavras amáveis. Gentalha.

Brosam – Não tem medo, homem?

Bleiss – Claro, o senhor é um deles. Por que me detém? O senhor está louco! No bolso da calça a tem! Sua lanterna está acesa. A gente vê pelo bolso. Estou chamando a sua atenção. O senhor está louco!

Ele desaparece. Brosam começa a correr. Alguém vem ao seu encontro. Ele dá um pulo para o lado. Cai e geme. Ao se levantar, sua lanterna ainda está acesa.
Põe ambas as mãos sobre ela e tenta, com grande dificuldade, seguir avançando desse modo. Aí encontra de novo alguém.
Põe-se salvo debaixo de uma janela brilhantemente iluminada. Tampa com as mãos sua própria luz, bem enfraquecida no bolso, e é quase como se desaparecesse.
Em cima, em um salão, cujas janelas estão escancaradas, um senhor caminha de lá para cá. A pessoa de quem Brosam fugia, entra na casa e logo se encontra no salão. É uma senhora.

Leda Föhn-Frisch – É terrível! Não agüento isso! Assim não dá mais, Heinrich!

Heinrich Föhn – O que tem de novo, Leda?

Leda – Tenho medo. Essa gente! Espalhada por aí e gemendo. Repugnante! É tudo tão sem sentido!

Heinrich – Acalme-se, não é tão ruim.

Leda – O que está dizendo? Você não sabe. Eu, sim. Toda noite é a mesma coisa. O dia inteiro fico tremendo ante a idéia de ir para casa. Tenho tanto medo! Quando piso neles poderia gritar de medo!

Heinrich – Então tenha cuidado!

Leda – São tantos. A maioria não está iluminada. Eles se deitam simplesmente no meio da rua, e não se pode passar. Se a gente vê um deles a tempo, é preciso pedir muito e ser muito amável para que finalmente saia do caminho. Se não percebe e pisa em cima de um, aí o demônio está à solta. O sujeito grita, como se estivesse no espeto. É preciso erguê-lo, examiná-lo, consolá-lo e adulá-lo. As pessoas esperam formalmente que a gente lhes diga algo sobre elas. Elas não se conhecem. Elas não se vêem. Não sabem nada sobre si mesmas. Ninguém, que pode falar, conversa com elas. Durante toda a sua vida, ninguém lhes deu atenção. Por isso deitam-se à noite na rua, para que a gente tropece nelas. Assim exigem atenção. Na verdade, é uma chantagem. Estão famintas, é inacreditável! Tenho tanto medo! Um dia um sujeito desses vai me dar uma pancada na cabeça e pronto.

HEINRICH – Isso ele certamente não fará, Leda. Seria tolo. Se você ficar calada, não precisa lhe dar mais nada – ao contrário, ele sempre será especialmente simpático com você.

LEDA – Você não conhece essa gente. A coisa não é tão racional. Não consigo evitar, tenho um medo terrível deles!

HEINRICH – Uma médica devia ter nervos melhores, Leda.

LEDA – Você tem uma idéia equivocada de meus pacientes, Heinrich. Isso não existe em nosso sanatório. Graças a Deus que não há. Sei muita coisa, sei talvez tudo, sou muito jeitosa, mas realmente não sei como tratar um caso assim.

HEINRICH – É que não é possível. É algo que só se pode tratar em conjunto. Para isso há a política.

LEDA – Eu lhe digo, Heinrich, ouça-me bem, se continuar assim com a volta para casa à noite – vou acabar morrendo.

HEINRICH – Não vai, não. Você sabe que preciso de você.

LEDA – Ouça-me, Heinrich! Trabalho com prazer para você. Nunca lhe fiz a menor crítica por não ganhar dinheiro. Sei que você é especial. Algo grande está em preparo dentro de você. Sei de tudo. Mas nesse bairro não agüento mais. Somos as únicas pessoas cultas aqui. Creia-me, além de nós só há gentalha aqui. Você é tão sonhador. Você não nota. Eu sei. Eu lhe suplico, Heinrich, vamos embora daqui!

HEINRICH – Sinto muito, Leda. Mas sobre isso só posso dizer o que lhe disse ontem, anteontem e antes de anteontem – não dá. Ponto final.

LEDA – Você não me ama.

HEINRICH – Eu amo você, mas necessito dessa atmosfera. Essa gente não sabe quem mora aqui. Mas intuí. Sou seu sol. Eu brilho. Resplandeço. Diariamente trabalho em mim. Eu me achei. Deixo as janelas abertas à noite e sinto como prestam atenção em cada palavra que digo. Essa vida não é maravilhosa, Leda? Quando tenho o suficiente, fecho de novo a janela e puxo as cortinas.

A gentalha juntou-se diante da janela. Pessoas em andrajos e nas pontas dos pés se amontoam ali. A luz do salão social cai sobre as muitas cabeças que escutam encantadas.

Leda – É maravilhoso, mas eu...
Heinrich – Sinto muitíssimo, Leda. Isso é algo intocável. É uma lei da natureza. Mas tenho um presente para você.
Leda – Para mim? Você sabe que para mim só há um presente, e esse não vou receber.
Heinrich – Pensei a respeito, Leda. Toda pessoa tem hoje uma canção, que só pertence a ela e que ninguém lhe pode tirar. E entendo isso. Uma pessoa quer pelo menos se ouvir, ouvir de uma certa maneira, quando não pode ver a si mesma.
Leda – Sim. Sim.
Heinrich – Você deve ter a sua canção, Leda. Tive que negar isto a você até agora, ela me perturbava muito. Hoje estou tão firme, que nada pode me desviar do caminho, a não ser que seja um sol, que é mais poderoso do que eu, e a este tenho primeiro que encontrá-lo .
Leda – Como? Posso ter minha canção? Minha própria canção? Só para mim? E também posso cantá-la?
Heinrich – Sim, meu bem, penso freqüentemente em você, só que você não percebe.
Leda – Eu lhe agradeço, Heinrich. Você me ama mesmo.
Heinrich – Está vendo, eu a amo. Mas também tenho um pequeno pedido a lhe fazer. Gostaria de pedir-lhe que não me chame mais de você. Atrapalha-me em meu desenvolvimento. Não sou um homem, qualquer a quem isso é indiferente. Sempre me dá uma pontada, quando me chama de "você". Preciso de tempo e de nervos para me recuperar. Freqüentemente me faz regredir semanas e meses. Não é um absurdo? Na verdade o "você" é uma arrogância, em casos excepcionais como esse, penso eu. Mas nem por isso você precisa me tratar de "senhor". Pode-se usar uma paráfrase. De acordo?

Caminha até a janela e a fecha. Puxa as cortinas. Parecem agora uma tela de cinema nua. As cabeças lá fora se voltam. A luz se apaga. As pessoas desaparecem. Por todos os lados há de novo gemidos no chão. Brosam se afasta, encurvado, como se rastejasse, e ele mesmo gemendo por isso.

A COZINHA DE MARIE

*Ocupa o lado direito do palco. O espaço, brilhante, limpo e
ordenado, é todo obra de Marie. Ela lida com a louça, que
arruma em um armário. À janela, não longe dela, está
o Pregador Brosam. Nesse momento o lado esquerdo
do palco fica às escuras.*

BROSAM – Como são as coisas! Como são as coisas! A pessoa está viva e, de repente, morta.

MARIE – Eu não, tenho muito tempo.

BROSAM – Quem sabe? Quem sabe? Talvez já em cinco minutos.

MARIE – Eu ainda tenho muitos cinco minutos.

BROSAM – Peço ao Senhor que tenha razão, criança. Mas não esteja tão certa! O Senhor não gosta disso.

MARIE – Já tenho senhor. Não preciso de um segundo.

BROSAM – Por que está tão brava, filha? Quem é que lhe fez algum mal? Não está viva? Não está aproveitando o calor do sol?

MARIE – Sol? Todo mundo tem sol. Sol!

BROSAM – Falta-lhe tanta coisa para ser feliz, minha criança? Conheço uma boa moça, que faz fielmente seu trabalho. Um teto sobre a cabeça e o pão de cada dia tem garantidos. Antes seu trabalho era mais pesado. Naquela época havia ainda janelas para limpar. As pessoas tinham aquele vidro feio, transparente. Agora o vidro é tão turvo, como o leite, e é só limpo raramente.

MARIE – Limpar as janelas? Era bom! Os senhores olhavam da rua, todos os senhores que passavam ficavam parados e olhavam, me olhavam. E agora? Acabou-se isso de limpar janelas!

BROSAM – Há anos morava nesta cidade uma moça amável, virtuosa. Ao limpar uma janela caiu e morreu.

MARIE – Bem, assim chegou antes ao céu.

BROSAM – Se ela não vivia se olhando no espelho. Nunca estive em seu quarto. Como era o interior de seu quartinho não posso dizer. Talvez fosse, secretamente, a maior das pecadoras.

MARIE – Não tenho nada em meu quarto. Gostaria de ter tanta coisa!

BROSAM – Não poderia ser diferente, Marie? Um homem bom vai se casar com você.

MARIE – Não preciso de homem nenhum, não mesmo.

BROSAM – Está pensando no que diz? Uma pessoa sozinha fica completamente perdida na noite, caminhando a esmo. Uma pessoa só é vaidosa. Você também, minha boa Marie. Aí vem um homem honesto e agarra essa mão trabalhadeira. Marie cuida da casa. E ele? Ele traz para casa o pão de cada dia. Assim eles

vivem juntos em paz e modestamente. Talvez esse homem não esteja longe, Marie.
MARIE – Já sei. Não preciso de homem nenhum, eu não. Para ficar brigando.
BROSAM – Minha boa Marie, será que seu coração nunca vai encontrar o bom caminho?
MARIE – Com esses senhores nunca, absolutamente nunca! Antes se suportavam. Agora brigam o dia inteiro. Sempre cantando. Nenhum deixa o outro cantar. Todo mundo quer cantar. Não, e falam tanto! Sempre falando, e quando terminam, começam de novo do início. Logo há briga. Tenho que acudir. Se não acudo, se batem. Não preciso de homem. Preciso é de outra coisa! Preciso de uma coisa muito diferente!
BROSAM –Minha boa criança, o que precisa é um pecado.
MARIE – Ah, é? Será que antes era pecado? Antes não era nenhum pecado.
BROSAM – Também antes era pecado. Só que as pessoas não sabiam. Hoje sabem.
MARIE – Como saber assim, de repente? Não me entra na cabeça!
BROSAM – Creia-me, minha criança, sempre foi um grande pecado. É até mesmo o maior dos pecados, e se se entregar a ele, seu destino será duro. O Senhor não entende brincadeiras.
MARIE – Assim, de repente!
BROSAM – Sempre! Sempre! Mas antes as pessoas eram cegas. Confie em mim, Marie!
MARIE – Vá embora, seu tolo, sempre a mesma história, todo dia. Não preciso de nenhum homem! Preciso é de algo totalmente diferente! Preciso do espelho que estava em meu quarto! Tiraram-no de mim. De um espelho é que preciso! Agora estou em desordem! Dez anos desgrenhada! Não quero um homem que me aceite assim! Para que o senhor saiba! Um homem que me queira assim, o lugar dele é no lixo! Agora estou desgrenhada! Preciso do meu espelho! E o lugar do senhor é no lixo, para que saiba o que é uma mulher desgrenhada! Preciso de algo muito diferente: espelho, espelho, espelho!
BROSAM (*com grande solenidade*) – Seja feita a sua vontade, filha. Trouxe-lhe um remédio, um remédio muito perigoso. Esse remédio vai curá-la de todos os desejos pecaminosos. Aqui está um espelho. Pegue-o! E se amanhã não a queimar como o fogo do inferno, darei sua alma por perdida, Marie! (*Ele deixa a cozinha.*)

Marie – Vá embora. (*Ocupa-se com o espelho.*)

O lado esquerdo do palco se ilumina, e vê-se a sala de jantar na casa dos Kaldaun. No corredor escuro, que separa a sala de jantar da cozinha, alguém vai-se embora.

Lya Kaldaun (*sentada sozinha à mesa*) – Uma pessoa desagradável. É melhor limpar latrinas. E logo alguém assim quer trabalhar para uma dama! (*Batem na porta.*) Entre!
Milli Kreiss (*entra*) – Com sua permissão, senhora!
Lya – Você é a quinta hoje. Aqui se apresentam moças que se apresenta, que posso dizer? Será que também vai me decepcionar?
Milli – O tempo dirá, senhora.
Lya – Muito bem, o tempo. Como se chama?
Milli – Milli, se me permite.
Lya – Mas que nome, Milli! Um nojo de nome. Hoje em dia, cada uma de duas criadas se chama Milli. Preciso de uma camareira.
Milli – Ah, sim, senhora.
Lya – Milli. Como arranjou esse nome?
Milli – Uma boa fada me deu esse nome no berço.
Lya – Gostaria de ter visto a boa fada. Provavelmente era uma lavadeira com uma saia de chita.
Milli – Também tenho essa impressão, senhora.
Lya – Boa fada! Como você imagina uma fada?
Milli – Como a senhora, se me permite.
Lya – Como eu?
Milli – Exatamente como a senhora. Uma mulher bela é como o sol e brilha para todos.
Lya – Para todos? Que idéia é essa?
Milli – É assim que se diz.
Lya – Diga-me, por que sou como uma fada?
Milli – A senhora tem olhos como estrelas, uma boca de rosa...
Lya – E os cabelos?
Milli – Os cabelos negros como a noite no Oriente.
Lya – Diga-me, o que um homem pensaria de mim?
Milli – O mundo dos homens está eternamente grato, à senhora.
Lya – Mas vejamos, um alguém especial. Assim como um diretor de empresa.
Milli – Todos se sentem honrados em segui-la.
Lya – Portanto, também um diretor de empresa.
Milli – Como disse, bela senhora.

Lya – Já trabalhou em alguma casa?
Milli – É a primeira vez, se me permite.
Lya – É que gostaria de treinar alguém. Para mim, pessoalmente. Quantos anos você tem?
Milli – Ainda sou jovem, mas não tão jovem quanto a senhora.
Lya – Quantos anos acha que tenho?
Milli – No máximo 23. Pode ter 21. Ou 22. Retiro os 23. Não pode ser 23. Foi um erro meu. Peço respeitosamente que me perdoe.
Lya – O que está dizendo? Está falando sério?
Milli – É como lhe eu disse, se faz favor.
Lya – Então nunca esteve empregada. Aprontou alguma coisa em casa? Estou dizendo isso porque você quer sair de lá. Espero que não esteja esperando filho!
Milli – De forma alguma, minha senhora, isso é totalmente impossível.
Lya – Mas por quê?
Milli – Em poucas palavras, porque não me suporto.
Lya – Foi o que pensei. Você é exigente?
Milli – Não, se me permite.
Lya – Você serve direitinho para mim. É a primeira. É só o problema do nome. Milli, não suporto.
Milli – Posso lhe propor um enigma, bela senhora?
Lya – O que lhe ocorre?
Milli – Só um novo nome para mim.
Lya – O que você sugere?
Milli – A solução premiada é – Leonie.
Lya – Leonie. Parece-me demasiado elegante.
Milli – É demasiado elegante. Peço respeitosamente que me perdoe.
Lya – Está pensando em outro? Milli – Mary, se me permite.
Lya – Mary me agrada. Então está bem. Você é atrevida?
Milli – O tempo dirá, senhora.
Lya – Você vai servir a mim pessoalmente, Mary, o que quer dizer que tem que ser muito disposta. Nossa Marie, a cozinheira, será despedida logo. Está muito velha. Está conosco há treze anos. Acho que já fizemos o suficiente por ela. Meu marido não sabe o que dizer. E isso não pode durar eternamente. Não sabemos o que fazer. Quando despedirmos a Marie, você se encarregará também da cozinha. Você não tem de limpar as janelas. O que você diz, antes as moças tinham um trabalhão!
Milli – Posso pedir-lhe um grande favor, bela senhora?
Lya – O que quer mais?

Milli – Há uma canção que diz – beijo-lhe a mão, madame.
Lya – Já entendi.

Milli se lança sobre a mão de Lya e a beija.

Marie está ocupada com o espelho. Depois de um primeiro e longo olhar, sacode a cabeça. Pega um trapo e se põe a limpar o espelhinho cuidadosamente, como se fosse um objeto grande e pesado. O segundo olhar aumenta o seu descontentamento. Passa a limpar com mais força e com movimentos impacientes, que denunciam sua raiva. No momento em que Milli Kreiss beija a mão da senhora, à esquerda, Marie desabafa encolerizada: Ah o quê, ele é falso! Falso! Milli Kreiss afasta-se pelo corredor. O lado esquerdo do palco fica escuro. Marie tenta novamente olhar-se no espelhinho. Alguém bate na porta da cozinha.
Ela guarda rapidamente o espelho e diz:

Marie – Quem está aí?
Franzi Nada (*entra*) – Tem alguma comida para eu comer, senhorita Marie?
Marie – Ora, é Franzi Nada. Sim, tenho alguma coisa.
Franzi – Já estou agora no joelho com aquelas dores do reumatismo. Também estou sentindo a coluna ao andar. A toda hora penso que vou cair. Sim, a idade, senhorita Marie, é um sofrimento.
Marie – Lá vem!
Franzi – Preciso de dentes novos. Dê uma olhada, senhorita Marie. Nem um único dente restou. Viu, senhorita Marie? Não pense que é por mim. Digo isso só para quando encontrar o Franzl. Ele não vai me reconhecer sem dentes.
Marie – Aí está a comida.
Franzi – O que a senhorita acha. Agora já o perdi – quarenta anos! Ele não vai mais me reconhecer. Porque já estou muito velha, senhorita Marie. Nem sequer dente eu tenho. A senhora mesma pode ver. Agora, outra se envenenaria. Eu não me enveneno. Porque ele não precisa me reconhecer. Pois eu o reconhecerei!
Marie – Ande, coma já, sua tonta! Todos os dias a mesma velha história! Fica no xadrez cinco anos pelo irmão e agora começa de novo com o irmão.

Franzi – Sim, cinco anos fiquei no buraco – por ele. Levaram-no embora de junto ao fogo. Está lembrada do grande fogo que houve? Procurei por ele, porque um entregador tem muito o que fazer em uma festa assim. Procurei e procurei. Agora preste bem atenção, senhorita Marie. Eu notava que estava lá. Sabe, para o Franzl tenho um olfato tão bom, para os demais não, para ele tenho um bom olfato. Pode não acreditar. Preste atenção, senhorita Marie: chego até o fogo e justamente quando estou junto ao fogo, o encontro. Isso foi há dez anos. E então já fazia trinta que não nos víamos. Eu o encontro, e justo quando o encontro, aparece um senhor fino, um senhor fino, e o arrebata de mim. "Ladrão!", gritei, "Solte-o! Solte-o! Ladrão! Não lhe faça nada! Solte-o!" "Bem", disseram os senhores, "quem não sabe ouvir, precisa sentir. Agora a senhora vai passar cinco anos no xadrez." "Bem", disse, "mas meu irmão, não o entrego, meu irmão não, meu irmão não!"

Marie – Não grite, Franzi, vamos, coma! Se o senhor chegar, vai pô-la na rua.

Franzi – De novo me tirou o apetite. Agora as pessoas perguntam: – Será que não pode esquecê-lo, Franzi Nada ? Não, respondo, não! Ele, eu não posso esquecer. Sabe, senhorita Marie, ele faz tudo o que digo. Aos senhores ele pede muito pouco. Um entregador tão bom, como ele é, pode muita coisa, creia-me. Franzl, digo eu, você precisa pedir mais. Não seja bobo. Eles caçoam de você, estes senhores. Bem, e ele? Agora preste bem atenção, senhorita Marie. Pois ele vai e pede o que merece. Sim, ele me conhece. Ele sabe que minha intenção é boa.

Marie – Conhece isso, Franzi Nada? (*canta*) Na noite, na noite, quando o amor desperta.

Franzi – Como continua?

Marie – Não sei. Preciso ainda aprender. Na noite, na noite, quando o amor desperta.

Franzi – Sim, quem é que canta isso em sua casa?

Marie – Canto sozinha. É minha canção. Ninguém mais canta. Pensa que canto canções alheias? Ora, sua tonta, sempre com a história do irmão!

Franzi – Também tenho uma canção. Conhece esta, senhorita Marie? Você, você, somente você! Eu a inventei sozinha. (*Canta, cada vez mais excitada, com voz velha e frágil.*) Você, você, somente você! Sabe, é para o Franzl! Você, você, somente você!

Marie – É bonita. Nunca a ouvi antes. Não posso guardar todas as canções que existem.

FRANZI – Sabe, senhorita Marie, não vou mendigar eternamente. Ainda vou ficar rica!
MARIE – Você, rica? Vejam só!
FRANZI – Não há mais remédio, senhorita Marie. Preciso economizar para o Franzl. O que vai fazer quando for velho? Sabe quantos anos ele tem, senhorita Marie? Agora preste atenção, senhorita Marie, é velho – já passou dos oitenta. Mais de oitenta! Tem uma força nele, não dá para acreditar! Mas um dia isso vai acabar, a força, não vai continuar assim eternamente. Aí vai ficar sem nada! Veja só, senhorita Marie, então economizo para ele. Ele só tem a mim, ninguém mais. Ninguém. Sabe do que preciso, senhorita Marie? (*muito misteriosa*) De um espelho é que preciso!
MARIE – Um espelho, você! Ora, o que vai fazer com um espelho?
FRANZI – Vou de casa em casa. Vou ganhar dinheiro! Posso ficar muito rica com isso! Tenho em mente um espelhinho, um espelho. Procuro há cinco anos um espelho e não acho nenhum!
MARIE (*tira seu espelhinho da blusa*) – Aí o tem. Franzi Nada, um espelho.
FRANZI – Jesus, senhorita Marie! A boa e amável senhorita Marie! Agora ela tem um espelho! Como o arranjou, o espelho? E é meu, meu de verdade, o espelhinho! Por Deus, não posso ficar com isto, com o espelho! A boa e amável senhorita Marie! Sim, onde o arranjou, o espelho?
MARIE (*furiosa*) – É falso! Uma porcaria! Isso, um espelho? Uma porcaria? Não preciso de porcaria! Não preciso de coisa falsa! Acha que sou assim? Não sou assim de forma alguma! (*Ela aponta, sem se olhar de novo nele, para o espelho que Franzi já segura firmemente na mão.*) Na noite, na noite, quando o amor desperta!
EGON KALDAUN (*que vem para casa ao meio-dia; de fora, no corredor*) – Menina, você dança tão bem quanto minha mulher.
FRANZI (*respeita por um momento, surpresa, o repente de Marie. Então dá vazão à sua alegria. Dança, o espelho aberto na mão, para lá e para cá na cozinha, berrando.*) – Você, você, somente você!
MARIE (*ainda furiosa*) – Na noite, na noite, quando o amor desperta!
EGON (*abre a porta da cozinha mais rápido e forte do que se esperaria dele*) – Marie, já lhe disse cem vezes para não cantar, é muito simples!
FRANZI (*esconde rápido o espelho*) – Jesus, o bom e amável senhor, um senhor tão fino, tão amável, tão bom!
EGON – O que a mendiga está procurando na cozinha?

Franzi (*se aproxima dançando*) – Você, você, somente você!
Egon – Era só o que faltava. Também canta, não só pede esmola! Canta, atreve-se simplesmente e canta! Você, você, somente você! Pedir esmolas, tudo bem. Mas cantar, cantar! Será que sou feito de ar? Não estou disposto a isso! A Lya deveria ter visto! Hoje você vai sair daqui voando pela última vez! Você, você, somente você! Que canção é essa, sua bruxa desavergonhada? Quantos anos tem? Simplesmente, não tem um pingo de vergonha! Se a pegar mais uma vez cantando, vou entregá-la pessoalmente à polícia! Você, você, somente você! Vou entregá-la, você, você, somente você! (*Avança para bater na velha Franzi.*) Todo mundo canta! Todo mundo canta! Todos cantam! A Lya! As crianças! A Marie! A mendiga! Todo mundo canta! É muito simples! Será que sou feito de ar? Não estou disposto a isso! Lave primeiro essa boca melada, bruxa velha! Simplesmente, e depois cante! Você, você, somente você! Poderia matá-la! E você, Marie, você sai agora mesmo desta casa!
Marie – O senhor vai ver só como eu vou! Vou é me casar, fique sabendo, casar!
Egon (*lava as mãos, sai batendo a porta e berra*) – Menina, você dança como minha mulher!

NA RUA

Barloch dá um encontrão em Garaus. Eles são muito parecidos. Mas Barloch é pobre e esfarrapado. Garaus está como sempre, elegante e bem-cuidado.

Garaus – Tenha um pouquinho de cuidado! É o que acho!
Barloch – Bem, bem.
Garaus – Seu eu gostasse de dar encontrões!
Barloch – Sinto muito, senhor. Não lhe aconteceu nada.
Garaus – Olhe aqui, o senhor amarrotou o meu casaco. Porque eu posso muito bem agüentar isso!
Barloch – Não é tão sério assim!
Garaus – Acabou-se a discussão! O que é que está pensando? (*Ele contempla, pela primeira vez, o descarado e se sobressalta com o que vê.*) Sim, mas... – como chegou aqui?
Barloch – Com minhas duas pernas. Tenho que lhe dizer algo. Parece que o conheço.

Garaus – Sim, também eu! Mas que aspecto o senhor tem! Sim, será que não se envergonha? Esse terno! (*Ele apalpa o terno de Barloch.*)

Barloch (*apalpa o terno de Garaus*) – Permita-me. Não sei como me atrevo. Caro que é um pecado!

Garaus – Muito bem feito. Agora diga "ah!".

Barloch – Ah!

Garaus – Confere. Os dentes conferem. É muito estranho. Será que o senhor não poderia colocar um pouquinho... – quero dizer, aproximar a cabeça?

Barloch – Bem, por que não? (*Ficam frente a frente e se apalpam. Barloch, que não traz nenhum chapéu, tira o de Garausi*)

Garaus – Idêntico. (*Barloch põe o chapéu.*) Ainda mais com o chapéu.

Barloch – Bem, e com o casaco ainda mais! Agora preste atenção! (*Tira o casaco de Garaus como se ele fosse uma criança pequena e o veste.*) E agora?

Garaus – Imponente! É o que acho. Há anos que não sinto tanta alegria.

Barloch – Sim, se tivesse sabido disso antes!

Garaus – Na mesma cidade. Tão perto um do outro. Uma delícia!

Barloch – Nestes tempos!

Garaus – Como não nos encontramos antes!

Barloch – Puro milagre!

Garaus – Josef, naturalmente?

Barloch – Bem, o que, então?

Garaus – A gente não deve-se casar. Toda vez que resolvo sair sem minha mulher, me acontece algo de bom. É o que acho. Ela está justamente preparando um banho para mim, e eu estou aqui passeando sozinho.

Barloch – Também digo: as mulheres! A mim as mulheres enganaram – o senhor nem pode imaginar como!

Garaus – Bem, sim, naturalmente. Dá para entender. É idêntico.

Barloch – Deve-se ficar solteiro. E aí se é feliz.

Garaus – Vou pôr a minha para fora. Na primeira oportunidade.

Barloch – Eu também. É isso aí, rua com elas!

Garaus – Poderíamos nos encontrar mais freqüentemente. Como vai a sua preciosa saúde?

Barloch – A saúde vai bem. Veja só! (*Mostra músculos. Garaus mostra os seus.*) Nada mau!

Garaus (*olha os sapatos de Barloch*) – O que não entendo são esses sapatos.

Barloch – É melhor não olhar para eles! Não vale a pena.

Garaus – Mas tenho de dizer, respeitável amigo! Sapatos assim! É o que acho.

Barloch – Bem, o que está pensando? Tenho que dar a outro a metade de meu salário. Trata-se de um chantagista, de um sujo. Ele fica com metade do meu salário! Poderia matar o vagabundo!

Garaus – O quê? Como? Salário?

Barloch – Claro, meu salário. Eu sou empacotador.

Garaus – Acho isso muito estranho. Bem. Agora poderia me devolver o chapéu, senhor! Tenho frio na cabeça e não quero me resfriar. Principalmente antes do meu banho. Dê-me também o casaco!

Barloch – O quê? O senhor me deu ambos de presente! O senhor mesmo me deu de presente o chapéu. O casaco também. Os sapatos eu não quis!

Garaus – Não faça nenhum teatro! Não tenho tempo.

Barloch – O senhor não bate bem da cabeça! Não sou nenhum espantalho para que o senhor me vista e desvista!

Garaus – Eu me enganei com o senhor. Isso é triste. Doloroso. Nem sequer sei se vou sobreviver a isso. Mas devolva-me agora meu casaco e meu chapéu!

Barloch – Pode esperar sentado!

Garaus – Advirto ao senhor que sou muito conhecido. Vou entregá-lo à polícia. Essas coisas o senhor roubou! Qualquer criança pode dizer-lhe isso.

Emilie Fant (*desce a rua central em desabalada corrida*) – Meu filho! Estou procurando meu filho! Onde está meu filho? Não posso trabalhar assim! Meu filho! Os senhores viram o meu filho? Oh, senhor diretor.

Garaus – Está espantada, hein? Hoje nem sequer posso pôr o chapéu. É justamente o que queria fazer. Ele está com aquele homem, acho.

A Fant – Senhor diretor, não me seja infiel!

Garaus – Tenho outras preocupações! Como vai o negócio?

A Fant – Não tenho mão a medir. O François me escapou de novo. Não posso contar nem um pouco com o menino. Trabalho, dia e noite! Dia e noite! Dia e noite! Se lhe digo alguma coisa, fica logo ofendido. Poderia ter alguma coisa deste menino!

Garaus – Sim, não se deve confiar em estranhos. Eles nos roubam pelas costas e pela frente.

A Fant – Veja o senhor, é o que digo. Acho que tenho sorte se conseguir que ele fique no caixa. Não vou pôr nenhum estranho no caixa. Seria roubada de cima para baixo. Agora preciso ir procurá-lo! E no caixa deixei um empregado!

GARAUS – Eu a compreendo muito bem, senhora Fant. Também acaba de me acontecer algo terrível.

BARLOCH (*joga-lhe o casaco e o chapéu*) – Estou cagando para a sua merda. Vou andar mesmo assim! Acha que preciso dessa merda? (*Sai.*)

A FANT – Eu o conheço. Terceira classe, naturalmente. Um hóspede habitual. Trabalhador simples, um bom cliente. Pontual como um relógio. Deixa conosco o salário inteiro.

GARAUS – Vou lhe dar um bom conselho. Tome cuidado com ele! O rosto engana. A princípio também acreditei. Mas dê uma olhada nas roupas do homem. Não se pode sair à rua assim!

A FANT – Certo, senhor diretor, é verdade, o senhor diretor sempre tem razão. No futuro meu sanatório estará fechado para ele. Como o senhor deseja.

GARAUS – A senhora é uma mulher ajuizada. Mas lhe digo o que acaba de me acontecer! Agora mesmo. Absolutamente terrível! Temo que não sobreviverei a isso nunca.

A FANT – Venha nos visitar, senhor diretor. Em casa há ambiente, em casa é chique, lá o senhor vai achar o que procura. Para nós, seus desejos são ordens. Sem o senhor, nossas cabines de luxo ficam órfãs.

GARAUS – Bem, sim. Talvez eu passe por lá hoje, mais tarde. Agora estou furioso. E além do mais ainda tenho que tomar banho. Receio ter-me resfriado. A senhora também não tem essa impressão – o homem é fotógrafo?

A FANT – De fato. Sempre tive essa impressão. Como ele é parecido com o senhor! Alguém teria de pôr fim a seu negócio.

GARAUS – Isso mesmo. Uma vez já acabei com o negócio de uma fotógrafa. Cinco anos ela pegou. Mas esse aí, me parece muito mais perigoso. Um chantagista!

A FANT – O senhor tem razão, senhor diretor, o senhor tem razão. Volte a honrar-nos com sua visita. O senhor não viu o François?

GARAUS – Tenho outras preocupações na cabeça, cara senhora. Seja amável e procure o rapaz sozinha. Na verdade não sei se vou sobreviver a isso. Temo não conseguir.

A FANT (*à distância*) – Meu filho! Onde está meu filho? Viram meu filho? Meu filho!

UM QUARTO MUITO APERTADO

De simplicidade espartana. A cama, que ocupa a maior parte do espaço exíguo, parece nunca ter sido usada. Em uma cadeira de madeira dura senta-se ereto e empertigado Fritz Schakerl, o olhar ensimesmado, imóvel. Hedi, sua noiva, está em pé, atrás de sua cadeira, medo e desespero estão estampados em seu rosto e gestos.

Hedi – Ande, seja bonzinho! (*Schakerl fica calado.*) Ande, rapaz, ande, seja bonzinho! (*Schakerl continua calado.*) O que você tem de um momento para outro! Vamos, rapaz, ande, seja bonzinho! (*Schakerl permanece calado.*) Não fiz nada para você. Não o chamei de Fritzl. Também não o chamei de Fritz. Rapaz, disto você nunca achou ruim. O que você tem de repente! Friedrich! (*Schakerl estremece.*) Friedrich! Você não está me ouvindo? Friedrich! (*Schakerl estremece.*) Friedrich! Friedrich! (*Schakerl estremece.*) Será que não pode dizer por que não fala? (*Schakerl cala-se.*) Friedrich, você precisa ir pra escola! As aulas vão começar agora mesmo. Você não está ouvindo, a escola! (*Schakerl continua calado.*) Você não pode simplesmente faltar! Se não está doente, não pode faltar! (*Schakerl continua calado.*) Não está me ouvindo, Friedrich? Não posso passar a vida falando comigo mesma. Quatro dias dura já essa rabugice. Se eu soubesse o que você tem! Não está me entendendo? (*Chorando baixinho.*) Poderia morrer de medo! (*Schakerl continua calado. Repentinamente.*) Friedrich! Friedrich! Pelo amor de Deus! Você tem que ir à reunião! Hoje vieram avisar que a reunião começa mais cedo. Já tinha esquecido por completo, de tanto medo! A reunião é às onze. Reunião, Friedrich, reunião! (*Schakerl estremece de novo, ao ouvir o seu nome.*) Não será realizada sem você, Friedrich. Você é uma pessoa especial. Eles disseram – se você não for, a reunião vai para o lixo. Friedrich, a reunião! A reunião vai para o diabo, se você não for. Eles precisam de você. Sem você, não podem fazer nada. Friedrich! Friedrich! (*Soluça. Schakerl pára de tremer, quando ela começa a soluçar.*) Quer que o médico venha? Vou buscar o médico. Poderia morrer de medo!

Franzi Nada (*entra com uma caixa de fósforos grande sob o braço*) – A senhora precisa de algo, cara senhorita? Será que está precisando de alguma coisa?

Hedi (*chorando*) – Preciso de um médico. E não me atrevo. Se buscar o doutor, acabou-se tudo entre nós, diz ele sempre. E não posso passar a vida falando sozinha. Há quatro dias ele não diz uma palavra!

FRANZI – Espere, espere, senhorita. Verei o que se pode fazer. Já vou ver.

Ela caminha muito disposta em direção a Schakerl, endireita-o na cadeira, pressiona seus ombros e a cabeça, levanta seu queixo, dá-lhe um piparote no nariz, e um soco no peito com seu pequeno e velho punho. Ele permanece rígido, como o tempo todo. Frente à velha feia, que nem sequer sabe seu verdadeiro nome, torna-se ainda mais rígido se é que é possível.

FRANZI – Não pode fazer nada, senhorita. Não adianta nenhum doutor. Nenhum doutor pode fazer nada. Não há nada a fazer. A senhora sabe o que ele tem? Agora preste bem atenção, senhorita! Ele tem a doença do espelho.

Hedi, até agora tinha prendido a respiração. Ao ouvir a palavra "espelho", começa a soluçar alto.

FRANZI – A senhora precisa ver se consegue um espelho. Senão ele nunca vai sarar, e a senhora pode ir se despedindo. Porque sem espelho ele nunca vai sarar e não lhe sevirá para nada. Conheço isso. Já vi isso antes – várias vezes. O que precisa é de um espelho, senhorita. Senão nada adianta.

HEDI (*soluçando*) – Onde vou arrumar um? Onde vou conseguir um es-es-espelho? Não tenho nenhum!

FRANZI – Um espelho pode-se arranjar. Só que custa muito dinheiro.

HEDI – Não tenho dinheiro. O Fritzl nunca tem dinheiro. Gasta tudo nas reuniões. Não há nenhum centavo na casa.

FRANZI – Está bem. Os senhores são pobres! Não têm nem sequer dois reais. Porque é isso que custa o tratamento. Dois reais.

HEDI – Não tenho nada. Absolutamente nada. Ele é assim, o Fritz.

FRANZI – Bem, se não me trair, tenho um aqui. Mas não me traia. Para os senhores faço de graça. Não custa nada, porque são uns pobretões.

Hedi ri e chora ao mesmo tempo.

Franzi põe-se a trabalhar. Pega do bolso o espelhinho

*redondo, aproxima-se por trás de Schakerl, escondendo-o
cuidadosamente na mão, sobe num banquinho e, por
sobre seus ombros, de repente segura o
espelho diante de seu rosto,
não sem esforço.*

Franzi – Agora chame-o, senhorita!
Hedi (*cada vez mais alto*) – Friedrich! Friedrich! Friedrich!

*Schakerl se reanima. Ele se vê no espelho. Desperta. Uma pedra
se transforma pouco a pouco em uma árvore seca.*

Hedi – Friedrich! Você precisa ir à reunião! Friedrich! (*Franzi se mantém imóvel, como o espelho em sua mão.*)
Schakerl (*como se acordasse de um sonho*) – Preciso ir à reunião! Não tenho tempo!
Franzi – Já está são! (*Pula do banquinho.*) – Não me traia, senhorita! Para a senhora não custa nada. Passem bem. Não me traia! (*Sai do quarto, coxeando com ligeireza. Hedi cala-se.*)
Schakerl (*de repente dá um salto*) – Quem estava aqui?
Hedi – Ninguém. Você deve ter sonhado.
Schakerl – Havia um espelho aqui. Quem era?
Hedi – Pare com isso. Ninguém esteve aqui.
Schakerl – Quantas vezes já não a proibi de mentir? (*Hedi cala-se.*) Admite que mentiu? (*Hedi continua calada.*) Que castigo você merece? (*Hedi permanece calada.*) Que castigo determinei para a mentira, de uma vez por todas?
Hedi – Pode fazer comigo o que quiser. Mas a velha, você precisa deixar em paz. Ela o curou. Você tinha a doença do espelho. Esteve tão doente. Se ela não tivesse vindo, não sei o que teria feito.
Schakerl – Qual a aparência dela?
Hedi – Isso não posso lhe dizer. Prometi não traí-la.
Schakerl – Você deve manter sua promessa. Eu não prometi nada. Vou dar um jeito de encontrá-la.
Hedi – E se ficarem sabendo que ela o curou?
Schakerl – Sou presidente de quadrilha. Vou saber como achá-la. Você disse "velha". Isso basta.

NA RUA

*À esquerda, em seu lugar costumeiro, Franzl Nada. À direita,
muito assustada, e como se fosse sair correndo, Franzi Nada.
François Fant aproxima-se pela rua do meio, trauteando:*
Beijo-lhe a mão, madame! Esse cabeleireiro me dá nos nervos.
Agora se apropriou de minha canção. *Pára em frente a uma
janela, cantarola de novo sua canção, ninguém aparece. Diz:*
Elegante *e segue seu caminho. Chegando à rua principal,
olha primeiro para a direita, depois para a esquerda,
e começa a rir alto, logo que divisou os dois Nada. Uma
risada dura, sóbria. Então se volta em direção a Franzl:*
Caro amigo, sabe da novidade?

NADA – Jesus, o belo e jovem senhor! Há tanto tempo que não o vejo, belo e jovem senhor!

FANT – Caro amigo, hoje não há nada. Prefiro perguntar-lhe algo. Sabe da novidade? Tenho algo para o senhor!

NADA – E o que é, belo e jovem senhor, o que é?

FANT – A pena de morte foi promulgada. Para adulação. Quem for pego em flagrante adulando – bem, vai sofrer uma desgraça. Vimos lutando por isso há bastante tempo. Veja bem, isso é algo para o senhor. Isso lhe diz respeito.

NADA – Sim, aí gente como nós pode bater as botas, belo e jovem senhor, bater as botas. O senhor está brincando.

FANT – É a pura verdade. Palavra de honra. O que o senhor vai fazer? Caro amigo, não posso ocupar-me de tudo. Seria ir demasiado longe. Como, também arranjou concorrência aí em frente? Olhe, deixo-o com toda a clientela! Será que está conseguindo alguma coisa, essa aí em frente? (*Dirige-se a Franzi.*)

FRANZI – Pode não acreditar, jovem e belo senhor, mas não costumo adular.

FANT – Bem, e o que a senhora faz então?

FRANZI – Vou de casa em casa.

FANT – Então a senhora adula em domicílio.

FRANZI – Não adulo de forma alguma, jovem senhor. Vou por causa das doenças. De casa em casa. Ganho um bom dinheiro com isso. (*Muito misteriosa.*) Sabe, ao senhor posso dizer. Economizo meu dinheiro para meu irmão, o entregador. Meu irmão o senhor já deve ter conhecido.

FANT – O entregador, naturalmente. Ele já morreu.

FRANZI – Ele não morreu, jovem senhor.

FANT – É claro que morreu. O que a senhora sabe?

Franzi – Não morreu. Sei de uma fonte muito segura. Só que está velho. Isso não é nenhuma vergonha. Um dia o senhor também ficará velho.

Fant – Posso lhe revelar a minha fonte. Aquele homenzinho do outro lado conheceu bem o seu irmão. Também me disse que ele está morto. Pergunte-lhe a senhora mesma!

Franzi – Aquele? Não dê ouvidos a ele. É um adulador! Um adulador, jovem senhor! Se o senhor quiser, digo-lhe isso na cara. Não tenho medo. Dele não, um adulador! (*Caminha em direção a Franzl Nada.*) Adulador! Adulador! Devia ser enforcado! Enforcado!

Nada – O que essa aí está inventando! Este é meu ponto!

Franzi – Seu ponto, não preciso dele! O que está fazendo em seu ponto? Agora preste atenção, jovem senhor – ele está em seu ponto adulando!

Nada – Ela não tem nada a dizer! Não deve dizer nada! Sabe o que ela faz, jovem senhor? Ela vai de casa em casa. Ela vai com um espelho! Ela tem um espelho!

Franzi – Adulador! Adulador! Devia ser enforcado! Enforcado!

Nada – Ande, mostre onde tem o espelho, vá!

Fant – Continuem assim! Continuem! Engulam um ao outro. É elegante.

Schakerl (*surgindo*) – Mulher! Aha! (*Dirige-se a Franzi e a agarra.*) A senhora está presa!

Franzi – É a ele que deve prender, senhor, um adulador, ele fica em seu ponto adulando. O dia inteiro passa adulando em seu ponto. Eu o conheço, eu o estive observando. Adulador! Adulador! Devia ser enforcado! Enforcado!

Fant – Eu me encarrego dele, senhor presidente. Com muito prazer, se me permite.

Schakerl – Leve-o!

Fant – O senhor foi pego em flagrante. Vai ser conduzido a seu destino merecido.

Nada – Mas não fiz nada, belo e jovem senhor! Sou inocente. Não fiz nada, belo e jovem senhor!

Fant – Agora mesmo acaba de adular de novo. O senhor disse "belo" duas vezes, uma após a outra. Infelizmente vejo-me obrigado a depor contra o senhor.

Nada – E o que vai acontecer agora comigo, belo e jovem senhor? Sou inocente, belo...

Fant – O senhor vai ser enforcado. Nisso não posso ajudá-lo. Devia ter pensado antes.

Nada (*berrando*) – E a ela, a ela não acontece nada! Vai de casa em casa! Tem um espelho!
Schakerl – Deixe esse problema comigo. (*Para a Franzi.*) Dê-me o espelho!

O velho é levado por François Fant. Suas queixas
são ouvidas por um bom tempo.

Franzi – O senhor não me conhece mais, jovem senhor? Eu o curei. O senhor estava tão doente! Nem pode imaginar o quanto estava doente. A senhorita sabe disso, a senhorita noiva no quarto. Se eu não o tivesse curado, ainda estaria doente hoje!
Schakerl – Então admite que possui um espelho. A senhora exerce um ofício proibido.
Franzi – Tenho um irmão, jovem senhor, de quem preciso cuidar. Ele é meu irmão. Não pode morrer de fome em seus dias de velhice. Era entregador.
Schakerl – Sei de tudo! A senhora tem antecedentes penais. Já foi condenada a cinco anos de prisão por ter fotografado, o que era proibido. Eu a reconheci. Naquela época a entreguei pessoalmente à polícia. Vou fazê-lo novamente hoje. Os antecedentes penais são um agravante.
Franzi (*deixa cair o espelho*) – Mas não tenho nenhum espelho, jovem senhor.
Schakerl – Acaba de deixar cair um espelho. Acha que sou cego, hein? Excepcionalmente vou fazer uso da indulgência. Desapareça daqui. Se encontrá-la novamente, será seu fim.
Franzi – Agradeço muitíssimo, jovem senhor, muitíssimo obrigada, um jovem senhor tão amável, tão bom, tão fino! (*Sai coxeando o mais rápido possível. Seus protestos de gratidão misturam-se ao queixume distante do irmão.*)
Schakerl (*ergue do chão o espelho com gesto de repugnância*) – Uh! Que fa-fa-faço eu com i-i-isso? (*Gagueja de novo.*)

Um banheiro gigantesco, todo azulejado de branco. A banheira
está embutida no chão, de forma que nada atrapalha
a regularidade dos azulejos.

Garaus (*que acaba de sair da banheira, está só, de roupão de banho e conversa com sua própria pele, que esfrega cuidadosa e carinhosamente*) – Direi isso até o último alento. Um homem deve ser responsável. Disso tenho certeza. Virilidade. Pois o que é nos dias de hoje um ser humano? Um ser humano é sua imagem viva. O que você diz? Quieto! Sua imagem viva. Sim, e uma pessoa sem imagem não leva a nada. Os jornais nadam em sangue. São as notícias. Uma infelicidade atrás da outra. Uma desgraça sozinha, isso já não existe mais. Aqui alguém se cortou, e ali outro está sangrando. O sangue inocente derramado! O sangue vermelho. Uma quantidade de sangue jovem. Isso fede até o céu. Acho eu. Sangue é seiva vermelha. Bem, meus senhores, para mim, seiva. Mas o que faz uma pessoa sem a seiva vermelha? Ela morre! O que está dizendo? Quieto! Ela morre. Estou disposto a provar isso com um exemplo. Porque posso suportar isso bem. As pessoas que observem. Com o sangue se acaba tudo. Meu sangue está comigo, não sou bobo. Outro talvez. Eu não. O senhor é da polícia? Por favor, meu senhor, convença-se. O senhor não vai encontrar em toda a casa nenhum objeto. O que o coração deseja, não vai encontrar. Mas fique sabendo, o que encontrar, meu senhor, o deixará pensando. Sabe do que se trata? Notícias sangrentas! O que está dizendo? Quieto! Notícias sangrentas! Aqui lhe entrego solenemente o jornal de ontem. Aí está uma manchete. Peço-lhe que a leia. O domingo sangrento. O dia de ontem exigiu, infelizmente, inúmeras novas vítimas. Foram novamente 98 pessoas vítimas de uma pérfida artimanha. Jogaram fora a vida alegremente. Não havia nada mais a oferecer-lhes. A incineração coletiva terá lugar na quarta-feira. O comitê de salvação convida, respeitosamente, à participação. E que ganham eles com isso? Uma cova úmida na... O que está dizendo? Quieto! Uma cova úmida na terra. Estou esperando há uma hora pela água. Naturalmente, a água ainda não está quente. Outra vez não foi aquecida. Que ela traga minha água! Sim, por que não? Isso não lhe ocorre, em absoluto. Será que vou ter de me barbear com água fria? Eu acho! E se sangra, com água fria. Muito obrigado. Como se eu gostasse! Sangrar! Eu e o sangue! Minha água! Quero minha água! Será que a jogou fora de novo? Bem, ela vai ver o que a espera! Minha água! (*Alguém bate à porta.*) Entre!

A porta é aberta de mansinho. A Enfermeira Luise, muito amedrontada, magra e pálida, entra com um balde de água na mão. Enquanto o deposita numa mesinha, ambos ficam calados com fisionomia séria. Então ele se dirige a ela em tom imperioso: Quanto tempo ainda preciso chamar? Estou cheio disso! Estou cheio desse desmazelo em minha casa!

LUISE – Bati na porta quatro vezes, senhor diretor. Estava esquentando a água. Por favor, me desculpe, senhor diretor. Não vai acontecer mais.

GARAUS – Você está afirmando que não a ouvi? Isso é uma tolice. Tenho ouvidos, e não ouvi nada. Desmazelo, é isso! Mas agora não tenho tempo. Meu tempo é muito precioso para sua imbecilidade. Onde você pôs... sim, já sabe!

LUISE – Imediatamente, senhor diretor, imediatamente. *(Sai em disparada.)*

GARAUS – Agora vamos ver se pareço mesmo com ele. A gente pode também se enganar, principalmente na rua. Aproxima-se de mim um vagabundo, sem casaco, sem chapéu, com sapatos rotos, todo ele só farrapos, bem, um verdadeiro vagabundo, e afirma que sou parecido com ele. Está enganado, senhor, digo com a calma costumeira. É meu estilo, não posso suportar um berreiro com um tipinho desses. Está enganado, senhor, com o senhor não me pareço nem um pouquinho. É o que acho. O que ele faz? Ele se torna ousado e exige o sangue de meu coração. Mas eu não posso suportar sangue. Não sou a favor da abundância de sangue. Isto também funciona todo esse sangue. Vermelho, como se diz. Uma tolice. Que me importa essa tolice? Preocupo-me com a miséria. Para mim, não há nenhum domingo sangrento. Para mim, de modo algum. *(Com voz repentinamente muito terna.)* Aí está ela. Minha boa mulherzinha. Tenho mesmo uma boa mulherzinha. O que está me trazendo, minha mulherzinha?

Luise aparece na porta. Com ambas as mãos segura algo tão primorosa e cuidadosamente embrulhado que até parece um recém-nascido. Ela se arrasta com isso na direção de Garaus, como se seus pés pisassem dedo após dedo.

GARAUS – O que é que me traz aí; poderia apostar que a mulherzinha me traz algo, bem, o que então? Também não o olha, por que não o olha, ele lhe proibiu. Quem o proibiu a ela? Ele proibiu. O que me traz aí tão bem empacotado, bem empacotado, não se pode ser mais cuidadoso. O homem põe, Deus dispõe. Toda a beleza pode ir para o diabo num abrir e fechar de olhos. Venha, dê-me isso já! Poderia comê-la agora mesmo, meu amorzinho, meu bem, o que tem aí embrulhado tão preciosamente, a mãezinha trouxe algo para o meninão. Venha, dê-me isso, não precisa dar tantas voltas, poderia comê-la, venha, me dê, meu amorzinho, meu tesouro. O que será que meu coraçãozinho trouxe para o meninão, o que foi que trouxe?

Nesse ínterim, a Enfermeira Luise retira de um número imenso de lenços, em que estava embrulhado, um pequeno espelho. Durante as palavras ternas do marido, vê-se-o às vezes brilhar. Ele o pega com ambas as mãos, acaricia-o com uma, depois com a outra, e de repente grita: O-O quê? Uma trinca! O espelho está trincado! Levanta o punho e o deixa cair com toda a violência na cabeça da mulher. Ela desmaia, não se sabe se por si mesma, ou porque foi atingida por ele.

A RUA À NOITE

Está tudo tão quieto, que as poucas luzes dão medo. As luzes se apagam. Talvez já esteja amanhecendo. Fritz Schakerl aparece arrastando-se sobre suas andas, uma empresa penosa. Olha em redor de si com freqüência, abaixa-se até o chão e fareja. Mantém a mão direita fechada, quase como um punho. O braço pende rígido e longo como uma vara. De vez em quando bate com ele no chão. Atrás dele ouvem-se vozes:

– Pare!
– O que o senhor está fazendo aí?
– Será que vai negar?
– Tenha cuidado!
– Está sendo observado!
– Tome cuidado!

As vozes gaguejam. Ele encontra o lugar que procura, pois se ajoelha no chão e cava com a mão esquerda um buraco. As vozes que chegam de todos os lados crescem, formando coros gaguejantes. À cada batida, levanta a cabeça, seu punho se abre ligeiramente, e nele brilha o espelhinho. Ele o quer

*colocar fundo na terra, cava e cava. Mas as vozes minam sua
valentia. Joga o espelho no buraco, empurra com todo mpenho
dos braços a terra de novo para dentro do buraco, levanta-se
de um salto e foge dali, reconhecido pelas vozes. O vento logo
se acalma. Chove a cântaros, e começa a amanhecer. No
lugar onde o espelho jaz enterrado, formou-se uma poça.
Therese Kreiss abre a sua mercearia. Aproxima-se devagar da
poça. Ouve um barulho, faz o sinal-da-cruz e corre de volta à
loja. Milli quer dar um pulo para visitar a mãe dela. A poça lhe
dá nos olhos. Ajoelha-se diante dela e passa a mão rapidamente
pelo cabelo. Aí ouve passos, levanta-se de um salto e foge. A mãe,
ela não visita. Wondrak desce a rua apressadamente. Ele nota a
poça e faz uma careta de sarcasmo. Olha ora para a loja da
Kreiss, ora para a poça e parece que vai dizer de um momento
para outro "porcaria". Ele, porém, só cospe na poça e segue seu
caminho. A Senhorita Mai surge saltitante. Vem fazer compras.
Diante da poça, onde Wondrak havia cuspido, se detém
encantada. A Viúva Weihrauch aparece, contando seu dinheiro.
Nem bem havia terminado de contar, Anna Barloch estica a mão
e tira da Weihrauch todo o seu dinheiro. Só então ambas notam
a Senhorita Mai diante da poça. Ela se sente observada e a
passos miúdos saltita, zangada, até a mercearia. Pela direita,
retornando de seu negócio noturno, o S. Bleiss dirige-se para
casa. Nota as damas e dá uma grande volta evitando a poça. A
Weihrauch e Anna Barloch dão o braço e fazem meia-volta,
desesperadas. O cruzamento se enche de vida, surgem mais
pessoas. Todas fixam os olhos na poça. Ninguém ousa
aproximar-se dela. É dia claro.*

Terceira Parte

UM VESTÍBULO DE TETO ELEVADO

Cujas paredes são forradas de veludo vermelho escuro. No caixa, sobre um pequeno pódio à esquerda, está sentada Emilie Fant, um verdadeiro anúncio de gordura ou sabonete, tudo nela é rigidez e brilho. Com infatigável sorriso e olhos frios, passa em revista a longa fila de pessoas que se formou diante do caixa. É impossível distinguir os rostos. Os homens estão com o chapéu enterrado até bem fundo no rosto e a gola do casaco levantada; as mulheres seguram o lenço de bolso diante da face, muitas enrolaram um xale na cabeça. Ninguém fala. Cada um deles está encerrado em si mesmo. É como se todos usassem preto e estivessem comprando entradas para um enterro. Mais ou menos no meio da fila há um único casal. Uma mulher com um lenço na cabeça segura firmemente a mão de um homem e o vai puxando para a frente em direção ao caixa. De vez em quando alguém ajeita a roupa às pressas. A espirros, o local responde com silêncio indignado. Em primeiro plano, à direita, num uniforme de porteiro vermelho berrante com botões de metal reluzentes, encontra-se Wensel Wondrak, agradavelmente sedutor.

A Fant – Deseja a segunda, meu senhor? Posso recomendá-la especialmente.
Senhor – Quanto custa a de segunda?
A Fant – 12.60. É muito recomendável.
Senhor – E quanto custa a de terceira?
A Fant – Também pode escolher de terceira. São então 6.40. Como desejar. Ninguém o obriga.
Senhor – Dê-me uma de terceira. Simplesmente. (*Recebe rápido uma entrada, paga e sai para a esquerda.*)
A Fant – O próximo senhor, por favor. Perdão, minha senhora.

Uma senhora de pequena estatura, complemente envolta em um véu, murmura a Emílie Fant algumas palavras inaudíveis.

A Fant – Mas, naturalmente. Segunda... a senhora não vai... (*Ela recebe a entrada, paga e se retira*) A próxima, por favor.
Uma Mulher Alta e Forte (*com voz muito masculina*) – Vamos, dê-me um bom conselho! Nunca dá certo comigo. É que eu sou larga demais. Sabe qual é minha largura? A senhora não imagina como sou larga!
A Fant – Aqui a senhora encontra de tudo. É só escolher.
Mulher – Não é tão simples assim. Sou mais gorda que a senhora, não acredita?
A Fant – Para mim mesma costumo comprar duas entradas. Preferivelmente duas de primeira.
Mulher – O que, a senhora também tem de pagar? Pensei que pudesse entrar de graça.
A Fant – Sou uma simples funcionária, minha senhora.
Mulher – Nossa, e eu que havia pensado que o negócio era seu!
Uma Aguda Voz Masculina (*vem de trás*) – Apresse-se um pouco, sim!
Uma Voz Sóbria (*soa à frente*) – Atenção da senhora!
Uma Áspera – Apresse-se!
Uma Voz de Mulher – Nosso tempo não é roubado!
Mulher – Bem, dê-me então duas de terceira. Eles nunca podem esperar, estes senhores.
A Fant – É melhor levar de segunda! Minha intenção é boa, não ganho nada com isso.
Mulher – Costumo comprar duas de terceira. Basta. Ponto final.
Fant – Então, 12.80. Teria se saído melhor com as de segunda. O próximo, por favor.

Heinrich Föhn, ainda de casaco, mas desabotoado, caminha sem cerimônia do primeiro plano à direita em direção ao porteiro, o qual lhe franqueia o caminho com um sorriso resplandecente.

A FANT (*nota-o e grita para lá*) – Wondrak, o senhor doutor tem passagem livre! O senhor doutor tem cabine de luxo com aparelho.

WONDRAK – Eu sei, meus senhores, sei tudo, já sei.

Heinrich Föhn atravessa o vestíbulo em direção à esquerda.

A FANT – Meus respeitos, senhor doutor. Ontem sentimos muito a sua falta em nossa casa. O senhor não está doente, espero eu, senhor doutor. Seria uma verdadeira pena.

FÖHN – Ah, uma simples indisposição. (*Sai.*)

O HOMEM DE VOZ SÓBRIA – Será que a gente tem de agüentar tudo isso?

A FANT – Peço mil desculpas. A mulher é assim mesmo. Refiro-me à senhora que estava antes do senhor. Só pensa em si mesma.

O SÓBRIO – Outros poderiam fazer o mesmo. É preciso atender à clientela.

A VOZ DE MULHER – Nosso tempo não é roubado!

A FANT – Nunca foram tratados tão seriamente como aqui. Convençam-se por si mesmos. Sempre voltam. O que deseja, meu senhor?

O SÓBRIO – Uma de terceira. Como membro do comitê de salvação, tenho direito a 50% de desconto.

A FANT (*furiosa*) – 3.20! (*O sóbrio paga e sai.*) A próxima, por favor!

SENHORA – Incrível! Nosso tempo não é roubado!

A FANT – A senhora é a pessoa que se introduziu furtivamente da última vez. Lesou nossa firma.

SENHORA – O que a senhora está dizendo?

A FANT – Eu a notei. Eu a reconheço exatamente. É ela mesma. Deixe imediatamente nosso sanatório!

SENHORA – Uma de primeira, sim. Não sei o que faço. Eternamente essa espera!

A FANT – Uma de primeira, 25, obrigada, senhora.

SENHORA – Finalmente. Saiba que há coisa melhor no mundo do que ficar olhando para a senhora. (*Paga e sai.*)

A FANT (*em voz mais alta*) – Não me deixe mais essa senhora entrar, Wondrak! Já nos caloteou duas vezes. Eu a peguei na terceira.

A Voz de Homem Áspera – Para que existe a polícia?

Alguns riem, mas só um pouco. A maioria se afasta medrosamente.

A Fant – O próximo, por favor.

Diante do caixa surge de repente, para espanto de todos, um rapazinho.

Jovem – Quanto custa a de terceira?
A Fant – Você não tem todo esse dinheiro, seu fedelho. É melhor que vá para casa, mas depressa, sim?
Jovem – E quanto custa a de segunda?
A Fant – 12.60. Que descarado! Será que foi o papai que o mandou?
Jovem – Por favor, então fico com a de primeira!
A Fant – Não e possível! Sim, então você tem dinheiro?
Jovem – Exatamente 25. Pode contar.
A Fant – Que barbaridade! Um pequeno príncipe! Olhos como carvões ardentes. Dá vontade de cobrir de beijos o principezinho. Um príncipe hindu! Devo trata-lo por senhor?
Jovem – A senhora pode também me tratar por você, se isso a diverte!
A Fant – Quase não me atrevo! (*Ele recebe sua entrada. Dessas entradas de primeira ela vai vendendo mais devagar.*) O próximo, por favor!

Josef Garaus, bem embrulhado no seu casaco e chapéu sai da direita em direção ao porteiro.

A Fant (*nota-o imediatamente*) – Wondrak, o senhor diretor pode passar! O senhor diretor tem cabine e tratamento de luxo.
Wondrak – Já sei, senhoras e senhores, eu sei tudo, já sei. (*Garaus segue para a esquerda.*)
A Fant – Meus respeitos, senhor diretor. Quer dizer que não me foi infiel, não é?
Garaus – Espere só até que eu tenha morrido.
A Fant – Mas, senhor diretor, eu lhe suplico!
Garaus – Gente como nós também não vive eternamente, senhora Fant. (*Desaparece à esquerda.*)
O Homem Magro (*de voz aguda*) – Bem!
A Fant – O que deseja, meu senhor?
O Homem Magro (*resfolegando*) – Fii!

A Fant – O que disse, por favor?
O Homem Magro – Fii!
A Fant – Não entendo o senhor. Devo dar-lhe talvez uma de primeira, meu senhor?
O Homem Magro – Não!
A Fant – Então de segunda. 12.60, por favor.
O Homem Magro – Não!
A Fant – O senhor quer de terceira. Pode tê-la. Podia ter dito logo, caro senhor!
O Homem Magro – N-n-não!
A Fant – Sim, então o que deseja realmente, meu senhor? As pessoas estão aguardando, como pode ver!
O Homem Magro – T-t-tenha cautela!
A Fant – Não posso permitir que as pessoas se retirem por causa do senhor. Não ganhamos tanto assim, como deve saber.
O Homem Magro – T-t-tenha cautela! (*Vai para trás pela direita e se coloca novamente no fim da fila. As pessoas se inquietam.*)
A Fant – Alguém poderia até pensar que acumulamos riquezas! Não vamos nos amargurar por causa desse senhor!

O casal chegou diante da caixa.

A Mulher de Lenço na Cabeça (*para o homem*) – Vamos, agora venha já! Covarde!
O Homem – Não! Não!
A Mulher de Lenço na Cabeça – Você disse viagem de lua-de-mel. E agora? Sempre mentiras!
A Fant (*desconfiada*) – Duas de terceira, por favor?
A Mulher de Lenço na Cabeça – Imagine! De terceira em viagem de lua-de-mel! Duas de segunda! Para que a senhora saiba – viagem de lua-de-mel!
A Fant – Que tem isso a ver? São 25.20!
A Mulher de Lenço na Cabeça – Fico com elas! (*Ela paga e se retira, puxando o homem.*)
A Fant – Às ordens. (*Para Wondrak do outro lado.*) Preste atenção, Wondrak! Um sujeito pobre também tem coração. Isso pode servir de exemplo!
Wondrak (*enquanto a cena vai escurecendo*) – Já sei, senhoras e senhores, eu sei tudo, já sei.
Uma Gravação – Voltem a honrar-nos com sua visita.

A escuridão é absoluta. Percebe-se um roçagar como que de muitos passos inseguros. Pessoas tateiam o chão com as mãos e os pés. Mas também podem ser animais. Um lobo uiva de repente: Au...! Au...! Outros se unem a ele: Au...! Au...!

– O que é isso?
– Au...! Au...!
– Quieto, pelo amor de Deus, quieto!
– Não quero!
– Sufoco! Luz! Luz!
UMA GRAVAÇÃO – Não tenham medo. Aqui vocês estão seguros.

Por um curto tempo faz-se silêncio, o roçar pára e só se ouve uma voz:

– Vamos! Venha já!
– Não posso!
– Au...! Au...!
– Quieto, com mil demônios!
– Tenho medo!
– Quem está aí?
– Au...! Au...!
UMA GRAVAÇÃO – Não tenham medo. Vocês estão debaixo da terra.

O roçagar cessou. Alguém grita:

– Estou caindo!
– O chão!
– Ooooh!
– Não! Não!
– Assassino!
– Cale-se!
– Luz! Luz!
– Ooooh! Ooooh!
UMA GRAVAÇÃO – Não tenham medo. Já chegaram ao destino.

Agora são muitos os lobos, e eles uivam de fome e medo:

– Ooooh! Ooooh!
UMA GRAVAÇÃO – Atenção! Atenção!

Uma luz brilhante ilumina a cena. Em uma resplandecente sala de espelhos estão sentadas, caladas, cerca de vinte pessoas. Duas galerias de espelhos seguem da direita e da esquerda em direção ao fundo onde se unem numa ampla porta de duas folhas. Diante de cada espelho senta-se imóvel uma pessoa, de mãos na cintura, os cotovelos pontudos hostilmente voltados para o vizinho. Ninguém fala. Ninguém respira. O ar é como se fosse feito de vidro. François Fant desliza silenciosamente de frente para trás, de trás para a frente. O chão, bem como as solas de seus sapatos, são de borracha. Com um sorriso semelhante, inclina-se diante de cada espelho. Saúda as imagens de seus hóspedes. No primeiro plano da direita está sentado Fritz Schakerl, tão rígido quanto deseja, sem poder gaguejar. O filho mais velho dos Kaldaun senta-se a seu lado na categoria que lhe corresponde. Ele é cuidado por sua mãe, Lya, e esta por sua criada Milli, à esquerda. Barloch afasta com um cotovelo sua mulher, Anna e, com o outro, S. Bleiss, o vendedor ambulante. A Viúva Weihrauch instalou-se mui desconfortavelmente em duas cadeiras, mas não ousa se mover. Bem no fundo está a Senhorita Mai, vestida de preto. À direita da porta, as seis mocinhas. Egon Kaldaun tem a empregada despedida Marie como vizinha. Mas Marie se esforça para reter o Pregador Brosam. Evidentemente isto não lhe agrada e, ao que parece, ele gostaria de escapar. Therese Kreiss, ao seu lado, se familiariza com o diabo. Assim, todos aqui parecem juntos na maior harmonia possível. Só que ninguém sabe. Com exceção de Marie e seu Pregador, que estão em lua-de-mel, ninguém imagina quem está com ele na sala. Cada um deles ficaria mortalmente assustado com seu vizinho, mas cotovelos são cegos e o custo das olhadelas, muito caro.

Uma cabine de luxo do mesmo estabelecimento. Garaus é barbeado por Fritz Held diante de um grande espelho.

HELD – Posso perguntar-lhe respeitosamente se a navalha o está machucando?

GARAUS – Ainda não posso dizer. Preciso pensar antes.

HELD – Estou pronto a experimentar uma outra.

GARAUS – E se a outra machucar? Aí vou entrar mal.

HELD – Senhor diretor, tratando-se de mim, essa possibilidade está excluída. Todas as minhas navalhas são mudas como um túmulo.

GARAUS – Túmulo, túmulo, que bobagem. O que tem uma navalha a ver com túmulo?

Held — O senhor diretor saberá perdoar-me. Falo como me ensinou a fala popular. Retiro humildemente essa tolice.

Garaus — Pode experimentar, se quiser. Gosto disso, das marcas. Somente a dor é que eu não suporto. Não posso ver uma gota de sangue. Sangue eu não suporto.

Held — Bravo! Pessoalmente também sou contra isso de arrancar os olhos. Nesse particular o senhor diretor é exatamente igual a mim.

Garaus — Bem, bem. Penso eu.

Held — Com isso não pretendo me comparar, por Deus do céu, com o senhor diretor.

Garaus — Seria o que me faltava.

Held — A propósito de faltar, como se sente hoje o senhor diretor? Hoje o senhor diretor está tão lacônico, se me permite o atrevimento.

Garaus — Sim, é isso mesmo. Não me sinto tão terrivelmente mal enquanto permaneço neste recinto. Neste recinto sagrado. Mas apenas posto o pé fora do alto portão, bem, então sente-se como se lhe tivessem moído todos os ossos. As muitas desilusões. Sim, a juventude hoje não é nenhuma brincadeira.

Held — Mas por que diz isso? O senhor diretor ainda é um homem jovem. Mais jovem impossível.

Garaus — Só posso replicar: e as preocupações?

Held — Um pouquinho daqui e um pouquinho de lá, e tudo ficará novamente bem, acho eu.

Garaus — Não seja desavergonhado! Faça isso com outra pessoa. De graça é que o senhor não está aqui. O senhor não tem de achar nada. Acho eu. Além disso, o que sabe um reles funcionário como o senhor de preocupações?

Held — Confesso, com toda a humildade, que sou um fracassado em todos os sentidos.

Garaus — Uma pessoa sem dinheiro não conhece preocupações. Qual é o seu salário? Deve ganhar umas moedas de gorjeta. Portanto, o senhor também não tem nenhuma preocupação. Isso é lógico. É o que acho.

Held — É preciso reconhecer que a senhora Fant é muito capaz!

Garaus — Essa mulher, ela tem algo. Todo dia, quando passo por aqui, as pessoas estão numa enorme fila diante do caixa.

Held — Se o senhor diretor soubesse!

Garaus — Se eu soubesse o quê? O que é que o senhor sabe?

Held — Isso, porém, eu só revelo pessoalmente. Senão vai custar a minha cabeça.

GARAUS – Está bem.
HELD – Eu lhe imploro, senhor diretor!
GARAUS – Sim.
HELD – Como sabe, ha três categorias. De primeira, por assim dizer, de segunda, por certo, e também de terceira. O preço aumenta cerca de cem por cento em cada uma delas.
GARAUS – Também deve ser assim.
HELD – Em todo caso, senhor diretor, agora vem o lado bom. As pessoas se sentam todas no mesmo salão. E têm os mesmos espelhos. Imagine só isso, se me permite. Uma pessoa pagou 6.40 pela diversão, e quem está sentado ao seu lado, 25. Pela mesma diversão.
GARAUS – E ninguém nota nada! Essa mulher me impressiona. Imponente!
HELD – Agora o estabelecimento já tem dez anos, exatamente dez anos, e ninguém percebeu nada. Já estou aqui ha dez anos, e que eu saiba não houve nunca um problema. As pessoas ficam absortas como na canção da felicidade. O senhor diretor conhece a canção da felicidade? As pessoas não são como o senhor diretor.
GARAUS – Certo, isso nunca poderia acontecer comigo.
HELD – Também ela não iria se atrever de modo algum, a senhora Fant. No caso das pessoas de luxo, diz ela, é preciso oferecer algo. Uma pessoa de luxo sabe muito bem o que quer em troca de seu dinheiro. Os outros, por que são eles tão tolos?
GARAUS – A isso só tenho a dizer: meus respeitos.
HELD – Se não fosse a infelicidade com o filho. O senhor François é um vagabundo.
GARAUS – Uma infelicidade é preciso ter. Sim, se não fossem as preocupações! Agora vou perguntar algo ao senhor. O senhor ficará espantado. Mas lhe pergunto o seguinte: o senhor tem algum assassinato na consciência? Sim ou não?
HELD – Como réplica posso lhe confiar: diariamente doze.
GARAUS – Não é hora de piadas como essa, quando estou falando de mim. É o que acho!
HELD – O senhor diretor não faria mal nem a uma mosca. Sim, muito menos a uma pessoa. O senhor diretor possui, se me permite, um coração de ouro.
GARAUS – Aí o senhor tem razão. Mas, e se alguém lhe chupa até a última gota de sangue?

HELD – Aí poderia reagir mal. Qualquer um. Mas não o senhor.
GARAUS – Ah, o quê! Isso tem de mudar! Tudo deve mudar!
UMA VOZ TONITRUANTE – Frivolidade, seu nome é mulher! Você nos tira os melhores frutos! Você nos rouba o suor de nosso amargo trabalho! (*Aplausos.*)
GARAUS – Ele tem razão. É tudo o que tenho para dizer. Ele tem razão.
HELD – Senhor diretor, estou desorientado.
GARAUS – Fique quieto, sim?
A VOZ TONITRUANTE – Tudo aquilo que necessito, tenho em casa! Assim não pode continuar. O mundo vai desabar! (*Calorosos aplausos.*)
HELD – Não entendo como...
GARAUS – Sim, o que o senhor entende de tais coisas? Assim não pode continuar. O mundo vai desabar. Tudo precisa mudar.
A VOZ TONITRUANTE – Acaso temos de carregar por toda a vida as conseqüências de um pequeno erro? O que passou, passou! É preciso renascer e recuperar a sensibilidade para tudo o que é autentico e genuíno, para tudo o que é sincero e verdadeiro, para tudo o que é imaculado e puro. (*Aplausos.*)
HELD – E como isso se ouve bem! Honestamente, não sei.
GARAUS – Agora o senhor já está falando novamente de si! Cavalheiro, o senhor não me interessa nem um pouco!
HELD – Senhor diretor, o senhor tem tanta razão que eu poderia me suicidar. Aqui se é barbeado como no paraíso. Mas, falando vulgarmente, alguma coisa não funciona. Se eu pudesse ousar um conselho, o senhor diretor está hoje lacônico e deprimido: escolha uma cabine de luxo com alma! Tente e faça-a vir! Uma dama impecável, elegante, médica e da melhor sociedade, com conversa refinada. As pessoas entram doentes e arrasadas, e saem tão inocentes como um recém-nascido.
GARAUS – Inocentes?
HELD – Sim, por assim dizer. Faça vir a dama, senhor diretor! Tratando-se de cabine de luxo, ela sempre vem. Eu lhe imploro. Meus respeitos, senhor diretor, espero que se considere bem barbeado. Meus respeitos, vou chamar a dama.

A CABINE DE LUXO AO LADO

Heinrich Föhn está de pé diante de um espelho de corpo inteiro, falando. As paredes dessa cabine são cobertas de cima até embaixo por grandes buracos redondos. Na mão esquerda Föhn segura um pequeno aparelho com vários botões, o qual está ligado à parede por um cabo.

Föhn – Somas colossais, quantidades monstruosas de dinheiro são continua e ininterruptamente desperdiçadas e jogadas fora. O povo, porem, vive na miséria e passa fome. Não queremos viver na miséria nem passar fome. (*Aperta um botão; e dos buracos da parede sai um ruído de aplausos.*) Cada um deve ser feliz a sua maneira. Acaso não somos maiores e adultos? Mas que tipo de gente é essa? Uma mão lava a outra. Não me faça nada, que não lhe farei nada. Frivolidade, seu nome é mulher! Você nos tira os melhores frutos! Você nos rouba o suor de nosso amargo trabalho! (*Aperta um botão, aplausos.*) Fossemos nós moças, e além disso jovens, teríamos sensibilidade e compreensão para isso. Infelizmente não o somos nem podemos ser. É preciso aniquilar e extirpar essa concorrência desleal, realizada com meios colossais, essa concorrência suja a preço baixo! (*Aperta várias vezes; calorosos aplausos.*) Deixemos os peixes podres! Não trazem nada de bom. Creiam-me, muitos poderiam ser diretores de empresa, e hoje não são. Nem o mais piedoso dos homens pode viver em paz, se isso não agradas a seu malvado vizinho. (*Aperta; grandes aplausos.*) Até os homens mais bonitos e perseverantes foram amarrados e até mesmo conquistados por cuidados amorosos e boa cozinha. O amor não passa pelo estômago? Enquanto vivemos, amamos! É sempre a mesma velha canção esquecida. Ninguém está só sobre a terra. Nenhuma criatura encontra-se só no mundo. (*Aperta; os aplausos são mais fracos.*) Uma pessoa não é um espantalho, muito menos gente especial como nós! Carregamos uma imagem nobre no coração. Quando ela será verdadeiramente nossa? Os ingleses têm um provérbio famoso: *my home is my castle* quer dizer aquilo que necessito, tenho em casa! (*Aperta, os aplausos são fracos.*) Isso não pode continuar! O mundo vai desabar! (*Aperta, os aplausos são quase imperceptíveis.*) Devemos carregar a vida inteira as conseqüências de um pequeno erro? O que passou, passou! Vamos nos dar as mãos! Nenhum diabo pode nos separar! (*Aperta. Não sai nenhum aplauso. Aperta e aperta. Bate o pé, furioso. Não adianta nada. Vai até a porta e puxa o sinal de alarme, de som estridente. Então caminha, nervoso, de um lado para o outro na cabine, falando, agora sem pathos, depressa consigo mesmo.*) É preciso renascer e recuperar a sensibilidade para tudo o que é autêntico e genuíno, sincero e verdadeiro, imaculado e puro. Pois só quem é belo sabe o que é belo, só quem é forte, o que é forte. E o que é velho e se cria liquidado e destruído, retorna vitoriosa e resplandecente. Não me desprezem o que é velho! Que seríamos nós sem a velhice? Honre seu pai e sua mãe! Egípcios e babilônios, assírios e persas, gregos e romanos acabaram desaparecendo, impérios poderosos, potências gigantescas...

WONDRAK (*entra bruscamente*) – Aconteceu alguma coisa com o espelho?

FÖHN – Ah, aí está ele, o porteiro. Diga-me, o que está havendo hoje com o aparelho de aplausos? Aperto e aperto, e não sai nenhum som. Não suporto isso. Já estou bem nervoso. No sanatório de vocês a gente fica doente!

WONDRAK – Muito certo, senhor doutor, muito certo, colossalmente certo!

FÖHN – O senhor talvez não acredite. Pode me acreditar. Tenho demasiado tato. Deixei passar um bom tempo até me decidir a chamar. Não queria lhe dar ainda mais trabalho. Tenho demasiado tato com vocês! Experimente o senhor mesmo! Aqui!

WONDRAK – Com muito prazer, senhor doutor, com muito prazer. (*Aperta.*)

FÖHN – Está vendo? Não sai nenhum aplauso. Nenhum aplauso! Agora começa a soar nesta parede, bem fraquinho. A do outro lado não aplaude em absoluto. Hoje aplaudiu ao todo três ou quatro vezes, no máximo. Estou desesperado. Será que não pode regulá-lo o senhor mesmo?

WONDRAK – Posso experimentar, senhor doutor, vou experimentar, senhor doutor, mas será que adianta?

FÖHN – Será que vocês não têm nenhum aparelho de reposição? Isso é uma vergonha! Uma empresa como esta e nenhum aparelho de reposição! Comunique à Fant que estou seriamente bravo. Há dez anos venho aqui diariamente. Um hóspede mais fiel vocês não têm. Bem, há o diretor, que encontro sempre na entrada, mas ele é um bobalhão que não paga. Diga à Fant que estou fora de mim, de tanta indignação! Dentro de cinco minutos o aparelho tem de funcionar! Se não, não sei o que farei! Estou fora de mim!

WONDRAK – Muito certo, senhor doutor, colossalmente certo! (*Sai correndo.*)

A cabine de luxo ao lado volta a se iluminar.

LEDA FÖHN-FRISCH – Temo, senhor diretor, que o senhor pense demais. Deixe-se ir, pelo menos uma vez. Não faça nenhum esforço. Sei que o senhor tem tanta coisa importante na cabeça. Um homem numa posição de tanta responsabilidade! Isso é apenas natural. Ninguém vai censurá-lo por isso. É compreensível. Tratando-se do senhor, não pode ser diferente. Mas se quer me fazer um favor, a mim pessoalmente – o senhor diz que lhe sou simpática –, então deixe-se ir, uma vez só, não pense em nada. Relaxe-se. Espere, talvez o senhor se sinta melhor assim. (*Gira a cadeira, de forma que ele fica de costas para o espelho.*)

GARAUS – Não seria nada mau, a gente poder se relaxar, assim, de coração.

LEDA – E agora, está sentado confortavelmente? Penso que sim, agora conte-me, simplesmente, o que lhe passa pela cabeça.

GARAUS – Se fosse tão simples, minha senhora.

LEDA – Quero ajudar-lhe. Para isso estou aqui. O senhor está lembrado, certa vez, o senhor já era então um menino crescido, e fez algo, algo terrível, algo muito terrível. Tinha medo de seu pai, às vezes, inclusive, tinha ódio de seu pai. Aí correu para sua mãe e apoiou a cabeça em seu colo e confessou.

GARAUS (*suspirando*) – O meninote que fui, sim, sempre fui um meninote.

LEDA – Veja só, já sabia antes e nem conheço o senhor. O senhor vai ver o quanto sei. Diga-me tranqüilamente o que lhe passa pela cabeça, eu sei tudo mesmo, o senhor dizendo ou não, é apenas para que avancemos mais rápido.

GARAUS – Minha mulher faleceu. Não consigo deixar de pensar nisso.

LEDA – Está vendo! Isso eu sabia, e também sabia por que o senhor estava tão triste.

GARAUS – Pois se minha mulher morreu! E eu nem sequer devo ficar triste?

LEDA – Ouça, meninote. O senhor não pode fazer nada, se sua mulher morreu. Todo mundo vai morrer. É uma lei natural. As leis naturais são eternas. O senhor não pode fazer absolutamente nada, entende, se o senhor pudesse fazer algo, a coisa seria diferente, mas eu sei tudo, e também sei que o senhor não pode fazer nada contra isso.

GARAUS – Bem, é claro que não posso fazer nada.

LEDA – Se pudesse fazer algo, seria um assassino. E será que um assassino tem esse aspecto? Falando sério, dê uma volta e contemple-se bem no espelho. Um assassino tem esse aspecto? Sim ou não? Se o senhor for de outra opinião, se tiver a sensação de que um assassino pode ter um aspecto como o seu, então diga tranqüilamente, não vou ficar brava, nem todos têm a mesma opinião. Eu, de minha parte, poderia jurar que um assassino, de jeito nenhum, pode ter esse aspecto.

Garaus – Nisso a senhora tem toda a razão.

Leda – O senhor ainda vai ver que sempre tenho razão. Sabe o que sei agora? Vou lhe dizer na cara, não se assuste, tenho de dizer-lhe, prepare-se. Não é tão grave assim.

Garaus – Por quê? Por quê? Tenho a consciência limpa.

Leda – Apesar disso vou lhe dizer abertamente: o senhor não gosta de olhar no espelho!

Garaus (*respirando com dificuldade*) – Sim... não... como... creio eu!

Leda – Controle-se! Minha intenção não é má. Não sou nenhum juiz de instrução criminal. Sou médico. Sou inclusive médica.

Garaus – Aí acabou-se! Aí... agora vou mesmo embora.

Leda (*obriga-o a se sentar de novo*) – Fique aí, fique aí bem sentadinho! Meninote bobo, por que tão desconfiado? Isso não é um pecado, nem um crime. Uma pessoa não é obrigada a gostar de olhar no espelho. É sem dúvida uma lei natural as pessoas fazerem isso com prazer, mas a exceção confirma a regra. Por que o senhor, precisamente, não deveria ser a exceção? O senhor não é vaidoso. Ou será que é?

Garaus – Não, em absoluto.

Leda – No momento o senhor não é vaidoso. Não tem nenhuma vontade de se ver em seu estado atual. Antes era outra coisa, é claro. Antes o senhor gostava de espelhos, como todo mundo. Aliás, o senhor tem de me perdoar por pronunciar aqui a palavra proibida tão abertamente. Talvez lhe pareça indecente. Algo se arrepia, dentro do senhor, que alguém – e além do mais uma mulher – tenha na boca uma palavra assim. Mas só estou preocupada com sua cura. Tudo o mais me é indiferente. Em seu interesse mais pessoal, estou disposta a chamar abertamente as coisas mais asquerosas pelo nome.

Garaus – Sim, é mesmo asqueroso.

Leda – Pois é. Também sabia que isso lhe era asqueroso. Agora que estamos de acordo sobre esse ponto podemos avançar mais facilmente. Então o senhor não gosta em absoluto de olhar no espelho. Sabe que agora o senhor até ficou vermelho?

Garaus – É possível. A gente se envergonha.

Leda – O senhor começa a me temer porque sei de tudo. Ouça-me bem, não precisa ter medo. Veja, o fato de não gostar de olhar no espelho só fala em favor sua decência. O senhor tem inibições. Mas essas inibições não são insuperáveis. Desde que sua mulher morreu, não quer saber mais de espelhos. É verdade que o senhor vem ao nosso sanatório, algo escuro o traz aqui, mas quando vê um espelho, dá meia-volta cheio de ódio, não é assim?

Garaus – Sim, não gosto muito de espelhos.

Leda – Desde a morte de sua mulher algo se quebrou.

Garaus (*berra*) – Certo!

Leda – Não se engane! Nossa memória nos ilude freqüentemente. Confundimos com freqüência causa e efeito. Agora o senhor tem a sensação de que tudo isso já ocorreu antes; que o senhor, quando sua mulher ainda vivia, não mais sentia alegria com nada; que o espelho, arquétipo de todas as alegrias do homem, sim, sim, veja só, nisso não posso ajudá-lo, é assim mesmo, portanto o senhor tem a sensação de que esse espelho se quebrou primeiro no senhor e então sua mulher morreu. O senhor teme ser em parte responsável pela morte de sua mulher, porque a desgraça com o espelho ocorrera antes. Mas não é assim, acredite em mim, tudo o que o senhor pensa a esse respeito é errado, primeiro sua mulher morreu, e depois o espelho se quebrou.

Garaus – Certo! Certíssimo!

Leda – Veja o senhor. O senhor é totalmente inocente! Não pode fazer nada contra isso! Nunca pôde!

Voz Tonitruante – Uma mão lava a outra. Não me faça nada, que não lhe farei nada!

Garaus – É o que acho!

Leda – Não se incomode com isso. É só o meu marido.

Garaus – O que esse sujeito quer de novo?

Leda – Parece que alguma coisa no aparelho de aplausos não está funcionando. É só o meu marido. Não se incomode. Podemos continuar tranqüilamente.

Voz Tonitruante – Somas colossais, quantidades incríveis de dinheiro são constante e ininterruptamente desperdiçadas e jogadas fora. O povo, porém, vive na miséria e passa fome.

Garaus – Ele faria melhor lavando suas fraldas, o fedelho. O que entende ele de economia!

Leda – É melhor não prestar atenção! É só o meu marido. Sabe quanto me custa diariamente essa cabine de luxo com aparelho? Prefiro não dizê-lo ao senhor. Mas continuemos!

Garaus – Não se entende nem as próprias palavras!
Voz Tonitruante – Creiam-me, muitos poderiam ser diretores de empresa, e hoje não são. Nem o mais piedoso dos homens pode viver em paz, se isso não agradar a seu vizinho malvado. Ninguém está só sobre a terra! Nenhuma criatura encontra-se só no mundo! Honre seu pai e sua mãe! Egípcios e babilônios, assírios e persas, gregos e romanos...
Leda – Não entendo isso. O som não vem de perto. Está dando voltas pelo corredor. Não pode ser. Atrapalha o sanatório.
Garaus – Nunca havia visto tanta falta de respeito! Eduque melhor o rapazote! Como é possível? As pessoas pagaram!
Emilie Fant (*entra correndo*) – Pelo amor de Deus, doutora, ajude-me, seu marido ficou louco, está descontrolado, um louco, em minha casa, um louco!
Garaus – Agora lhe pergunto, senhora Fant – esta é uma cabine de luxo, ou não é uma cabine de luxo?
A Fant – Pelo amor de Deus, senhor diretor, é claro que é. Não sei mais onde tenho a cabeça, ele vai destruir meu estabelecimento, tenho medo que ele esmurre meus espelhos, meu filho não está aqui, fale o senhor com ele, não há nenhum homem aqui, ninguém me ajuda! Trabalho dia e noite, dia e noite, dia e noite. Doutora, eu lhe imploro, amanse-o, senhor diretor, eu lhe imploro, ajude-me, senhor diretor, o senhor pode me pedir o que quiser, antes que ele se comece a destruir os espelhos! Isso vai causar uma desgraça! Uma desgraça!
Garaus – Vamos tomar providências imediatamente. Ele não sabe o que o espera, o rapazelho! Não sou assim. Mas agora vou ficar. Vou arrebentar-lhe os dentes, esse porco! Sabe o que eu acho disso? Uma falta de consideração!
Leda – Ele é sempre assim, meu marido. Não tem consideração.
A Fant – Meu filho! Onde está meu filho? Ajude sua mãe, meu filho!

Todos os três saem correndo para o corredor.

No salão de espelhos nada mudou. As mesmas pessoas estão ali sentadas, caladas, o olhar cravado em sua imagem. François Fant caminha de lá para cá sem dar um pio. De repente ouve-se uma voz delirante, a princípio distante, mas que se aproxima rapidamente.

– Cada um de nós deve ser feliz a sua maneira! Acaso não somos maiores e adultos?

O jovem Kaldaun estremece.

– Frivolidade, seu nome é mulher! Você nos tira os melhores frutos. Você nos rouba o suor de nosso trabalho amargo!

Barloch estremece.

– Se fôssemos moças, e além disso jovens, teríamos sensibilidade e compreensão para isso. Infelizmente não somos nem podemos ser.

As seis mocinhas estremecem.

– Essa concorrência desleal com meios colossais, essa concorrência suja a baixo preço deve ser aniquilada e extirpada.

S. Bleiss estremece.

– Creiam-me, muitos poderiam ser diretores de empresa, e não são. O mais piedoso dos homens não pode viver em paz, se isso não agradar ao vizinho malvado.

Fritz Schakerl estremece.

– Até os homens mais belos e perseverantes são amarrados e até mesmo conquistados por cuidados amorosos e boa cozinha.

A Senhorita Mai estremece.

– O amor não passa pelo estômago? Enquanto vivemos, amamos!

A Viúva Weihrauch estremece.

– É sempre a mesma velha canção esquecida.

Egon Kaldaun estremece.

– Ninguém esta só sobre a terra, nenhuma criatura encontra-se só no mundo.

Maria e o Pregador Brosam estremecem um na direção do outro.

— Uma pessoa não é nenhum espantalho, e muito menos gente especial como nós!

Barloch estremece mais forte.

— Carregamos uma imagem nobre dentro do coração. Quando ela será verdadeiramente nossa?

Lya Kaldaun estremece.

— Os ingleses têm um provérbio famoso: *my home is my castle*. Aquilo que necessito, tenho em casa. Isso não pode continuar. O mundo vai dessabar! Devemos nós carregar a vida inteira as conseqüências de um pequeno erro?

Milli Kreiss estremece.

— É preciso renascer e recuperar a sensibilidade para tudo o que é autêntico e genuíno, para tudo o que é imaculado e puro, para tudo o que é sincero e verdadeiro. Pois só quem é belo sabe o que é belo,

François Fant estremece e presta atenção.

— E só quem é forte sabe o que é forte!

Barloch levanta os braços e agarra seu espelho.

— E o que é velho, que se acreditava liquidado e posto fora, retorna vitorioso e resplandecente. Não desprezem o que é velho!

Anna Barloch estremece.

— O que seria de nós sem a velhice? Honre seu pai e sua mãe!

François Fant se retira. Ele deixa a porta aberta. O olhar cai sobre intermináveis galerias de espelhos.

— Egípcios e babilônios, assírios e persas, gregos e romanos acabaram desaparecendo, impérios poderosos, potências gigantescas. Até o dia de hoje toda cultura foi destruída por sua falta de gratidão! Será que nossos pais, avós e antepassados viveram à toa ou mesmo em vão? Centenas de anos, milhares e milhares de anos nos contemplam aqui embaixo! Os franceses, que não são preguiçosos, têm também um provérbio: *qui vivra, verra*. O homem deve ter os olhos abertos!

Todos estremecem em confusão.

– Não permitimos que nos tirem esse direito! Tampouco permitiremos ser roubados! É o passado, é o futuro que requer e exige isso de nós? Eu replico: ambos! Ambos requerem e exigem que nos lembremos do que uma vez fomos, que pensemos naquilo que um dia seremos! Vamos nos dar as mãos!

Todos arremessam os braços para a frente. Cada um apanha seu espelho e o arranca da parede. Todos pulam alto e gritam:

Eu! Eu! Eu! Eu! Eu! Eu! Eu! Eu!

Com os espelhos bem levantados, precipitam-se para fora da sala. Vindos da direita, Garaus e a Fant correm para a sala e se colocam, com gestos suplicantes, no caminho da multidão. Suas palavras apaziguadoras se perdem no barulho. São atropelados e ficam deitados no chão. A multidão abre caminho para sair pela direita. Inúmeras pessoas, vindas das galerias de trás, seguem empurrando. As paredes, já sem espelhos, desmoronam e se está novamente na

RUA

Uma torrente negra a percorre. De todo o lado continua afluindo gente. Cada um segura no alto um espelho ou uma imagem de si. No ar ecoam gritos retumbantes: Eu! Eu! Eu! Eu! Eu! Eu! Eu! Eu! Daí não se forma um coro de fato. Sobre uma ilha no fundo ergue-se, lentamente, a estátua de Heinrich Föhn.

FIM

Os Que Têm a Hora Marcada

Personagens

    Cinqüenta
    O Amigo
    O Capsulão
    Um Homem
    Um Outro
    Mãe, 32
    Menino, 70
    Homem, Dr., 46
    Mulher, 43
    Avó
    Neta
    O Menino Dez
    Dois Colegas
    O Casal
    Jovem Mulher no Enterro de seu Filho
    Dois Jovens, 28 e 88
    Duas Damas
    Coro dos Desiguais
    Duas Senhoras bem Idosas, 93 e 96

Prólogo Sobre Os Velhos Tempos

Um Homem – Naquele tempo!
Um Outro – Naquele tempo? Você acredita nesses contos de fadas!
Um Homem – Mas era realmente assim. Você só precisa ler os relatos de testemunhas!
O Outro – Pois você leu?
Um Homem – É claro. Por isso é que os estou lhe contando.
O Outro – E que dizem esses informes?
Um Homem – O que acabo de lhe dizer. Um homem saiu de casa para comprar cigarros. "Estarei de volta em alguns minutos", disse para a mulher, "voltarei logo." Ele saiu de casa e quis atravessar a rua, a loja ficava em frente. De repente um carro virou a esquina e o atropelou. Ficou ali deitado. Dupla fratura de crânio.
O Outro – E então? O que aconteceu depois? Foi levado para o hospital e o curaram, não? Passou algumas semanas no hospital.
Um Homem – Não. Ele morreu.
O Outro – Morreu. Era sua *hora*.
Um Homem – Pois não era, não. Essa é a graça do assunto.
O Outro – Como é que ele se chamava?
Um Homem – Pedro Paulo.
O Outro – Mas qual era seu nome verdadeiro?

Um Homem – Pedro Paulo.

O Outro – Isso é o que sempre me querem fazer crer. Você acredita mesmo que, naquele tempo, as pessoas podiam viver sem um nome de verdade?

Um Homem – Estou lhe dizendo, era assim. Eles tinham quaisquer nomes, e os nomes não significavam nada, em absoluto.

O Outro – Então se poderia simplesmente trocar os nomes.

Um Homem – Certo. Era indiferente como se chamava.

O Outro – E o nome não tinha nada a ver com a *hora*?

Um Homem – Nada. A *hora* era desconhecida.

O Outro – Eu não entendo. Você quer dizer que ninguém, nenhuma pessoa nem sequer tinha idéia do momento em que ia morrer?

Um Homem – Exatamente isso. Ninguém.

O Outro – Agora, diga seriamente, você pode imaginar algo assim?

Um Homem – Para falar honestamente – não. Por isso eu o acho tão interessante.

O Outro – Mas isso ninguém teria agüentado! Essa insegurança! Esse medo! Eu não teria tido nenhum minuto de descanso! Não teria podido pensar em outra coisa. Como viveram essas pessoas? Quando nem sequer se pode dar um passo diante da casa! Como as pessoas faziam planos? Como é que elas podiam *empreender* algo? Acho isso terrível.

Um Homem – E era assim. Tampouco posso imaginá-lo!

O Outro – Mas você *acredita* nisso? Você *acredita* que era assim?

Um Homem – Para isso estuda-se história.

O Outro – Histórias – você quer dizer. Estou disposto a acreditar em você, que existiram antropófagos...

Um Homem – E pigmeus...

O Outro – E gigantes, bruxas, mastodontes e mamutes, mas isso é uma outra coisa!

Um Homem – Como ainda vou poder provar isso a você?

O Outro – Talvez nunca tenha tentado me expressar claramente. Soa *monstruoso*! Soa inacreditável!

Um Homem – E no entanto o mundo seguiu essa marcha.

O Outro – Talvez as pessoas tenham sido muito mais tolas do que agora. Bitoladas.

Um Homem – Você quer dizer, como animais. Eles também não pensam em nada.

O Outro – Sim. Eles caçam, comem e brincam, e no que possa acontecer-lhes, nisso eles simplesmente não pensam.

Um Homem – Parece que nós já fomos um pouco mais adiante.

O Outro – Um pouco? A esse outro não se pode chamar absolutamente de seres humanos.

Um Homem – E no entanto as pessoas pintaram e escreveram e fizeram música. Houve filósofos e grandes homens.

O Outro – Ridículo. Qualquer sapateiro miserável, entre nós, é um filósofo maior, pois sabe o que vai acontecer com ele. Pode distribuir com exatidão seu tempo de vida. Pode planejar sem medo, está seguro de seu prazo, sente-se tão seguro sobre seus anos quanto sobre suas pernas.

Um Homem – Considero a divulgação da *hora* o maior progresso na história da humanidade.

O Outro – Antes eles eram selvagens. Pobres-diabos.

Um Homem – Bestas.

PRIMEIRA PARTE

Uma mãe entra correndo atrás de seu filho pequeno.

MÃE – Setenta, Setenta, onde está você?
MENINO – Você não me pega, mamãe!
MÃE – E você tem que me deixar sempre sem fôlego.
MENINO – Você gosta de correr atrás de mim, mamãe.
MÃE – E você gosta de me fazer correr, menino malvado. Onde você se meteu agora?
MENINO – Em cima da árvore, onde você não pode me pegar.
MÃE – Desça imediatamente, você vai cair, os galhos estão podres.
MENINO – Por que é que eu não devo cair, mamãe?
MÃE – Você vai se machucar.
MENINO – Não faz mal, mamãe. Por que não devo me machucar? Um menino valente não tem medo de dores.
MÃE – Certo. Certo. Mas pode acontecer uma desgraça.
MENINO – Comigo não, comigo não. Eu me chamo Setenta.
MÃE – Nunca se pode saber, é melhor ser cuidadoso.
MENINO – Mas, mamãe, você mesma me explicou.
MÃE – O que foi que lhe expliquei?

Menino – Você disse que eu me chamo Setenta, porque vou chegar aos setenta anos de idade. Você disse que se chama Trinta e Dois, porque vai morrer aos trinta e dois anos.

Mãe – Sim, sim. Mas você pode quebrar uma perna.

Menino – Mamãe, posso fazer-lhe uma pergunta?

Mãe – Pode perguntar tudo, meu filho, tudo.

Menino – Você precisa mesmo morrer aos trinta e dois anos?

Mãe – Sim, naturalmente, meu filho. Isso já lhe expliquei.

Menino – Mamãe, você sabe o que calculei?

Mãe – O que, meu filho?

Menino – Vou ficar trinta e oito anos mais velho do que você.

Mãe – Graças a Deus, meu filho.

Menino – Mamãe, quantos anos você vai viver ainda?

Mãe – Isso é triste demais, meu filho. Por que me pergunta isso?

Menino – Mas você vai viver ainda muitos anos, não é mesmo, mamãe?

Mãe – Não muitos.

Menino – Quantos, mamãe, quero saber quantos.

Mãe – Isso é um segredo, meu filho.

Menino – Papai sabe?

Mãe – Não.

Menino – A tia sabe?

Mãe – Não.

Menino – O vovô sabe?

Mãe – Não.

Menino – A vovó sabe?

Mãe – Não.

Menino – O senhor professor sabe?

Mãe – Não.

Menino – Ninguém sabe? Ninguém no mundo inteiro?

Mãe – Ninguém. Ninguém.

Menino – Oh, mamãe, eu quero saber!

Mãe – Por que você me tortura? Não vai adiantar nada, se você souber.

Menino – Preciso saber.

Mãe – Mas por quê? Por que, então?

Menino – Tenho tanto medo, mamãe. Todo mundo diz que você vai morrer jovem. Quero saber quanto tempo você vai ainda correr atrás de mim. Quero amá-la muitíssimo. Tenho medo, mamãe.

Mãe – Você não deve ter medo. Você será um homem bom e trabalhador, se casará e terá muitos filhos e ainda mais netos. Você vai ficar velho, terá setenta anos, e quando morrer estará rodeado de bisnetos.

Menino – Mas não gosto deles. Só gosto de você. Mamãe, diga-me!

Mãe – Não seja tão obstinado. Não posso dizer isso a você.

Menino – Você não gosta de mim.

Mãe – Não gosto de ninguém tanto quanto de você, você sabe disso.

Menino – Mamãe, não vou conseguir dormir se você não me disser.

Mãe – Você é um menino terrível. Até agora você sempre dormiu.

Menino – Isso é o que você acha. Isso é o que você pensa. Eu só finjo. Quando você sai do quarto, abro os olhos e olho para o teto. Aí conto os círculos.

Mãe – Para quê? É melhor dormir.

Menino – Mas eles são os beijos de boa-noite que ainda vou receber de você. Eu os conto, eu os conto, toda noite eu os conto, mas nunca dá certo. Às vezes são muitíssimos, às vezes são muito poucos – você sabe, não vejo nunca o mesmo número de círculos. Quero saber quantos são. Senão não consigo mais dormir.

Mãe – Vou dizer a você, meu filho. Você vai receber ainda mais de cem beijos de boa noite de mim.

Menino – Mais de cem! Mais de cem! Oh, mamãe, agora vou poder dormir...

Cinqüenta. Seu amigo.

Cinqüenta – É a melhor idade. Não creio nisso.

Amigo – Mas até agora sempre foi exato.

Cinqüenta – Não acredito nisso. Posso dar-lhe facilmente uma prova em contrário. Você diz que todos têm sua *hora* no tempo certo. Dê-me um exemplo!

Amigo – Só preciso pensar em minha própria família. Meu pai se chama Sessenta e Três. Ele tinha exatamente essa idade quando aconteceu. Minha mãe pertence aos felizes. Ela ainda vive.

Cinqüenta – Como é o nome de sua mãe?

Amigo – Noventa e Seis.

Cinqüenta – Tão velha ela não pode ser. Com certeza. Mas isso não quer dizer...

Amigo – Espere. Espere. Quero dizer-lhe uma coisa. Eu tinha uma irmãzinha, uma criatura encantadora. Nós todos éramos apaixonados por ela. Ela tinha longos cachos e pestanas escuras, maravilhosas. Era comovedor observá-la quando ela abria os olhos, ela o fazia bem lentamente, e suas pestanas eram como asas silenciosas, que levavam a gente para o alto, e enquanto se ia ficando cada vez mais leve, estava-se na realidade – e isso era o mais singular – na sombra a seus pés.

CINQÜENTA – Você fala dela como de uma amante.

AMIGO – Ela era uma criança. Eu era mais velho do que ela. E não era o único que a endeusava. Todo mundo que chegava perto dela, sentia que era um ser celestial.

CINQÜENTA – E o que aconteceu com ela?

AMIGO – Ela não vive mais. Morreu ainda menina.

CINQÜENTA – E como é que ela se chamava?

AMIGO – Seu nome era Doze.

CINQÜENTA – Isso você nunca me contou.

AMIGO – Jamais falo dela. Nunca superei isso.

CINQÜENTA – *Ela sabia* de tudo?

AMIGO – Já pensamos muito nisso. Não é fácil ocultar essas coisas de uma menina. Elas são curiosas e prestam atenção nas conversas dos adultos.

CINQÜENTA – Sim. Elas têm sempre esse interesse doentio por seu nome. Todas as crianças. Como elas torturam a mãe, até elas lhes confessarem tudo!

AMIGO – Mas com minha irmã foi diferente. Ela nunca perguntava. Talvez tivesse uma idéia de que sua *hora* seria cedo, mas se tinha, não deixava notar. Ela era tão equilibrada para uma criança. Nada a fazia ter pressa. "Você está muito atrasada para a escola", dizia-se a ela. "Precisa se apressar." "Eu tenho tempo, vou chegar na hora certa", dizia. E embora fosse tão lenta, nunca chegava atrasada.

CINQÜENTA – Isso soa muito equilibrado para uma criança de sua idade.

AMIGO – Era assim. Nós não entendíamos isso. Nunca brigava. Nunca tirava algo de outra criança. Não tinha desejos especiais. Ela se alegrava com tudo o que surgia diante de seus olhos, e contemplava as coisas com seu modo lento, penetrante. Agora acredito que *contemplar* era a sua felicidade, assim como outros *amam*, ela olhava as coisas por longo tempo.

CINQÜENTA – Gostaria muito de vê-la.

AMIGO – Oh, isso faz muito tempo. Mais de trinta anos.

CINQÜENTA – Nessa época não nos conhecíamos. Ela deve ter tido uma doença grave.

AMIGO – É claro. Mas não falemos nisso agora. Não conto essas coisas para me divertir. Eu lhe digo como ela se chamava, e você também sabe que aconteceu como previsto.

CINQÜENTA – Não duvido de sua palavra.

AMIGO – E como poderia? Você me ofenderia mortalmente. Acha que eu poderia mentir sobre isso?

CINQÜENTA – Não. É claro que não. Isso tudo é muito sério. Mas eu gostaria de lhe fazer uma pergunta.

AMIGO – Sim?

CINQÜENTA – Você vai estranhar o fato de eu ser tão ignorante, mas até o dia de hoje me recusei a saber algo mais exato sobre esses costumes repelentes.

AMIGO – Não há muita coisa a saber, como você pensa.

CINQÜENTA – Espere. Espere. Você ainda vai se espantar comigo. Mas diga-me agora, algum dia alguém já lhe revelou sua idade?

AMIGO – Não o entendo. O que quer dizer com isso?

CINQÜENTA – Quero dizer o que estou dizendo. Algum dia alguém lhe disse sua idade verdadeira?

AMIGO – Alguém vivo?

CINQÜENTA – Quem então? Alguém que já não vive não pode lhe dizer isso.

AMIGO – Se não o conhecesse tão bem, ia dizer que você é um retardado, idiota de nascimento, um cretino sem esperança de recuperação.

CINQÜENTA – É por isso que lhe pergunto. Ainda nunca ousei fazer essa pergunta a alguém.

AMIGO – E por isso a faz a mim.

CINQÜENTA – Sim. Em confiança. Você não vai me trair.

AMIGO – É claro que não. Se o fizesse, você ficaria sob tutela ou acabaria no hospício.

CINQÜENTA – Bem, bem! Responda à minha pergunta e não se preocupe com meu hospício. Eu lhe pergunto outra vez – algum dia alguém lhe revelou sua idade?

AMIGO – Não, claro que não. Isso ninguém faz. Ninguém imaginaria que se pudesse fazer algo assim. O último vagabundo se tem em maior estima.

CINQÜENTA – Bem. Retenhamos essa resposta. Você não conhece ninguém que jamais tenha feito isso. Nenhuma pessoa diz quantos anos tem.

AMIGO – Não. Ninguém. Mas qual é a finalidade disso tudo?

CINQÜENTA – Como saber se a *hora* é verdade? Talvez tudo isso seja uma superstição.

Amigo (*ri alto*) – Você não sabe? Você não sabe? Você realmente não sabe o que acontece em primeiro lugar, quando alguém morre? A chegada da morte tem de ser explicada oficialmente. Uma vez que o funcionário competente fez essa declaração diante de testemunhas, a cápsula lacrada é aberta.

Cinqüenta – Que cápsula?

Amigo – Como você é desligado! A cápsula que você traz sobre o peito. Você sempre a carregou, desde o nascimento. Ela é tão lacrada, que ninguém consegue abri-la. O *capsulão* ou o velador dos mortos é o único que pode fazer isso.

Cinqüenta – Você acha? (*Ele tira uma pequena cápsula debaixo da camisa e a mostra.*) Você quer dizer esta coisinha aqui?

Amigo – Não seja tão frívolo. Sim. Quero dizer essa coisinha.

Cinqüenta – Nunca soube por que se tem isso. Lembro-me que desde pequeno me inculcaram para tomar cuidado com isso. Minha mãe costumava me assustar com isso. Ela dizia que, se eu a perdesse ou se acontecesse a menor coisa com ela, eu morreria de fome.

Amigo – Ela certamente tinha razão, mas num sentido diferente daquele que você podia entender naquela época.

Cinqüenta – Eu considerava tudo isso um conto de fadas.

Amigo – Mas você nunca tentou abrir a cápsula?

Cinqüenta – Não. Assim como nunca tentei abrir o peito.

Amigo – Você era um menino piedoso. É bom que tenha permanecido tão piedoso.

Cinqüenta – E se a tivesse aberto, o que teria achado dentro?

Amigo – A data precisa de seu aniversário aniversário. O exato ano de sua morte. Nada mais. A cápsula é pendurada na criança logo após a cerimônia do nascimento e nunca mais tocada, até que o velador dos mortos ou capsulão a tome de novo na mão.

Cinqüenta – E será que isso basta como prova?

Amigo – Isso *é* uma prova. Pois a criança, tão logo saiba falar e compreender, fica sabendo pela mãe qual a sua idade. E ela lhe pede com sérias ameaças que nunca diga nada a ninguém sobre o assunto. Será que você não se lembra disso?

Cinqüenta – Sim. Sim. Também tenho um aniversário, acho.

Amigo – Se acaso se acha na cápsula o aniversário que lhe é conhecido, e se morre no mesmo dia – essa não é uma prova suficiente?

Cinqüenta – Isso prova que a pessoa morre no dia de seu aniversário. Mas será que não seria de medo de seu aniversário...?

Amigo – Contudo, cada um sabe quantos anos tem. E pela cápsula pode-se comprová-lo. Pois ela contém o ano da morte.

Cinqüenta – Você não me convence. O morto não diz mais nada. E o capsulão poderia mentir.

Amigo – O capsulão? Mas se prestou juramento! Seu trabalho consiste exclusivamente em ler o conteúdo das cápsulas com fidelidade e comunicá-lo.

Cinqüenta – Ele poderia estar juramentado para mentir.

O Cortejo.

Homem – A senhora me parece conhecida.

Mulher – Já o vi com bastante freqüência.

Homem – Se ao menos soubesse de onde a conheço.

Mulher – Reflita bem! Talvez descubra.

Homem – Estou quebrando a cabeça com isso.

Mulher – Mas não se lembra.

Homem – Sinto muito. Não sou de natureza descortês.

Mulher – Oh, não! Pelo contrário. Devo talvez ajudá-lo?

Homem – Seria muito generoso de sua parte.

Mulher – O senhor é o dr. Quarenta e Seis.

Homem – Correto. Sou eu. A senhora sabe o meu nome!

Mulher – Não só o conheço como valorizo.

Homem – A senhora – agora sei! A senhora é a dama da primeira fila!

Mulher – Talvez. Continue a adivinhar!

Homem – Não, não, é a senhora! Senta-se sempre na primeira fila. Eu me lembro de seus olhos. A senhora me contempla tão estranhamente. Não sei o que é, mas não se esquece do seu olhar.

Mulher – Pensei que não me tivesse notado. O senhor parece sempre tão concentrado.

Homem – Isso é verdade. Mas seu olhar me chamou há muito tempo a atenção. Há nele algo diferente.

Mulher – O que?

Homem – De resto não a conheço em absoluto. Posso perguntar seu nome?

Mulher – Meu nome é Quarenta e três.

Homem – Quarenta e três? Então estamos bastante próximos.

Mulher – Já o sei há muito tempo, dr. Quarenta e Seis.

Homem – Diga-me, isso significa também tanto assim para a senhora?

Mulher – Mais do que possa expressar em palavras. Por isso me sentava sempre na primeira fila.

Homem – Então a senhora me procurava só pelo nome?
Mulher – Sim. Mas eu voltei.
Homem – Também por causa do nome.
Mulher – Sim.
Homem – A senhora não se desiludiu.
Mulher – Oh, não. Precisava revê-lo.
Homem – Acaso a senhora ouvia o que eu dizia?
Mulher – Sim. Também o ouvia. Mas preciso confessar que pensava mais no senhor.
Homem – Em mim? O que há tanto para pensar?
Mulher – Seu destino. Era como uma idéia fixa. Quanto tempo ainda vai poder falar assim? Quanto tempo? Quanto tempo? Quanto tempo? Não podia pensar em mais nada. Agora já sei. Agora o senhor vai me desprezar.
Homem – A senhora tem sempre tais pensamentos?
Mulher – Oh, não! Só os tinha quando estava sentada diante do senhor.
Homem – Mas isso me deixa muito admirado. Meu nome, na verdade, não é nada especial. Pelo contrário, sempre sofri com esse nome meio comum.
Mulher – Ah, sei. Eu o entendo muito bem.
Homem – E aí a senhora nunca se interessou por jovens e nobres senhores?
Mulher – Por jovens Oitenta e Oito, é o que quer dizer?
Homem – Sim, por bem elevados. Todas as mulheres são loucas por eles.
Mulher – Não, por esses tenho sempre o maior desprezo. Os Oitenta e Oito são convencidos e tolos. Conheço um que nem sequer me cumprimenta. No correr dos anos ele me foi apresentado repetidamente, mas ainda não me cumprimentou nem uma vez. Não gosto desse convencimento.
Homem – É que há tão poucos... Quando jovem, porém, a senhora era diferente. Isso não lhe causava impressão?
Mulher – Nunca! Eu lhe juro. Nunca! Nunca entendi as outras moças. O que já realizou um homem assim? Seus oitenta e oito anos ele os recebe pendurados ao nascer, e isso é tudo. Ele não precisa fazer mais nada além de passear com seu nome e se divertir. Tudo o mais chega a ele por si mesmo.
Homem – É verdade.
Mulher – Não gosto de homens frívolos. Gosto de pessoas que têm a vida *difícil* com o seu nome. Um homem como o senhor

tem que pensar. O senhor *precisa* refletir, senão não realiza nada.

Homem – Mas um Oitenta e Oito tem muito mais tempo! Imagine só o que um homem desses poderia fazer, se quisesse.

Mulher – Não acredito nisso. Todos eles são sem coração. *Têm de ser* sem coração.

Homem – E por que isso?

Mulher – Começa que um tipo desses sabe com certeza que vai sobreviver a todos os que estão próximos dele. Não só aos pais e pessoas de uma geração anterior, isso seria natural, mas também, a seus irmãos, amigos, colegas, esposas e, na maioria das vezes também, a seus filhos. Sua vida começa dizendo isso a ele. Como pode então amar alguém? Como pode entregar seu coração a alguém? Ele não conhece piedade, não pode ajudar ninguém. Seus anos pertencem só a ele. Não pode dar nenhum de presente. Mas também não quer saber disso. Pois ele se torna naturalmente tão duro, como se fosse o único homem sobre a terra. E no entanto ainda é admirado! Eu desprezo os Oitenta e Oito! Odeio os Oitenta e Oito!

Homem – A senhora é uma mulher incomum.

Mulher – Talvez seja. O homem que amo, não quero sobreviver a ele. Mas também não quero que ele sobreviva a mim. Isso não são meros ciúmes, como o senhor talvez possa pensar.

Homem – Não, é um sentimento saudável.

Mulher – Deve-se começar juntos e terminar juntos. Eu jurei a mim mesma: não me casarei com nenhum homem que vá morrer diante dos meus olhos. Mas também não me casarei com nenhum homem que vá ficar me olhando enquanto morro. Sabe, isso me *enoja* muitíssimo.

Homem – A senhora quer um chão duplo sob os pés. Não lhe basta que saiba a verdade sobre si mesma.

Mulher – Não. Quero conhecer meu marido tão bem quanto a mim mesma.

Homem – O que a senhora procura, se posso dizer é assim, a *hora em comum*.

Mulher – A hora em comum.

Homem – E por isso se senta na primeira fila?

Mulher – Sim.

Homem – Para ver se ele é assim mesmo?

Mulher – Sim.

Homem – Sempre se sentará na primeira fila?

MULHER – Sim.
HOMEM – Mesmo quando tiver certeza?
MULHER – Sim.
HOMEM – Mesmo quando for sua mulher?
MULHER – Sim!
HOMEM – Com os mesmos olhos?
MULHER – Sim! Sim!

Cinqüenta e o Capsulão

CAPSULÃO – Eu as vejo todas. Disso estou encarregado. Não deve haver nenhum erro. A existência e a segurança de nossa sociedade se baseiam no fato de que cada um cumpra a sua hora. Chamo a isso contrato. Por ocasião do nascimento pendura-se em cada um seu contrato. Crescemos com nossos semelhantes, vivemos com eles. É agradável desfrutar das vantagens dessa vida em comum. Nem todos merecem essas vantagens. Mas são prometidos tantos anos, e eles são cumpridos.

CINQÜENTA – Não há acidentes com vocês? E se alguém *antes* da hora sofrer um acidente de trem?

CAPSULÃO – Então nada lhe acontece.

CINQÜENTA – Mas como isso é possível?

CAPSULÃO – Pois é essa minha função. O senhor interrompeu minhas palavras. Como quer chegar ao fundo da verdade, se não sabe ouvir?

CINQÜENTA – Sou algo impaciente. Trata-se de uma pergunta excitante. Desculpe minha impaciência levando em conta que essa questão me excita ao máximo.

CAPSULÃO – Essa pergunta não é mais importante nem mais excitante do que muitas outras. É um problema que foi solucionado para a satisfação de todos. Enquanto eu estiver aqui, não permitirei nenhuma desordem.

CINQÜENTA – E quando não estiver?

CAPSULÃO – Então um outro ocupará meu lugar, juramentado pela Sagrada Lei.

CINQÜENTA – Há pouco eu o interrompi. O senhor falava que cada um mantém seu contrato.

CAPSULÃO – Sim. Todos fazem isso. E todos sabem por quê. As pessoas reconheceram que *cinqüenta* anos seguros têm mais valor do que um número indefinido de inseguros.

CINQÜENTA – Como o senhor sabe meu nome? O senhor disse meu nome.

Capsulão – Tenho instinto para nomes. Aprende-se alguma coisa em nossa função.

Cinqüenta – O senhor vê em todas as pessoas como elas se chamam?

Capsulão – Sim, na maioria das vezes. Quando não estou bem certo, não externo nenhuma hipótese.

Cinqüenta – Para que então precisa das cápsulas? Quando o senhor é chamado para atender a um morto, basta-lhe um olhar para saber sua idade.

Capsulão – Isso é correto. Mas o ritual, para o qual estou juramentado, exige outra coisa.

Cinqüenta – Já aconteceu de alguém ter perdido a cápsula?

Capsulão – O senhor pergunta demais. Insiste em uma resposta?

Cinqüenta – Sim. Quero saber.

Capsulão – Já aconteceu.

Cinqüenta – Isso é terrível.

Capsulão – O senhor se admira de que também entre nós haja criminosos?

Cinqüenta – Criminosos?

Capsulão – Criminosos! O pior crime que um homem pode cometer é tirar do mundo as marcas de seu contrato. Ele vive só pelo seu contrato, sem o qual não seria nada. Quem faz desaparecer a cápsula quer roubar mais anos do que os que lhe foram concedidos. Como se isso lhe adiantasse!

Cinqüenta – Mas ele pode tê-la perdido! Ao nadar ou num incêndio.

Capsulão – Isso é improvável. Pois todos sabem que não podem ficar sem a cápsula, e se ela se perder ou se estragar, eles têm a obrigação mortal de se apresentar. Quem não fizer isso, ficará à margem da sociedade. Só *quer* viver sem a cápsula e é um *assassino*.

Cinqüenta – Então isso é ser assassino. Sempre imaginei que assassino fosse outra coisa.

Capsulão – Isso que o senhor imaginou já acabou há muito tempo. Hoje ninguém pode matar um semelhante, a não ser que o ataque na *hora*. Mas mesmo que o esfaqueie, não é na verdade culpado de sua morte, pois nessa hora ele teria morrido de qualquer jeito.

Cinqüenta – Que estranho. Mas por que os sem cápsula são chamados de assassinos?

Capsulão – Isso só pode ser explicado a partir da evolução histórica. Acontece que, no começo dessa memorável instituição, sujeitos violentos, saídos da ralé, atacavam outros para roubar suas cápsulas! Naquela época muitos ainda morreram de susto. Atos violentos contra cápsulas foram marcados com o estigma do assassinato. A mesma expressão foi então, no correr dos anos, transposta àqueles que agiam contra suas próprias cápsulas.

Cinqüenta – Parece realmente nada haver de mais sagrado.

Capsulão – Não há nada mais sagrado. Será que o senhor ainda não entendeu?

Cinqüenta – Começo a entender. Mas o que acontece de fato, se o senhor se deparar com um recém-morto, a quem *falta* a cápsula?

Capsulão – Tente o senhor mesmo achar a resposta.

Cinqüenta – O senhor *adivinha* a idade do morto. O senhor se arruma sem a cápsula. Oculta que não encontrou nada, e registra o que seu olho treinado lhe mostra.

Capsulão – E o senhor acha que essa seria uma ação incorreta?

Cinqüenta – Como posso julgar isso? Mas parece que adivinhei certo.

Capsulão se cala.

Cinqüenta – E se o senhor casualmente, justo num caso assim, tivesse errado? O senhor é chamado a alguém que acaba de falecer. O senhor procura a cápsula. Com certeza o senhor tem uma mão treinada – é como se tivesse de achar um tesouro com o morto; nos tempos antigos ter-se-ia chamado isso de profanação de cadáveres, mas nós vivemos em uma cultura mais elevada –, assim o senhor dá busca com destreza nos restos de alguém, talvez em meio minuto fica sabendo que não há cápsula alguma. O senhor fica consternado, pois isso não lhe acontece com muita freqüência.

Capsulão – Muito raramente, graças a Deus.

Cinqüenta – Mas sua consternação poderia enuviar o seu veredicto. Poderia acontecer de o senhor se assustar. O senhor vai até um homem muito respeitado, alguém que recebeu as maiores honras de seus semelhantes, e de repente descobre, na presença de todos os parentes, amigos e admiradores, que o grande homem, honrado e famoso, era um assassino. Isso pode assustar a qualquer um. Isso pode assustar até um funcionário de sua categoria e experiência.

Capsulão – Por que deveria negá-lo? Sempre me assustou.

Cinqüenta – Deve assustá-lo muito. Deixá-lo em pânico. Pois nesse momento tudo depende de seu veredicto. Talvez seus olhos estejam perturbados. Talvez o senhor esteja doente.

Capsulão – E, se fosse assim, o que sucederia então?

Cinqüenta – Que o senhor talvez se equivocasse dando uma idade errada. Que, pelo menos nesse caso, não saberia com certeza se o homem morreu na hora certa. Seu contrato poderia, dessa vez, não concordar consigo mesmo.

Capsulão – O contrato concorda sempre. *Eu* posso me enganar. Tenho uma função elevada e nobre. Mas não sou um deus. Posso errar. O contrato nunca erra.

Cinqüenta – Mas não é isso que quero saber. O senhor é obrigado a acreditar na validade do contrato. Mas não pode dizer que sua exatidão tenha sido demonstrada em cada caso.

Capsulão – Isso eu não posso. Mas é supérfluo.

Cinqüenta – Nada é supérfluo. Pois se fosse possível provar que ocorreram erros no contrato, talvez acontecesse de alguém poder viver mais tempo do que diz seu nome.

Capsulão – Eu me recuso a continuar ouvindo-o. O senhor está no melhor caminho de se tornar um assassino. Sua cápsula está dando coceira em seu peito desnudo. Logo estará pegando fogo. O senhor não é o primeiro a falar assim comigo. Não é o primeiro a terminar seus dias como um reles assassino. Eu o previno! É uma pena. Uma calamidade.

Cinqüenta – Minha cápsula não está queimando em meu peito. O senhor vai encontrá-la lá. Sei que em sua vida particular o senhor se chama Cento e Vinte e Dois. Fique calmo. Vai encontrar minha cápsula em seu lugar. O que me queima é o meu nome. Queima-me todo nome. Queima-me a morte.

Avó e Neta.

Neta – E para onde foram as pessoas, vovó?

Avó – Elas subiram em um navio, mas o navio estava muito cheio. O capitão disse: "Tenho passageiros demais". Mas as pessoas estavam tão desesperadas, queriam todas abandonar a região perigosa, e o capitão ficou com pena. Ele tinha bom coração e pensou em seus filhos em casa. Assim permitiu que todos subissem, e quando as pessoas nas outras aldeias viram que o capitão era tão bom, vieram todas correndo, imploraram e choraram, e o capitão cedeu e acolheu todas. Mais eram realmente demasiadas, e quando o navio estava em alto-mar, começaram a ficar com medo. Uma tormenta se anunciava, as nuvens eram negras e todas aquelas pessoas eram lançadas de um lado para o outro. O capitão viu que todos estariam perdidos, se o barco não fosse aliviado. Ele gritou com voz poderosa: "Estamos perdidos! Duas dúzias de passageiros precisam se lançar ao mar! De livre e espontânea vontade! Quem se sacrifica pelos outros?" Mas isso não era absolutamente fácil, pois as ondas eram altas, e ninguém queria lançar-se ao mar.

NETA – A água era muito molhada para eles, não é, avozinha?

AVÓ – Era também perigosa. Era a morte certa.

NETA – Era a morte certa. Vovó, o que quer dizer isso?

AVÓ – Isso foi nos velhos, velhos tempos. Naquele tempo, quando algo perigoso acontecia, as pessoas morriam imediatamente.

NETA – Imediatamente?

AVÓ – Sim, imediatamente.

NETA – Mas então essa era a *hora*, vovó?

AVÓ – Não, precisamente não. Naquela época isso podia acontecer sempre. As pessoas não sabiam quando. Uma menininha ia passear na rua, batia a cabeça e estava morta.

NETA – Ela se machucava. Eu também já me machuquei.

AVÓ – Mas você sempre fica boa novamente. Naquela época não precisava sarar, poderia se machucar tanto que morria.

NETA – Não posso me machucar tanto, não é, avozinha?

AVÓ – Não, você não pode.

NETA – E se eu for atropelada?

AVÓ – Então pode perder uma perna.

NETA – Então ficarei só com uma perna?

AVÓ – Então você só terá uma perna e receberá uma segunda de madeira, para que ninguém o note mais tarde.

NETA – E então continuarei vivendo eternamente feliz.

AVÓ – Não eternamente. Até chegar sua *hora*.

NETA – Vovó, qual é a minha *hora*?

AVÓ – Você já sabe, eu já lhe disse freqüentemente.

NETA – Eu esqueci.

AVÓ – Você não esqueceu coisa alguma.

NETA – Como não? Esqueci, sim.

AVÓ – Você só está dizendo isso porque quer ouvir novamente de minha boca, pequena embusteira.

NETA – Por favor, sou uma embusteira, mas se confessar que sou uma embusteira, você me diz qual é a minha hora?

Avó – É melhor você dizer.
Neta – Não sei contar.
Avó – Mas você precisa aprender.
Neta – Você me ajuda?
Avó – Eu a ajudarei com prazer, mas você mesma deve fazer algo para isso.
Neta – Bem. Nós faremos as contas juntas.
Avó – E você não quer saber mais nada do que aconteceu com as pessoas no navio?
Neta – Ah, sabe, são pessoas bobas.
Avó – Bobas? Por que bobas?
Neta – Elas não entendem nada. Nem sequer se atrevem a lançar-se na água. Têm medo da água. Eu poderia saltar na água imediatamente.
Avó – A você não aconteceria nada.
Neta – Eram bobas, as pessoas daquele tempo. É mesmo um conto de fadas.
Avó – Mas você gosta de contos de fadas.
Neta – Mas gosto deles quando falam de pessoas espertas. O capitão teria podido pular na água?
Avó – Ele teria podido.
Neta – Teria acontecido alguma coisa com ele?
Avó – Sim, naturalmente teria acontecido algo. Ele teria morrido. Todos teriam morrido. Naquela época era assim. Se ninguém viesse salvá-los, todos morreriam.
Neta – Você está vendo, até mesmo o capitão! Era uma época tola.
Avó – Você prefere viver agora, não é?
Neta – Prefiro muito, muitíssimo viver agora, vovó. Agora não há gigantes, nem antropófagos, e as pessoas nem sempre morrem. Não é, vovó, você sabe quando vai chegar a sua *hora*?
Avó – Sim, é claro que sei, todo mundo sabe, minha neta.
Neta – Você me diz? Diga-me! Diga-me! Por favor, diga para mim! Eu quero saber, diga para mim! Vou ser sempre boazinha e fazer as tarefas. Vou ser sempre obediente. Nunca mais comerei guloseimas, se você não quiser. Nunca mais direi uma mentira! Por favor, diga-me, por favor, por favor!
Avó – As coisas que lhe ocorrem, diabinho! Isso ninguém diz. O que você acha, se todas as pessoas soubessem? Elas iriam apontar os outros com o dedo.
Neta – Mas por que então, avó? Eu também sei quando é a minha.
Avó – Mas isso cada um guarda para si. Ninguém fala a respeito. É um segredo. Uma criança talvez fale. Mas é uma mera criança. Uma pessoa adulta nunca fala disso. Isso não é apropriado. Seria uma vergonha!

Neta – Vovó, se eu não disser a ninguém, serei então adulta?
Avó – Sim. Se você não falar disso a mais ninguém, se mantiver isso só para você, sempre, então você será adulta.
Neta – E se eu falar a respeito com você?
Avó – Se você não puder em absoluto guardar isso para si mesma, é melhor que fale comigo. Mas um dia será tão adulta, que nunca vai precisar falar disso com ninguém. Então será realmente adulta.
Neta – Para ninguém, em absoluto. Para ninguém no mundo inteiro?
Avó – Para ninguém no mundo inteiro.
Neta – Tampouco para a minha boneca?
Avó – Para a boneca também não.
Neta – Vovó, vou começar hoje. Sei exatamente quando é a minha hora. Você acha que sei?
Avó – É claro que acho.
Neta – Não vou mais fazer contas, nem com você. Sou bem adulta, não é? Agora sou adulta?
Avó – Sim, agora você é.

Cinqüenta atravessa a rua, aí voa-lhe uma pedra na cabeça, então segue-se mais uma, uma terceira, uma quarta.

Cinqüenta – Quem está jogando pedras? Quem está jogando pedras aqui? Ei! O que significa isso? Querem fazer o favor de parar? Esperem, até que os pegue! Vou pegá-los! Já vou encontrá-los. Parem, estou dizendo, parem! Que ousadia! (*Ele nota um menino atrás de uma coluna.*) Foi você? Onde estão os outros? O que lhe passa pela cabeça?
Menino – Eu não fiz nada.
Cinqüenta – O que você tem aí na mão?
Menino (*deixa cair depressa algumas pedras*) – Nada.
Cinqüenta – Aí! Você acabou de deixar cair algumas pedras.
Menino – Não joguei nenhuma.
Cinqüenta – Quem, então? Onde estão os outros?
Menino – Ninguém está aqui.
Cinqüenta – Você não tem amigos?
Menino – Não. Estou totalmente só.
Cinqüenta – Então foi você que atirou as pedras.
Menino – Não fui eu.
Cinqüenta – E também ainda mente. Se você é capaz de atirar pedras, pode também ter a coragem de confessá-lo. Senão você é um covarde.

Menino – Não sou nenhum covarde.
Cinqüenta – Então confesse que atirou as pedras.
Menino – Eu as atirei.
Cinqüenta – Assim está melhor. E por que as atirou?
Menino – Porque eu posso.
Cinqüenta – O que significa isso? Por que você pode atirar pedras?
Menino – *Eu* posso. Eu posso tudo.
Cinqüenta – E quem lhe deu permissão para isso?
Menino – Minha mãe.
Cinqüenta – E eu devo acreditar nisso? Você está mentindo de novo.
Menino – Não estou mentindo. Não sou nenhum covarde.
Cinqüenta – Então me deixe perguntar a seus pais. Leve-me até seus pais!
Menino (*aproxima-se, pega-lhe a mão e lhe diz confiante*) – Eu o levo lá, o senhor quer vir? Não é longe.
Cinqüenta – Você não tem medo de seus pais?
Menino – Oh, não! Não tenho nenhum medo. Não tenho medo de ninguém.
Cinqüenta – Mas você vai ser punido. Vou dizer a eles o que você fez.
Menino – Venha comigo! Pode dizer-lhes. Minha mãe não me faz nada. Nem meu pai.
Cinqüenta – Você é um menino estranho.
Menino – Por que sou estranho?
Cinqüenta – O que diz o seu professor, quando você atira pedras?
Menino – Não tenho nenhum professor.
Cinqüenta – Mas você deve ir à escola. Lá você tem um professor.
Menino – Não vou a nenhuma escola, não tenho nenhum professor.
Cinqüenta – Bem. E eu devo acreditar em você. Um menino de sua idade vai sempre à escola.
Menino – Mas eu não vou.
Cinqüenta – Por que não? Você está doente?
Menino – Oh, não, não estou doente.
Cinqüenta – Isso eu dificilmente teria pensado, depois de atirar pedras, você me parece bem saudável.
Menino – Nunca fico doente.
Cinqüenta – Então por que não vai à escola?
Menino – Porque não quero.
Cinqüenta – E seus pais não querem que você vá à escola?
Menino – Oh, não!
Cinqüenta – Você sabe ler e escrever?
Menino – Não. Não gosto disso.

CINQÜENTA – Seus pais não querem que você aprenda a ler e escrever?
MENINO – Não gosto. Não tenho vontade.
CINQÜENTA – E o que você vai fazer quando crescer?

O menino se cala.

CINQÜENTA – Você já pensou nisso? Todos os outros meninos vão ler livros, e caçoarão de você.

O menino continua calado.

CINQÜENTA – Você não se importa se for caçoado por todos?
MENINO – Eles não caçoam de mim.
CINQÜENTA – Mas quando você crescer! Então todos vão pensar que você é bobo.
MENINO – Mas eu não sou bobo.
CINQÜENTA – Isso é o que tem de provar. Para isso um menino vai à escola.
MENINO – Eu não preciso.
CINQÜENTA – Sim, e o que é que você precisa fazer?
MENINO – Não preciso fazer nada.
CINQÜENTA – Mas em compensação pode atirar pedras. Você fica na rua, atirando pedras o dia inteiro.
MENINO – Eu posso tudo.
CINQÜENTA – Você é o menino mais estranho com que topei em toda a minha vida. Como se chama?
MENINO – Eu me chamo *Dez*.

Dois Colegas.

PRIMEIRO – Não consigo terminar.
SEGUNDO – Você não se esforça o suficiente.
PRIMEIRO – Mas eu me mato de trabalhar. Tento tudo. Fico trabalhando o dia todo e metade da noite. Quase não como, quase não durmo, você tem de reconhecer que estou esgotado.
SEGUNDO – Sim. Quando olho atentamente para você, tenho de lhe dar razão. Sua aparência não está nem um pouco boa. Você trabalha demais.
PRIMEIRO – E no entanto lhe digo que não consigo terminar.
SEGUNDO – Mas como isso é possível? Talvez você seja muito exigente.
PRIMEIRO – Não vou conseguir. Não vou terminar.

Segundo – Mas isso depende apenas de você.
Primeiro – É fácil dizer isso.
Segundo – Algo o atrapalha? Não tem sossego para trabalhar?
Primeiro – Tenho absoluto sossego. Melhores condições de trabalho não poderia desejar, em absoluto.
Segundo – Não entendo. Do que se queixa, então?
Primeiro – Tenho muito pouco tempo.
Segundo – Mas por quê?
Primeiro – Algum dia você pensou em quantos anos eu poderia ter?
Segundo – Não, nunca faço isso. Odeio indiscrições. Nunca quebro a cabeça para saber quantos anos têm os meus amigos. Isso é um segredo, e deve permanecer um segredo. Tenho muitíssimo respeito pela *personalidade* das pessoas, para me imiscuir em tais coisas. Uma pessoa é para mim algo *intocável*.
Primeiro – Mas você sabe como me chamo.
Segundo – É claro, todo mundo sabe. Não posso fechar meus ouvidos diante do que é publicamente conhecido. Eu sei quantos anos você vai ter, mas não sei a sua idade. Isso é um segredo. Acho muito bom que cada um mantenha esse segredo para si. Isso lhe dá a liberdade de planejar a vida exatamente como achar direito.
Primeiro – Você acha?
Segundo – Sim. Ninguém pode prescrever o que você deve fazer com você. Pois ninguém sabe quantos anos você ainda tem para viver. Você no entanto sabe e pode viver segundo suas condições. Vem-se ao mundo com um capital de vida determinado. Ele não diminui, nem aumenta. Não se pode roubar nada de você, está escrito em seu nome de forma inalienável. Você não o pode jogar fora, pois o recebe pago em prestações anuais. Só você sabe o quanto tem; assim ninguém pode dar palpite. Tudo depende de se ajustar ao que tem. Se souber como reparti-lo, terá algo de sua vida. Você precisa simplesmente saber o que comprar com seu tempo. É culpa sua, se o repartir mal.
Primeiro – Mas pode-se propor algo grande e não conseguir terminá-lo.
Segundo – Então está exigindo demais de si mesmo. É sua própria culpa. Por que não sabe calcular o que começa?
Primeiro – Nem tudo se pode calcular. Um trabalho pode crescer durante sua realização.
Segundo – Então é preciso revisar seus planos e limitá-los.
Primeiro – Isso não consigo. Estou demasiado apegado a eles. Preciso continuar da forma como os comecei.

Segundo – Então ninguém pode ajudá-lo.
Primeiro – Tortura-me mais do que posso dizer. Vejo claramente o fim diante de mim. Estou certo de que não conseguirei terminar.
Segundo – Isso é muito lamentável.
Primeiro – É que você não sabe quantos anos eu já tenho. Sempre aparentei ser mais jovem do que sou. É terrível como isso engana!
Segundo – Sim. Realmente.
Primeiro – Quero dizer a você. Quero dizer-lhe a minha idade. Você vai ficar espantado.
Segundo – Mas eu não quero saber.
Primeiro – Mas se lhe digo de livre e espontânea vontade?
Segundo – Não quero saber. Já lhe disse que odeio indiscrições. Já é suficientemente triste que um homem chegue ao extremo de querer revelar seu maior segredo! Mas não gosto de ser cúmplice. Não colaboro com tais coisas.
Primeiro – Iria aliviar-me muito. Talvez você se assuste um pouco. Mas iria entender por que estou tão inquieto. É que não *posso* mais terminar meu trabalho sob essas condições. Quero contar a você.
Segundo – Eu o proíbo de me fazer tal comunicação! Sua idade não me interessa. Também não iria me assustar. Eu me recuso a me assustar com tais coisas. É criminoso importunar outras pessoas e até mesmo amigos com tais coisas particulares. Guarde sua idade para você.
Primeiro – Se pelo menos fossem anos!
Segundo – Você está cada vez mais sem vergonha! Nego-me a entender suas insinuações. Há pessoas que *mentem* e tentam impressionar seus amigos com confissões fantásticas sobre a sua idade. Uma espécie de vigarice que não lhe deve ser desconhecida.
Primeiro – Você é muito injusto comigo. Queria simplesmente contar a alguém. Ninguém quer saber. Todos saem correndo, quando começo a falar. É assim tão terrível saber a idade de um homem?
Segundo – Não. Em si pode não ser tão terrível. Mas o motivo, o motivo que o leva a dizê-la é terrível. Você quer se queixar de que vai morrer logo. Você quer provocar tristeza nos demais. Gostaria que os outros ficassem tão insatisfeitos como você.
Primeiro – Mas como assim? Eu só penso em meu trabalho!
Segundo – Nem você acredita nisso. Conheço essas artimanhas. Você anda por aí procurando uma vítima. Você é fraco demais

para suportar serenamente o que todos suportam. Você é covarde e desprezível. Você teme a sua hora. Você é um monstro.

Primeiro – Covarde e desprezível. Um monstro. Temo a minha hora.

O Casal.

Ela – Tão rápido!
Ele – Mas nos veremos novamente.
Ela – Nós nos veremos novamente?
Ele – Sim. Nós nos amamos.
Ela – Mas nos veremos novamente?
Ele – Você não foi feliz?
Ela – Feliz – oh – feliz!
Ele – Então você vai voltar.
Ela – Eu não sei.
Ele – Você me magoa. Como pode me magoar tanto assim?
Ela – Não quero magoá-lo em absoluto. Eu o amo muito.
Ele – Então me diga quando vai voltar.
Ela – Não sei.
Ele – Você precisa saber.
Ela – Não me torture. Não posso.
Ele – Por que você não pode me dizer? O que a impede?
Ela – Não me faça tantas perguntas.
Ele – Mas não posso viver se não sei quando você vai voltar. Preciso saber! Quero saber! Não a deixarei partir se não me disser. Eu a trancarei aqui. Não a deixarei sair. Eu a manterei presa.
Ela – Isso vai adiantar pouco.
Ele – Você não se deixará prender por mim?
Ela – Não.
Ele – Há pouco tudo era ainda tão bonito. Você veio me ver. Nunca amei ninguém como a você.
Ela – Isso é o que se diz. Isso é o que se pensa.
Ele – Eu não digo. Eu não penso. Eu sei. Não posso viver sem você.
Ela – Você precisa tentar.
Ele – Sei que não consigo.
Ela – Pode-se mais do que se pensa.
Ele – Talvez fosse mais fácil conseguir, se soubesse por que você não virá novamente.
Ela – Tem certeza de que então seria mais fácil para você?

Ele – Sim. Fácil nunca seria. Corta-me o coração. Mas talvez haja um motivo contra o qual não possa lutar. Talvez isso não esteja em seu poder.
Ela – E é assim. Não está em meu poder. Não posso revê-lo.
Ele – Mas talvez você só pense assim. Talvez eu possa fazer algo. Farei tudo para revê-la. Tudo. Apenas me diga! Diga-me!
Ela – Você não pode fazer nada.
Ele – Isso não existe. Uma pessoa só precisa querer, para poder fazer tudo. Tudo está em nosso poder, tudo!
Ela – Uma crença de criança.
Ele – Mas você veio hoje. Você o tornou possível. Por que não amanhã! Por que não amanhã!
Ela – Amanhã não dá.
Ele – Então depois de amanhã. Amanhã pensarei o dia todo em você, se puder vê-la depois de amanhã. Não dormirei. Não vou dormir duas noites. Eu a terei diante de mim, ininterruptamente, sem parar, sem tirar nem por um momento sua imagem de meus olhos, contanto que você venha!
Ela – Hora.
Ele (*se assusta*) – Hora. Por que você diz isso? O que quer dizer?
Ela – Não disse nada.
Ele – Sim! Sim! Você disse algo terrível.
Ela – O que foi que eu disse?
Ele – Hora.
Ela – Foi o que pensei. Eu disse isso?
Ele – Sim. O que você quis dizer?
Ela – Não queria assustá-lo.
Ele – Nada pode me assustar. Diga já! Oh, diga!
Ela – Amanhã é meu aniversário.
Ele – Seu aniversário.
Ela – Meu *último* aniversário... você entende?
Ele – Seu último aniversário. Por que você fez isso?
Ela – Por isso eu vim. Por isso eu vim vê-lo.

Cinqüenta e uma Jovem Senhora no enterro de seu filho.

Cinqüenta – Jovem senhora! Jovem senhora! Preciso lhe falar! Não se assuste, jovem senhora! Não sei quem é a senhora. Nem sequer sei o seu nome. Mas sei que este é o enterro de seu filho. Responda-me, jovem senhora, eu lhe suplico! Responda-me! A senhora perdeu seu filho?

Jovem Senhora – Sim.
Cinqüenta – Ele era muito novo?
Jovem Senhora – Sim.
Cinqüenta – Quantos anos tinha?
Jovem Senhora – Sete.
Cinqüenta – A senhora está muito desesperada.
Jovem Senhora – Não.
Cinqüenta – A senhora o amava muito?
Jovem Senhora – Sim.
Cinqüenta – E não está desesperada?
Jovem Senhora – Não. Em absoluto.
Cinqüenta – Por que não?
Jovem Senhora – Sabia quando ele ia morrer. Sempre soube.
Cinqüenta – Então a senhora esteve sempre desesperada enquanto ele viveu.
Jovem Senhora – Não.
Cinqüenta – Não lhe dava pena ele ter de morrer tão jovem?
Jovem Senhora – Eu sabia disso desde seu nascimento.
Cinqüenta – Gostaria de ter feito algo para evitá-lo?
Jovem Senhora – Isso não é possível.
Cinqüenta – A senhora tentou?
Jovem Senhora – Não. Ninguém faz isso.
Cinqüenta – Mas e se a senhora fosse a primeira a tentá-lo?
Jovem Senhora – Eu, ser a única? Não!
Cinqüenta – Nunca faria algo se fosse a única a fazê-lo?
Jovem Senhora – Eu teria me envergonhado.
Cinqüenta – Envergonhado. Por quê?
Jovem Senhora – Teriam me apontado com o dedo. Todos teriam dito: ela não funciona bem.
Cinqüenta – Mas se o tivesse salvo? Se tivesse conseguido mantê-lo com vida por mais um ano?
Jovem Senhora (*cheia de espanto*) – Isso é roubo! Isso é crime!
Cinqüenta – Por que isso é crime?
Jovem Senhora – É uma blasfêmia.
Cinqüenta – Por que isso é uma blasfêmia?
Jovem Senhora – Seu tempo estava determinado de antemão. *Um ano!*
Cinqüenta – A senhora pode imaginar um ano como esse?
Jovem Senhora (*ainda cheia de espanto*) – Eu teria tido medo o tempo todo. Ficaria inquieta diante de meu filho. Teria pensado que havia roubado meu próprio filho. Nunca roubei.

Nunca roubaria. Sou uma mulher honesta. Teria que mantê-lo escondido. Teriam visto em meu rosto que mantinha algo roubado em casa.

CINQÜENTA – Mas era seu filho! Como poderia roubar seu próprio filho?

JOVEM SENHORA – Teria roubado o ano. Não lhe correspondia. Só tinha sete! Viver com um tal roubo na consciência!

CINQÜENTA – E se fosse apenas um mês?

JOVEM SENHORA – Não posso imaginar. Quanto mais penso nisso, mais terrível me parece!

CINQÜENTA – E um dia? Um único dia? Se a senhora pudesse tê-lo por mais um dia? Um dia. *Um dia* é tão curto!

JOVEM SENHORA – Tenho medo do senhor! O senhor é um sedutor! Quer me tentar. Mas não me deixarei vencer. *Um dia*! Um dia inteiro! Cada minuto teria pensado que iriam me buscar. Sempre alimentei bem meu filho. Cuidei de meu filho. Ele andava bem vestido. Parecia mais bonito que qualquer outra criança da vizinhança. Elogiavam-no. Ele era admirado. Tudo estava sempre em ordem com a criança. Todo mundo poderá lhe confirmar. Pergunte a todos os que estão aqui no enterro! Pergunte aos vizinhos! Reúna todo o bairro, se duvida. Fiz tudo o que uma mãe podia fazer. Não me descuidei nem um pouco. Muitas noites não pude dormir, quando ele chamava por mim. Nunca lhe disse uma má palavra. Eu o amava. Todos irão confirmar isso.

CINQÜENTA – Acredito. Acredito.

Os Jovens Senhores.

PRIMEIRO JOVEM – O que vamos fazer hoje?

SEGUNDO JOVEM – O que vamos fazer hoje? O mesmo, penso eu, o mesmo de sempre.

PRIMEIRO JOVEM – E o que seria?

SEGUNDO JOVEM – Adivinhe!

PRIMEIRO JOVEM – O que você quer dizer?

SEGUNDO JOVEM – Nada.

PRIMEIRO JOVEM – Sim. Nada. É sempre nada.

SEGUNDO JOVEM – Sempre foi nada.

PRIMEIRO JOVEM – E sempre será nada.

SEGUNDO JOVEM – Assim é a vida.

PRIMEIRO JOVEM – *Esta* monotonia! *Esta* monotonia!

SEGUNDO JOVEM – Mas sempre foi assim.

Primeiro Jovem – Antes não pode ter sido tão monótono.
Segundo Jovem – Por que não?
Primeiro Jovem – Porque ninguém teria agüentado.
Segundo Jovem – O que pode ter sido tão diferente? Eram sempre pessoas com as mesmas tolices, os mesmos apetites miseráveis, embora às vezes bem disfarçadas.
Primeiro Jovem – É claro que era totalmente diferente. Você pode imaginar o que significava *matar* alguém?
Segundo Jovem – Não. Isso eu não posso. Já deixamos muito atrás essas tolices bárbaras.
Primeiro Jovem – Tolices! Tolices! Daria o que fosse para poder matar alguém!
Segundo Jovem – O que o impede de fazê-lo?
Primeiro Jovem – O que me impede? Tudo! Eu sei demais. Sei que não depende de mim, se a pessoa que eu atacar vai morrer ou não. Se o fizer na hora incorreta, ela não morrerá. O que quer que eu faça, nada depende de mim. Até o indivíduo mais indigno está a salvo de mim.
Segundo Jovem – Isso é verdade. Mas é justamente disso que estamos tão orgulhosos.
Primeiro Jovem – Orgulhosos. Mas tenho saudades daquele tempo, quando se podia *pedir explicações* ao inimigo e *despachá-lo* formalmente. Você pode imaginar isso – um *duelo*!
Segundo Jovem – Sim, deve ter sido bonito.
Primeiro Jovem – Você nunca sabia o que ia acontecer. Nada era seguro. Talvez você acertasse, talvez o outro.
Segundo Jovem – Às vezes ninguém acerta.
Primeiro Jovem – Tanto melhor. Então se pode de novo desafiar outro.
Segundo Jovem – E em uma dessas se acerta.
Primeiro Jovem – E quando você acerta, você sabe que o matou, você mesmo, ninguém se intrometeu, foi um caso claro, você matou o homem.
Segundo Jovem – Mas e daí? Então você tinha de se esconder ou fugir. Então você seria um assassino.
Primeiro Jovem – Bem, por que não! Gostaria de ser um tal assassino. Aí pelo menos saberia por que me chamo assim.
Segundo Jovem – Não como hoje.
Primeiro Jovem – Hoje? O que é um assassino hoje? Um ladrão de cápsulas bem comum! Isso se chama assassino! Sua vítima continua a andar por aí animada, mas ele é um assassino. Sabe,

isso eu acho indignante. Já que não se pode matar ninguém, então pelo menos que deixem a palavra em paz.
SEGUNDO JOVEM – Também já pensei nisso. Mas as coisas são assim mesmo.
PRIMEIRO JOVEM – A fatalidade é que nada se pode fazer contra isso. Estamos de pés e mãos atados. Já que ninguém pode matar, também nunca mais pode mudar alguma coisa.
SEGUNDO JOVEM – Você tem razão. Isso nunca me ocorreu.
PRIMEIRO JOVEM – Portanto, vai ficar assim por toda a eternidade.
SEGUNDO JOVEM – Por toda a eternidade. E você nunca vai poder matar ninguém.
PRIMEIRO JOVEM – Nunca. É tolo demais!

Duas Damas.

PRIMEIRA DAMA – Quanto você calcula? Você calcula bem!
SEGUNDA DAMA – Eu diria... um escasso ano.
PRIMEIRA DAMA – Você acha que ela tem ainda um ano?
SEGUNDA DAMA – Um ano escasso. Talvez só meio ano.
PRIMEIRA DAMA – Ela insinua que tem mais. Às vezes me diz seis, às vezes sete.
SEGUNDA DAMA – Fantástico! Ela quer que a gente espalhe isso por aí.
PRIMEIRA DAMA – Ela me diz sempre no ouvido e me implora que não a traia.
SEGUNDA DAMA – Conta com sua indiscrição.
PRIMEIRA DAMA – Sabe que ela tem esperança de encontrar um homem?
SEGUNDA DAMA – O quê? Com um ano? Não me faça rir! Um homem nem sequer cuspiria nela. Com um ano! Nenhum homem a aceitaria em tais condições. Ela poderia ser uma beldade, com um ano ninguém a aceitaria. Se você fosse um homem, aceitaria uma mulher com um ano?
PRIMEIRA DAMA – Sabe, muito homem se alegraria com isso.
SEGUNDA DAMA – Eu conheço esses homens fugazes! Uma mulher que tenha auto-estima elevada não pode aceitar a menor relação com eles. Para mim, homens fugazes são criminosos.
PRIMEIRA DAMA – Sabe, há homens fugazes muito charmosos. Tenho um primo que acaba de se casar de novo com uma mulher de vida breve. Ele diz que isso é um preconceito tolo. Nunca aceitaria outra mulher. Quando ela morrer, vai se casar novamente com outra mulher de vida breve. Uma mulher de vida breve se esforça mais para deixar uma boa lembrança. Uma mulher de vida breve quer ter uma vida agradável, porque não

pode esperar. Uma mulher de vida breve, diz ele, intimamente vive sempre numa sensação de pânico. Ela sabe que não vai viver muito tempo e se conforma com o que tem. Uma mulher de vida breve não é tão exigente.

Segunda Dama – Mas tudo isso é absurdo. Uma mulher de vida breve quer gozar a vida, não pode ser de outro modo. Quer sair todo dia, se divertir. Quer novos amantes e novas roupas. Ela é esbanjadora, que lhe importa o que aconteça depois?

Primeira Dama – Também acreditava em tudo isso. Meu primo diz que estou errada. É a quarta vez que ele está agora casado com uma mulher de vida breve. Seu lema é: tire as mãos das mulheres de vida longa! Imagine só, diz ele, o casamento é ruim e se trata de uma mulher de vida longa! Quer o homem a suporte ou não, terá de agüentar suas exigências sabe Deus até que idade.

Segunda Dama – E se ele é feliz com uma mulher de vida breve e logo chega o fim, pode ir procurando para achar uma nova. Eu concordo, também há mulheres de vida breve corretas, aqui e ali, mas para quem teve a sorte de conseguir uma deve ser ainda pior. A próxima não vai ser assim, pode me acreditar.

Primeira Dama – Ele diz que quando se tem experiência nada pode acontecer. É muito cuidadoso em sua escolha. Já escolheu a próxima. Ela é, aliás, de vida ainda mais breve, diz ele. Pela seguinte ainda não se decidiu, mas também já tem alguém em vista.

Segunda Dama – Ele calcula tudo isso, enquanto as outras ainda vivem?

Primeira Dama – Sim, naturalmente. Essa é a grande vantagem. Ele escolhe com muito cuidado. Quanto tempo quero viver com a próxima?, pergunta-se ele, e quando tudo está claro em sua cabeça, pode olhar em torno e procurar.

Segunda Dama – Sim, mas por Deus, todas essas mulheres esperam por ele?

Primeira Dama – É claro. Pois se ele fica noivo delas! Ele é imensamente querido. Por ele todas esperariam uma dúzia de anos. Mas a espera nunca dura tanto. Ele tem uma vida magnífica. Está decidido a contrair duas dúzias de casamento.

Segunda Dama – Isso tudo me parece exagerado. Como é que ele sabe a idade de suas noivas?

Primeira Dama – Ele tem um olhar muito bom, sabe? Ele o tem naturalmente, porque é experiente. É uma espécie de esporte para ele, adivinhar a idade certa. É tão solicitado, que muitas mulheres lhe *dizem* sua idade espontaneamente.

Segunda Dama – Nenhum homem me levaria a dizê-lo. Essas mulheres não devem ter nenhum pingo de vergonha.

Primeira Dama – É que você nunca esteve louca o suficiente.
Segunda Dama – E ele não mente a nenhuma?
Primeira Dama – Isso já ocorreu. Algumas se dizem mais velhas, por ciúmes.
Segunda Dama – Por ciúmes?
Primeira Dama – Sim, uma lhe deu a entender que ainda tinha dois anos de vida, e com essa idéia ele a tomou por esposa. Você pode me acreditar, ela estava terrivelmente apaixonada por ele. É sempre assim com ele. Tinham combinado que durante o casamento ele procuraria sua sucessora. Ela quase não suportava a idéia, mas teve de concordar, senão ele não teria casado com ela. Como de costume, pôs-se a procurar sistematicamente e encontrou uma que lhe parecia adequada. Ela lhe deu o sim, considerou-se noiva e ficou esperando – mas não pacientemente. Chegou por fim o último aniversário de sua mulher. Ele, cheio de tato e amável – você deve saber, ele não é desumano –, imagina que ela vai morrer. Espera o dia inteiro, até tarde da noite – não acontece nada. Ele se deita e pensa, quando despertar na manhã seguinte tudo estará resolvido e sua mulher não vai mais se levantar. Mas na manhã seguinte abre os olhos e vê sua mulher, caminhando de lá para cá, sacudindo a cabeça com ar preocupado. "O que significa isso?", pergunta ele. "Eu me enganei", diz ela, "sou mais jovem do que pensava. É só no próximo ano." Ele não pôde fazer nada. Sabia que ela tinha mentido. Mas ela ficou ainda um ano todo com ele, para grande contrariedade de sua sucessora, que se sentia enganada. Foi uma história engraçada, naquela época todos comentaram. Certamente você também ouviu algum comentário.
Segunda Dama – Tudo isso é possível. Ele deve ter uma vida divertida. Mas não chamo isso de amor. Amor verdadeiro só existe com mulheres de vida longa, você pode dizer o que quiser. Um amor verdadeiro precisa de tempo. É preciso se conhecer bem, ter vivenciado muita coisa juntos, confiar cegamente um no outro. Um casamento de cinqüenta anos é o meu ideal.
Primeira Dama – Então você também é contra homens de vida breve.
Segunda Dama – É claro que sou. Sou contra tudo o que é breve. Sempre fui pelo duradouro.
Primeira Dama – Não entendo como você pode viver com tais exigências.
Segunda Dama – Sempre as tive. Para mim, só o melhor é suficientemente bom. Um homem que não se chame pelo menos Oitenta e Oito não significa nada para mim.

Primeira Dama – Olhe, creio que em geral você tem razão. Mas se aprende a fazer compromissos. Eu também já fui como você. E o que fiz afinal?
Segunda Dama – Você se casou com um senhor mediano.
Primeira Dama – Eu também sou mediana.
Segunda Dama – As coisas medianas são justamente o que mais odeio. Então me pareceria melhor que você tivesse se casado com um homem de vida muito breve, um Vinte ou Trinta, para mais tarde levar uma grande vida.
Primeira Dama – Sou uma pessoa de hábitos. Eu me acostumo com um homem e não quero nenhum outro. Não sou romântica.
Segunda Dama – Sim, isso eu noto. Você é meramente uma pessoa mediana.
Primeira Dama – Não creia que está tão por cima!
Segunda Dama – Estou bem satisfeita com meu nome. Em todo caso, sou uns quinze anos melhor que você, não é?
Primeira Dama – Você não precisa esfregar isso em meu nariz.
Segunda Dama – Não, não quero magoá-la, mas você precisa compreender que pensamos diferente sobre muitas coisas. Somos de berço naturezas diferentes. Eu sou elevada, você é mediana, não há nada a fazer.

Cinqüenta diante do povo reunido.
Junto dele, o Capsulão, com todos os seus ornamentos,
fala em voz alta para que todos o ouçam.

Cinqüenta – Não é minha hora!
Capsulão – Você está enganado! Sua hora chegou.
Cinqüenta – Ela não chegou. Sei quantos anos tenho.
Capsulão – Sua memória o engana.
Cinqüenta – Ponha minha memória à prova! Ponha-a à prova! Você verá que estou certo.
Capsulão – Não é assunto meu, pôr à prova sua memória. Talvez você ainda a tenha, mas a sua hora é chegada.
Cinqüenta – Como pode ter chegado minha hora, se minha memória está correta e sei minha idade?
Capsulão – Você foi informado errado. Uma criança às vezes é enganada. Há mães que não seguem a lei. Por sorte não há muitas mães desse tipo.
Cinqüenta – Mas como você sabe disso? Como descobriu que minha mãe me enganou?

Capsulão — Eu sei.

Cinqüenta — Ela disse isso a você? Você não a conhece. Ela ainda vive. Você só conhece mortos.

Capsulão — Ele blasfemou. É hora de parar de blasfemar.

Povo — Ele blasfema! Ele blasfema!

Capsulão — Você perturbou um enterro. A lei o condena a uma hora *pública*.

Cinqüenta — Mas *eu* exijo que vocês atrasem a execução por um dia! Vocês sabem que isso tem de acontecer. Vocês estão tão seguros. Peço um dia! Estou pronto a confessar se me derem um dia.

Capsulão — A lei não permite nenhum atraso. Mas é melhor para você que confesse.

Cinqüenta — Confesso que hoje tenho cinqüenta anos. É verdade que nunca me preocupei com isso. Não o admitia porque me era indiferente. Nunca acreditei em minha hora.

Capsulão — Blasfêmia! Ele se rebela contra a lei!

Povo — Não nos induza à tentação! Não nos induza à tentação!

Cinqüenta — Eu confessei. Concedam-me o dia que pedi! Estou disposto a me colocar à disposição do capsulão, como se estivesse morto. Podem me amarrar, podem me acorrentar. Podem tirar-me a refeição. Podem impedir que eu durma. Façam tudo o que quiserem comigo, mas deixem-me viver um dia mais! Será que não estão seguros? Talvez tremam por sua lei? Se essa lei é verdadeira, permitam que o comprovemos.

Capsulão — A lei não vai ser comprovada. A lei é sagrada.

Cinqüenta — É sua grande, sua última oportunidade. Aqui está alguém que nunca acreditou em sua *hora*. Quando é que vocês terão novamente uma criatura tão rara em seu meio? Não imagino nada. Não sou ninguém especial. É uma paixão, assim como vocês têm as suas paixões. É minha paixão, desconfiar da hora. Minha paixão é casualmente diferente da de vocês. Mas ela pode lhes ser útil. É uma oportunidade comprovar se alguém precisa morrer em sua *hora, mesmo que não acredite nela*. Vocês estão entendendo? Eu não acredito nisso.

Capsulão — Ele está cometendo sacrilégio! Ele não é louco. Comete sacrilégio, da mesma forma como cometeu sacrilégio no enterro. Está em pleno juízo. Ele já falou assim comigo antes. Eu o avisei. *Eu* sabia como ia terminar.

Cinqüenta — Capsulão, se estiver tão seguro, conceda-me um dia! Isso está em seu poder. Consiga que o povo me conceda um dia.

CAPSULÃO – Nenhum dia está em meu poder. Nada está em meu poder.
CINQÜENTA – É o que você diz. Mas você sabe melhor.
CAPSULÃO – Arrependa-se, antes de morrer! Você ainda tem tempo para se arrepender. Arrependa-se!
CINQÜENTA – Não tenho nada de que me arrepender. Mas imploro sua graça. Concedam-me um dia!
CAPSULÃO – Covarde! Há um único caminho para você chegar à graça – retrate-se e reconheça a *hora*!
CINQÜENTA – Ah, se eu pudesse! Se eu pudesse! Eu o faria por amor a vocês, pois vocês me dão pena.
CAPSULÃO – Você está no melhor caminho para isso. Esta foi a primeira frase que gostei de ouvir de você. Esta foi a primeira frase *humana*.
CINQÜENTA – Vou me esforçar para encontrar mais frases dessas para você. Você vai me conseguir a graça, se me arrepender totalmente?
CAPSULÃO – Vou tentar. Mas isso não está em meu poder.
CINQÜENTA – Você vai tentar. Diga-me, o que vai acontecer comigo, se eu me retratar?
CAPSULÃO – Se você se retratar, morrerá, sem que nada intervenha, em sua hora.
CINQÜENTA – E então me deixará morrer tranqüilo?
CAPSULÃO – Vou tentar. Mas você tem pouco tempo.
CINQÜENTA – Que preciso fazer?
CAPSULÃO – Precisa se retratar diante de todo o povo.
CINQÜENTA – Com que palavras?
CAPSULÃO – Precisa dizer em voz alta as palavras que agora pronuncio. Diga – Eu acredito na Lei Sagrada. Fale alto, comece!
CINQÜENTA – Eu acredito na Lei Sagrada.
CAPSULÃO – Eu acredito na hora.
CINQÜENTA – Eu acredito na hora.
CAPSULÃO – Eu morrerei, como foi previsto que suceda...
CINQÜENTA – Eu morrerei, como foi previsto que suceda...
CAPSULÃO – E como todo mundo morre.
CINQÜENTA – E como todo mundo morre.
CAPSULÃO – Cada um tem sua hora...
CINQÜENTA – Cada um tem sua hora...
CAPSULÃO – E todos a conhecem.
CINQÜENTA – E todos a conhecem.
CAPSULÃO – Nunca ninguém viveu mais tempo do que marca a sua hora.

Cinqüenta – Nunca ninguém viveu mais tempo do que marca a sua hora.
Capsulão – Agradeço a vocês por sua indulgência. Estava ofuscado.
Cinqüenta – Agradeço a vocês por sua indulgência. Estava ofuscado.
Capsulão – Agora você está livre.
Cinqüenta – Posso seguir meu caminho livremente?
Capsulão – Pode. Mas não é mais o mesmo.
Cinqüenta – Oh, que doce é esta hora que acabei de ganhar!
Capsulão – Não se esqueça de que em breve voltarei a vê-lo.
Cinqüenta – Logo voltarei a vê-lo?
Capsulão – Você não vai me ver. Mas eu o verei.
Cinqüenta – Quando procurar a minha cápsula.
Capsulão – Cale-se!

A cena seguinte com o Coro dos Desiguais e o Capsulão se passa sem um corte com a cena anterior.

Coro dos Desiguais – Estamos agradecidos.
Capsulão (*soa como se um sacerdote estivesse cantando*) – Por que estão agradecidos?
Coro dos Desiguais – Estamos agradecidos. Pois não temos nenhum medo.
Capsulão – Por que não têm nenhum medo?
Coro dos Desiguais – Não temos medo, pois sabemos o que nos aguarda.
Capsulão – É tão maravilhoso o que os aguarda?
Coro dos Desiguais – Não é maravilhoso. Mas não temos medo.
Capsulão – Por que vocês não têm medo, se não é maravilhoso o que os espera? Por que não têm medo?
Coro dos Desiguais – Nós sabemos quando. Sabemos quando.
Capsulão – Desde quando vocês sabem quando?
Coro dos Desiguais – Desde que podemos pensar.
Capsulão – É tão maravilhoso saber quando?
Coro dos Desiguais – É ótimo saber quando!
Capsulão – Vocês gostam de estar juntos?
Coro dos Desiguais – Não, não gostamos de estar juntos.
Capsulão – Por que estão juntos, se não gostam de estar juntos?
Coro dos Desiguais – Só estamos juntos aparentemente, nós vamos nos separar.
Capsulão – O que estão esperando?

Coro dos Desiguais – Estamos esperando a hora de nos separar.
Capsulão – Vocês conhecem a hora?
Coro dos Desiguais – Todos a conhecem. Todos conhecem a hora em que vão se separar de todos.
Capsulão – Vocês confiam em seu conhecimento?
Coro dos Desiguais – Confiamos.
Capsulão – Vocês são felizes? O que desejam mais?
Coro dos Desiguais – Não desejamos nada. Somos felizes.
Capsulão – Vocês são felizes porque conhecem a hora.
Coro dos Desiguais – Nós a conhecemos. Desde que conhecemos a hora, não tememos mais nada.
Capsulão – Satisfeitos! Satisfeitos!
Coro dos Desiguais – Satisfeitos! Satisfeitos! Satisfeitos!

Segunda Parte

Cinqüenta. O Amigo.

Amigo – Aí está você. Estou contente de que esteja aqui.
Cinqüenta – Você pode me explicar como é que ainda estou com vida?
Amigo – Isso tudo não foi advertência suficiente? Que explicações espera agora?
Cinqüenta – Você sabe, então, o que aconteceu?
Amigo – Sim. Todos sabem. Não se fala de outra coisa em toda a cidade.
Cinqüenta – Gostaria que você tivesse estado lá.
Amigo – Não teria podido ajudá-lo.
Cinqüenta – Não. Mas você me teria visto, de baixo.
Amigo – Acaso não pode ser sua própria testemunha?
Cinqüenta – Imaginei que estava frio e sereno. Pensei no que eu queria saber, na resposta à *minha* pergunta. Queria que me ouvissem. Meu único pensamento era: como posso prolongar a cena.
Amigo – E as pessoas, você não as viu? Não sentiu como todos tinham os olhos fixos em você? Como a uma palavra do capsulão teriam-no feito em pedaços?

Cinqüenta – Certamente. Senti-me ameaçado. Tinha talvez mais medo do que admitia. Mas também estava muito curioso. Se agora se lançam sobre mim, se realmente, como você diz, me fazem em pedaços a uma palavra do capsulão, será então essa a hora certa em que vou morrer? Ou será três horas antes desse momento? Ou duas? Ou uma? Pode-se morrer *antes* da hora?

Amigo – Mas você cedeu a tempo. Isso me alegra.

Cinqüenta – Por que se alegra?

Amigo – Porque gosto de você. Você fala comigo. Você está aqui.

Cinqüenta – Você gosta muito de mim?

Amigo – Pensei que soubesse.

Cinqüenta – Será que alguém sabe disso?

Amigo – Bem, então deixe-me dizê-lo.

Cinqüenta – Você gosta muito das pessoas.

Amigo – De algumas.

Cinqüenta – Muitas?

Amigo – Não, bem poucas. Talvez por isso goste tanto delas.

Cinqüenta – Quantas pessoas você ama de verdade?

Amigo – Eu me envergonho de dizer a verdade.

Cinqüenta – E então?

Amigo – Acaso não sabe?

Cinqüenta – Acho que mais do que todas as pessoas você ama a sua irmã, sua lembrança, quero dizer. Perdoe-me por mencioná-la.

Amigo – Ainda a amo. Nunca pude esquecê-la.

Cinqüenta – Antes você nunca falava nela.

Amigo – Não conseguia. Você é o único. Mas todos estes anos pensei nela. Nunca contei isso a ninguém.

Cinqüenta – Será que não existe ninguém mais para você? Você ainda vive em luto por ela.

Amigo – Sim. Enquanto não falei com ninguém a esse respeito, todos os outros me eram indiferentes.

Cinqüenta – Você nunca se conformou com isso. Talvez seja isso que me fez sentir tão atraído por você.

Amigo – Nunca me conformei com isso. Nunca.

Cinqüenta – Eu o respeito por isso.

Amigo – Oh, não diga isso! Você sabe o que quer dizer – anos e anos de tortura, e nada pode acalmá-la. Nada. Nada.

Cinqüenta – Mas isso mudou?

Amigo – Algo mudou, de algum tempo para cá.

Cinqüenta – Você quer dizer que agora sente carinho por alguém que está vivo.

Amigo – Sim.
Cinqüenta – Isso veio de repente?
Amigo – Sim.
Cinqüenta – Surgiu em sua vida uma pessoa totalmente nova, e eu, seu melhor amigo, não notei nada.
Amigo – Não é nenhuma pessoa nova. É alguém que conheço há muito tempo.
Cinqüenta – Mas como aconteceu isso?
Amigo – Sua curiosidade é como um lobo faminto. Mas não posso recusar-lhe nenhuma resposta.
Cinqüenta – Como aconteceu?
Amigo – Falei com alguém sobre ela.
Cinqüenta – Sobre sua irmã.
Amigo – Sim.
Cinqüenta – Desde então gosta da pessoa com quem falou sobre ela.
Amigo – Sim, quase tanto quanto dela.
Cinqüenta – Mas então você devia gostar de mim do mesmo jeito.
Amigo – Você é essa pessoa. Foi com você que falei. Ninguém mais sabe disso.
Cinqüenta – Então sou eu! Que estranho!
Amigo – Você me obrigou a dizer-lhe a verdade.
Cinqüenta – Espero que não se arrependa. Mas você se admira? Não lhe confiei o que me aflige e atormenta? Você fez o mesmo. Você me contou seu tormento. E no fundo não é a mesma coisa que nos aflige?
Amigo – Não. A mim me importa essa única pessoa. É-me indiferente o que acontece com os outros.
Cinqüenta – Mas agora também se importa comigo. E não me é indiferente o que acontece com qualquer um de vocês.
Amigo – É isso que me enche de tanto medo. Tenho a sensação de que poderia acontecer algo terrível com você. Tremia quando você estava exposto à multidão.
Cinqüenta – Então estava lá.
Amigo – Sim.
Cinqüenta – E não queria me dizer.
Amigo – Não.
Cinqüenta – Mas por que não?
Amigo – Temia reforçá-lo em suas empresas perigosas, simplesmente por estar lá.
Cinqüenta – É verdade. Você me dá coragem. Posso falar com você. Se não tivesse falado com você, nunca teria começado.

AMIGO – Mas agora tudo terminou?
CINQÜENTA – Você acha? Quando você puder me explicar o que aconteceu, está tudo terminado. Não sei se você vai poder. Mas estou contente por você ter estado lá, pois agora pode me responder com *exatidão*. Desconfio das coisas que vivencio sozinho, desde que elas não dizem mais respeito só a mim. Você quer me ajudar?
AMIGO – Sempre vou ajudá-lo. Não posso fazer outra coisa. Pergunte-me o que quiser. Nunca mais mentirei. Não consigo mentir quando se trata de você.
CINQÜENTA – Eu também não poderia, quando estamos conversando. Mas diga-me agora – como é possível que eu esteja ainda vivo?
AMIGO – Não entendo. Não era ainda sua hora.
CINQÜENTA – Mas o capsulão explicou, diante de todas as pessoas, que era chegada minha hora. Você estava lá. Você ouviu.
AMIGO – Ele pode se enganar.
CINQÜENTA – Ele disse que tinha certeza, e eu o contestei. Ele afirmou que sabia melhor, minha mãe me teria enganado. Como ele podia saber isso? Como, então?
AMIGO – Ele tem olho para pessoas. Não se esqueça de que sua experiência é imensa. Ele estava convencido do que dizia. Se ele não estivesse convencido, não o teria exposto diante de toda aquela gente.
CINQÜENTA – Mas para quê?
AMIGO – Ele queria provar a todos eles o quanto suas dúvidas são sem sentido. Você estava lá e repetia sempre, com uma teimosia inaudita, que não acreditava naquilo. Que ia sobreviver à sua hora. Só tinham de permiti-lo, e você iria demonstrar a todos eles. Que deviam encará-lo como a um experimento. Você não acreditava naquilo, e por isso não ia morrer.
CINQÜENTA – É verdade. Isso eu disse.
AMIGO – Mas ele sabia que isso não era possível. Sabia que você ia cair morto quando chegasse sua *hora*, e queria que isso acontecesse tão publicamente quanto seu desafio. Você mesmo ia se contradizer. Pode lhe parecer pouco amável, e certamente há um toque de má vontade em transformar a fragilidade de uma pessoa em representação pública. Mas não se esqueça do que você fez antes. Você perturbou um enterro e aterrorizou uma pobre mãe que acabava de perder seu filho. A indignação contra você era geral, e o capsulão tem a missão de zelar pela segurança das pessoas. Ele tem de cuidar que os antigos terrores

não se propaguem – tudo depende da lei da hora. Se ele permitir que alguém duvide dessa lei, tudo desmorona, as conseqüências seriam imprevisíveis. Uns cairiam sobre os outros, e estaríamos novamente no velho covil de assassinos. Você mesmo não está satisfeito com o desfecho de tudo? Ele o levou a se retratar, e você está vivo. O que mais quer?

CINQÜENTA – Continuo sem entendê-lo. Você não respondeu à minha pergunta.

AMIGO – Creio que é melhor perguntar *a você* algumas coisas. Foi a *sua* atitude que ninguém entendeu, não a do capsulão.

CINQÜENTA – Então pergunte, pergunte!

AMIGO – Quando o trouxeram, e as pessoas começaram a se juntar ao seu redor, primeiramente você se calou por um bom tempo. Chegavam sempre mais pessoas, logo a praça estava totalmente negra de gente. Nesse ínterim você deixava que o processo seguisse o seu curso, sem abrir uma única vez a boca. Às acusações do capsulão, você respondeu indiferente, com uma inclinação de cabeça. De repente, quando a sentença já estava pronunciada, você gritou em voz alta: "Não é a minha hora!" Soou tremendamente seguro, e posso dizer-lhe que as pessoas ficaram profundamente impressionadas com essa primeira frase. O capsulão porém parecia saber mais e seguiu acusando-o. Você apelou para a memória e para sua mãe. Você estava plenamente seguro de que não era sua hora. O capsulão pronunciou a sentença mais uma vez. Eu estava cheio de admiração por você, e apesar de meu temor indizível por você, roguei para que permanecesse firme. Aí você começou de repente a implorar por um dia de prorrogação, e ofereceu por esse dia uma *confissão*. A confissão era – ainda não consigo compreendê-lo –, que *era mesmo sua hora*, exatamente o contrário de suas primeiras frases fortes e sonoras. O efeito dessa contradição foi impressionante. Você deve saber que todos, sem exceção, desde então o consideram um charlatão. Você pode explicar essa contradição?

CINQÜENTA – Nada é mais simples do que isso. Não é nenhuma contradição. Simplesmente não *sei*. Não sei quantos anos tenho. Nunca me preocupei com isso. Até pouco tempo atrás nem tinha idéia de que se deve saber isso. Não sei realmente o dia do meu aniversário. Todos eram sempre tão cheios de segredo com o seu. Sou uma vítima dessa mania de segredo geral, a tal ponto de nunca ter-me dado conta de que havia algo que sempre ficava em segredo. Certamente devem ter-me dito freqüentemente, quando criança – já naquele tempo não prestava atenção. Mesmo se tivesse sabido, mais tarde esqueci. Não joguei fora os meus anos, nem os poupei. Nunca os contemplei como capital. Simplesmente nunca pensei em anos. Gostava demasiado de viver, para pensar em anos.

Amigo – É verdade que você não sabe quantos anos tem?

Cinqüenta – Não. O que eu disse em ambas as vezes estava errado. Ambas as vezes menti.

Amigo – Mas que sentido tem tudo isso?

Cinqüenta – Queria confundir o capsulão. Se negar ser minha hora, como o capsulão pode prová-lo? Isso eu disse a mim. Queria confundi-lo diante daquela gigantesca multidão. Queria abalar a falsa crença deles. Alguém tem de fazê-lo. Sou a pessoa certa para isso, pois não sei minha idade.

Amigo – Uma empresa desesperada. A crença deles não é falsa.

Cinqüenta – Mas consegui. Você não vê que o consegui?

Amigo – Você não deve falar assim. Não se esqueça de que se retratou.

Cinqüenta – Primeiro o obriguei a afirmar que minha hora chegara. Ele estava muito seguro, e todos o ouviram. Aí eu me retratei e com isso obtive perdão. Agora estou vivo. Ou ele se enganou e não sabe sobre minha hora mais do que eu, ou é possível *sobreviver à própria hora*. Todo mundo agora deve acreditar em um dos dois.

Amigo – Como você se engana! Todos se ativeram à sua retratação, que os impressionou imensamente. Do resto do processo só lhes chamou a atenção que *você* se contradisse.

Cinqüenta – Pode ser. Isso me é indiferente. Eu, por mim, estou agora muito mais à frente do que nunca. Agora sei que o capsulão, pelo menos às vezes, *mente*. Seus cálculos são inseguros. Ele próprio é inseguro. Ele defende algo incerto. Ele se contradiz e perdoa, quando alguém se retrata. Ele precisa de uma retratação, ele faria tudo por uma retratação. Ele depende tanto dela, como nós outros de uma cápsula.

Amigo – Tive a mesma impressão. Não quero ocultar isso de você.

Cinqüenta – Você admite? Você admite? Foi essa sua própria impressão? E você estava lá embaixo, e não em perigo, e a excitação não podia enganá-lo.

Amigo – Não creia que eu estava menos excitado do que você. Mas tinha esperança de que sua retratação *valesse*, que fosse

definitiva, que você estivesse farto de combater as leis da natureza.
CINQÜENTA – Leis da natureza? O que é isso? Você quer dizer os regulamentos administrativos do capsulão? Por enquanto nem sequer sei como uma cápsula é por dentro. Se eu pudesse aumentar em dez os anos concedidos por escrito na cápsula, se eu abrisse a cápsula e arbitrariamente acrescentasse dez anos, o que você acha que iria acontecer?
AMIGO – Você não vai cometer esse pecado. Não se tornará assassino de ninguém. Conheço-o bem demais. Você não é um assassino. Nenhum assassino se sente assim. Nenhum assassino fala assim. Você vai se acalmar. Não é pouco o que você passou. Vai se acalmar e esquecer tudo isso e dar-se por satisfeito com a retratação. Prometa-me!
CINQÜENTA – Não prometo nada.

Cinqüenta e suas Senhoras bem idosas.

CINQÜENTA – Ei, ouçam-me! Ei! Quero falar com vocês! Por que saem correndo? Não vou fazer nada a vocês! Ei, não corram assim! Preciso falar com vocês!
PRIMEIRA VELHA (*sem fôlego*) – Não temos nada.
SEGUNDA VELHA (*sem fôlego*) – Absolutamente nada.
CINQÜENTA – Mas não quero nada de vocês. Não vou tirar nada de vocês. Só quero perguntar-lhes algo.
PRIMEIRA VELHA – Não sou daqui.
SEGUNDA VELHA – Venho de muito longe.
CINQÜENTA – Não quero saber o caminho de vocês. O caminho eu conheço.
PRIMEIRA VELHA – O que é, então? O que é?
SEGUNDA VELHA – Não temos nada. E também não somos daqui.
CINQÜENTA – Não precisam ter medo de mim. Vocês não entendem? Não vou fazer nada a vocês. Prometo-lhes pelo que há de mais sagrado. Só quero perguntar-lhes algo. Dos velhos tempos.
PRIMEIRA VELHA – Dos velhos tempos. Mas esta aqui é mais velha.
SEGUNDA VELHA – Ela é mais velha. Pergunte a ela!
CINQÜENTA – Quero perguntar a ambas as duas.
PRIMEIRA VELHA – Já está tarde.
SEGUNDA VELHA – Preciso correr.
CINQÜENTA – Vocês não podem correr de modo algum. Eu as levo depois para casa, tão depressa quanto quiserem. Agora fiquem quietas por um momento e ouçam o que vou lhes perguntar!

Primeira Velha – Eu ouço. Mas não sei nada.
Segunda Velha – Eu escuto muito bem. Não sou assim tão velha. Mas não sei o que devo dizer.
Cinqüenta – Ouçam-me bem! Agora quero saber algo de cada uma de vocês. (*Para a primeira velha.*) Qual é a sua idade?
Primeira Velha – Não sou nem um pouco idosa.
Cinqüenta – Eu sei, mas qual é sua idade?
Primeira Velha – Isso não sei mais. Pergunte a ela!
Cinqüenta – Pense enquanto pergunto a ela. (*para a segunda*) Qual é a sua idade?
Segunda Velha – Idosa eu não sou.
Cinqüenta – Sim, mas qual é sua idade?
Segunda Velha – Isso eu esqueci. Pergunte a ela!
Cinqüenta (*para a primeira*) – Agora você já sabe? Consegue se lembrar?
Primeira Velha – Não. Não sei nada. Já faz muito tempo.
Cinqüenta – Se eu bater em você, mesmo assim não vai me dizer?
Primeira Velha (*gritando*) – Socorro! Socorro! Ele quer me bater!
Cinqüenta – Fique quieta! Não vou bater em você. Qual é seu nome?
Primeira Velha – Noventa e Três, mas não me bata, eu digo. Noventa e Três.
Segunda Velha – Eu também digo. Não me faça nada. Eu me chamo Noventa e Seis.
Cinqüenta – Você o disse antes de lhe perguntar. Vocês têm muita pressa. Há quanto tempo são amigas?
Ambas – Uma eternidade.
Cinqüenta – Mas quero saber há quanto tempo.
Primeira Velha – Já a conhecia antes de me casar.
Segunda Velha – Eu também a ela.
Cinqüenta – Você devia ser muito jovem quando se casou.
Primeira Velha – Oh, jovem demais. Naquela época, ninguém sabia o quanto eu era jovem. Agora todos estão mortos. Agora só ela está viva.
Segunda Velha – Sempre fui mais velha do que ela. Ela sempre veio atrás de mim.
Cinqüenta – Agora vou saber logo a idade de vocês.
Ambas – Oh, não. Isso ninguém sabe.
Cinqüenta – Só preciso dar uma olhada em suas cápsulas.
Ambas (*começando a gritar*) – Não é verdade! Ele é um mentiroso! Ele está mentindo! Mentindo!
Cinqüenta – Parem com essa gritaria! Imediatamente!

AMBAS (*gritando cada vez mais alto*) – Não é verdade. Isso ninguém sabe! Ele mente! Está mentindo!

CINQÜENTA – Vou bater em vocês! Se não pararem imediatamente de gritar, vou bater em vocês.

PRIMEIRA VELHA (*tremendo*) – Eu paro. Tenho tanto medo!

SEGUNDA VELHA – Gostaria de parar, não consigo, tenho tanto medo!

CINQÜENTA – Dêem-me suas cápsulas! Imediatamente!

PRIMEIRA VELHA – Não tenho nenhuma cápsula.

SEGUNDA VELHA – Eu perdi a minha. (*Ambas estão agora completamente calmas.*)

CINQÜENTA – Vou encontrá-las. Ambas ainda as têm. Passem-nas para cá! Preciso delas.

PRIMEIRA VELHA – A minha eu comi.

CINQÜENTA (*agarrando-a*) – Então a cuspa!

PRIMEIRA VELHA (*cuspindo várias vezes*) – Não sai nada.

CINQÜENTA – É bem melhor! É preferível dá-la para mim. Senão a mato.

SEGUNDA VELHA (*tremendo*) – Achei a minha. Aqui está ela. (*Ela lhe entrega a cápsula.*) Ela também tem a sua. Dê só uma olhada.

PRIMEIRA VELHA – Você devia ter vergonha, só quer que eu também perca a minha.

CINQÜENTA – Dê-ma de boa vontade. Você pode ver, ela entregou a dela.

PRIMEIRA VELHA (*entrega-lhe a cápsula, chorando*) – Que farei eu sem minha cápsula?

SEGUNDA VELHA – O que vai acontecer conosco agora?

CINQÜENTA – Em troca eu lhes darei outras, mais bonitas, de ouro.

AMBAS – De ouro! De ouro!

CINQÜENTA (*pendura em cada uma delas uma cápsula*) – Assim. Agora vocês têm outras muito mais bonitas. Agora estão satisfeitas, não é? Agora vão viver muito, muito tempo. É que são cápsulas da sorte. Eu mesmo as faço. Mas não devem dizer a ninguém. Se não contarem a ninguém, cada uma vai viver mais tempo.

PRIMEIRA VELHA – Oh, sim! Muito mais tempo!

SEGUNDA VELHA – Muito, muito mais tempo!

CINQÜENTA – Quando revê-las da próxima vez, vocês ganharão outras ainda mais bonitas. Vou encontrá-las. Sei onde estão. Agora devem ir embora bem caladas. Precisam me prometer que não vão dizer nada a ninguém. Senão todos vão querer as belas cápsulas de ouro, e eu só tenho essas duas. Se as pessoas

ficarem sabendo, vão querer tirá-las de vocês. Vocês vão calar o bico?
PRIMEIRA VELHA – Oh, sim! Oh, sim!
SEGUNDA VELHA – Mas vou ganhar uma melhor!
CINQÜENTA – Você vai ganhá-la. Só preciso primeiro procurá-la. Não é tão fácil assim. Primeiro tenho de ir embora. Quando voltar, encontro-as novamente, e aí ganharão as outras cápsulas. Agora vocês têm tempo. Agora vão embora rápido, antes que alguém perceba algo. Vão tirá-las de vocês, se não tomarem cuidado!
AMBAS (*afastam-se rapidamente, coxeando*) – Muito obrigada. Muito obrigada.

Cinqüenta. O Amigo.

CINQÜENTA – Tenho duas cápsulas!
AMIGO – O que é que você tem?
CINQÜENTA – Tenho duas cápsulas. Duas cápsulas de verdade.
AMIGO – Pelo amor de Deus, como arranjou isso?
CINQÜENTA – Recebi-as de duas velhas. Agora elas me pertencem. Posso fazer com elas o que quiser.
AMIGO – Eu... eu não quero vê-las.
CINQÜENTA – Isso não muda o fato de que as possuo.
AMIGO – Isso é terrível. Devolva-as imediatamente!
CINQÜENTA – Eu lhes dei melhores.
AMIGO – Melhores?
CINQÜENTA – Sim, melhores! De ouro.
AMIGO – Mas são falsas.
CINQÜENTA – Não. São melhores, o tempo inscrito nelas é maior.
AMIGO – De onde você as tirou?
CINQÜENTA – Isso eu não digo. Eu as tinha e as dei a duas velhinhas, em troca elas me deram as delas.
AMIGO – Mas deviam estar loucas. Isso ninguém faz de livre e espontânea vontade.
CINQÜENTA – Eu ajudei um pouco.
AMIGO – Você quer dizer que as tirou delas à força? Sabe o que você é?
CINQÜENTA – Não me interessa o que sou. Todo mundo é alguma coisa. Assim como eu. Mas tenho duas cápsulas e posso fazer com elas o que quiser.
AMIGO – Oh, vá embora! Por que é que me diz tudo isso?

Cinqüenta – Pode dar parte de mim. Se você tem medo, permito-lhe encerrar nossa amizade. Não vou ficar bravo com você. Você está tremendo.

Amigo – Ah, o que devo temer! Não fiz nada! Tenho dores na consciência. Antes eu nunca tivesse falado com você. *Eu* o empurrei para esse caminho. Nunca deveria ter respondido a suas perguntas. Sou culpado de tudo. O criminoso sou eu. E devo denunciá-lo!

Cinqüenta – Não se preocupe! Ao invés disso ajude-me! Ajude-me! O que tinha de acontecer já aconteceu.

Amigo – Como vou ajudá-lo? Você sabe o que é agora.

Cinqüenta – Um assassino. Um ladrão assassino. Ou o que quer que seja. Mas é tão indiferente como se chama. Ajude-me a abrir as cápsulas!

Amigo – Abrir! Você quer abri-las!

Cinqüenta – Quero ver o que há dentro. Você sabe o que deve haver dentro.

Amigo – Mas que sentido isso pode ter? Você sabe o que vai encontrar lá.

Cinqüenta – Eu sei?

Amigo – Sim! Sim! Toda criança sabe, todos carregam isso consigo a vida inteira. Todos sabem.

Cinqüenta – Você viu uma por dentro?

Amigo – Não. Mas isso não é necessário.

Cinqüenta – Você nunca viu uma!

Amigo – Mas eu estava lá quando puseram meu pai no caixão. Antes disso estive no enterro de minha... preciso repetir tudo? Você sabe como sua morte me dói até hoje. Eu estava lá. Entende, estava lá. Eu estava lá quando o inspetor encontrou sua cápsula e a abriu. Estava presente quando ele fez a inscrição no livro.

Cinqüenta – Você olhou o que havia na cápsula?

Amigo – Não! Você exige muito. Eu estava excitado demais. Será que ainda devia ver números? Mas muitas pessoas estavam lá. Você acha que faltaram testemunhas?

Cinqüenta – Elas estavam tão excitadas quanto você. *Ninguém* viu o interior da cápsula dela. Ninguém! O único que não estava excitado era o próprio capsulão. Ele nunca fica excitado. Ele sempre faz isso. Ele as vê todas e registra tudo.

Amigo – E você não acredita nele porque o odeia. Eu nunca deveria ter enviado você a ele.

Cinqüenta – Ouça, eu não odeio ninguém! Mas não acredito em ninguém. Isso é importante demais para mim. Quero eu mesmo abrir as cápsulas e ver o que há dentro. Vou abri-las. Pode ter certeza. Ninguém vai me impedir. Quero que você me ajude.

Amigo – Quero ajudá-lo. Mas como posso fazer isso? No que posso ajudá-lo? Não resta quase nada a fazer.

Cinqüenta – Preciso de seus olhos. Quero que você veja comigo as cápsulas por dentro. Não confio em meus olhos. Não sou imparcial. Se lhe disser o que encontrei, não vai acreditar em mim.

Amigo – Agora eu o entendo. Você quer que eu esteja presente quando as abrir.

Cinqüenta – Exatamente isso. Não me abandone agora! Compreenda do que se trata.

Amigo – Não entendo do que se trata. Talvez não queira entender.

Cinqüenta – Mas não me abandone.

Amigo – Não. Não o abandonarei.

Cinqüenta – Aqui estão elas. Como poderíamos abri-las?

Amigo – Isso deve ser muito difícil. O capsulão tem uma chave.

Cinqüenta – Vamos precisar quebrá-las.

Amigo – Sim, já temo isso. Não vejo outro modo.

Cinqüenta – Você tem um martelo?

Amigo – Aqui.

Cinqüenta – Obrigado. Vou martelar.

Amigo – Mas cuidado. Cuidado. Não deve destruir o conteúdo.

Cinqüenta (*martela*) – Assim!

Amigo – Deixe-me ver! Ela está aberta?

Cinqüenta – Não. Só amassada. Elas são construídas de forma estranha.

Amigo – O que vai acontecer agora?

Cinqüenta – Vou martelar novamente. (*martela*) Dê-me agora uma lima.

Amigo – Aqui está.

Cinqüenta – Acho que vai dar certo. Espere. Talvez você possa segurá-la aqui.

Amigo – Certo. Eu seguro a corrente bem firme.

Cinqüenta – Aberta! Aberta! Está aberta! Olhe dentro. Olhe você primeiro! O que está vendo?

Amigo – Nada.

Cinqüenta – Nada. Está vazia.

Amigo – Vazia. Isso é um erro. Onde está a segunda?

Cinqüenta – Aqui está ela. Dê-me o martelo. (*Ele martela.*) A lima! Segure-a firme! Assim. (*Ele lima.*) Está aberta. Agora quero ver primeiro.

Amigo – Não. Juntos.
Cinqüenta – É melhor um de cada vez. Deixe-me ver primeiro!
Amigo – Como você quiser. O que está vendo?
Cinqüenta – Nada. Nada. Está vazia.
Amigo – O quê? Esta também? Sim. Está vazia. O que significa isso?
Cinqüenta – Isso eu pergunto a você.
Amigo – As velhas o fizeram de tolo. Não lhe deram as cápsulas de verdade.
Cinqüenta – Você acha? Eu não. Você não estava lá. Você deveria ter estado lá.
Amigo – Você pode ver que estão vazias!
Cinqüenta – As cápsulas *são* vazias, é disso que se trata. Não está entendendo?
Amigo – Tolice! Você está louco!
Cinqüenta – Aqui está a minha! Dê-me a sua! Vamos abrir ambas!
Amigo – Eu... eu não consigo. Perdão. Não entrego a minha. Também não quero que você abra a sua.
Cinqüenta – Você não pode me impedir. Não preciso da sua. Aqui está minha cápsula. Dê uma martelada!
Amigo – Não.
Cinqüenta – Covarde! Dê-me cá o martelo!
Amigo – Eu... eu não posso dá-lo.
Cinqüenta – Então vou tomá-lo. Não tenho medo.
Amigo – O que está fazendo! O que está fazendo!
Cinqüenta – Você é como as velhas. (*Ele martela.*) Agora a amassei. Ajude-me com a lima!
Amigo – Eu seguro.
Cinqüenta – Aberta! Aberta! Minha própria cápsula está aberta! Olhe dentro! Eu o nomeio capsulão! O que está vendo?
Amigo (*tremendo*) – Nada. Está vazia.
Cinqüenta – Nada. Também vazia. *Todas as cápsulas são vazias.*
Amigo – Não é possível! Vá embora! Vá embora! Você fez uma brincadeira má comigo. Não é mais meu amigo! O que quer com essa farsa? Com cápsulas falsas, que você supostamente roubou, com cápsulas falsas, que pendurou em você. Você acha isso muito engraçado, só que para mim é amargo. Não quero vê-lo nunca mais. Acha que pode me devolver a minha irmã, com essas brincadeiras horríveis? Vá embora, eu o odeio! Eu o odeio!
Cinqüenta – Você não acredita em mim. Então dê-me a sua cápsula, antes de me culpar. Será que a pendurei em você? Você não a

conhece? Você me culpa. Você não é o meu melhor amigo, você é o único. Crê que sou capaz de todas essas infâmias. Dê-me a possibilidade de me defender. Sacrifique sua cápsula por mim! Você está aqui. Você a tem consigo. Ela sempre esteve com você. Você não a tirou nem uma vez sequer, desde que está vivo, nem uma vez sequer. Eu me retiro para o canto mais afastado da sala. Ficarei lá. Não vou me mexer. Abra sua própria cápsula! Você me deve isso! Faça isso! Faça!

AMIGO – Não consigo. Tenho medo de você. O que quer de mim? Deixe-me em paz!

CINQÜENTA – Você não quer saber mais de mim.

AMIGO – Quero que me deixe em paz.

CINQÜENTA – Vou-me embora! Passe bem!

AMIGO – Você vai embora. Mas como vou viver agora?

CINQÜENTA – Não lhe fiz nada.

AMIGO – Nada. Nada. Vá embora, afinal! Vá! Vá!

CINQÜENTA – Não lhe guardo rancor. Adeus.

AMIGO – Não. Não me guarda rancor. Mas eu guardo rancor de você. Eu o odeio. Vá embora!

CINQÜENTA – O que devo fazer?

AMIGO – Nada. Deve ir embora.

CINQÜENTA – Está bem. Adeus.

Cinqüenta. O Capsulão.

CINQÜENTA – E todos os que se foram cedo demais?

CAPSULÃO – Ninguém se foi cedo demais.

CINQÜENTA – Meu amigo teve uma irmã que se foi aos doze anos.

CAPSULÃO – Era esse seu nome legal.

CINQÜENTA – Legal! Uma lei construída sobre a ignorância!

CAPSULÃO – Não há outras leis. Em matéria de leis, só importa uma coisa – que elas sejam cumpridas.

CINQÜENTA – Por todos?

CAPSULÃO – Por todos os que vivem dentro de seu âmbito.

CINQÜENTA – E quem viveu antes?

CAPSULÃO – Esses não podiam reger-se por ela. O senhor tem outra pergunta inteligente e urgente?

CINQÜENTA – O que aconteceria, se as pessoas de repente ficassem sabendo que todas as cápsulas são vazias?

CAPSULÃO – Elas não podem ficar sabendo disso. Quem poderia lhes dizer algo tão absurdo, tão terrível?

Cinqüenta – Suponhamos que alguém fosse tomado pela *loucura* de que todas as cápsulas são vazias, e saísse pelas ruas como um pregoeiro ou um novo Maomé. Em vez de "Só Deus é Deus e Maomé, seu profeta!", gritasse: "As cápsulas são vazias! E ninguém sabe disso! As cápsulas são vazias! As cápsulas são vazias, e ninguém sabe disso!"

Capsulão – Ninguém acreditaria nele. Logo ele se calaria.

Cinqüenta – E se ele esvaziasse uma cápsula e saísse pelas ruas com o invólucro vazio?

Capsulão – Não é nenhum segredo o modo como se age com assassinos.

Cinqüenta – Mas estou preocupado. Estou terrivelmente preocupado. Uma vez *apregoado*, o pensamento poderia se difundir e fincar raízes.

Capsulão – Sua inquietude o honra, e deve ser anotada em seu favor. Mas gerações de capsulães meditaram sobre isso e tomaram algumas medidas. Não é à-toa que o estigma de assassino foi atribuído a ladrões de cápsulas. Como o senhor pode ver, até agora isso foi eficaz.

Cinqüenta – Mas estou pensando no futuro.

Capsulão – O senhor pensa demais no futuro. Um resquício de seu tempo de rebelde.

Cinqüenta – Esse resto lhe parece inquietante? O senhor considera prejudicial o meu zelo?

Capsulão – Não quero dizer isso. O senhor não pode mais ser perigoso. O senhor se retratou publicamente. É considerado covarde e tolo. Mesmo que retomasse suas dúvidas ruidosas, não poderia causar impressão a ninguém. Só inocentes têm credibilidade. Um apóstata consegue um benefício imenso para sua nova fé, e a antiga está definitivamente perdida para ele, muito mais perdida do que jamais poderia imaginar.

Cinqüenta – Por que o senhor acredita que eu poderia novamente me tornar um renegado?

Capsulão – Não acredito nisso. Só lhe expliquei por que o senhor não pode mais ser perigoso. O que quer que fizesse seria em vão.

Cinqüenta – Mas o senhor desaprova meus temores?

Capsulão – Há conhecimento inofensivo e há conhecimento perigoso. Mas há dúvidas ainda mais perigosas. Dessas o senhor em todo caso está a salvo.

Cinqüenta – O que quer dizer com isso?

Capsulão – Nada em especial. Há dúvidas que tornam o homem louco e miserável e nunca levam a nada. Aí até mesmo um conhecimento perigoso é ainda melhor. Pode-se guardá-lo para si.
Cinqüenta – Eu o assustei. Eu não devia ter dito que as cápsulas poderiam ser vazias.
Capsulão – O senhor não me assustou em absoluto. O senhor abriu sua cápsula e não achou nada dentro. Isso eu já fiz centenas de vezes. Pareço assustado?
Cinqüenta – O senhor acredita realmente que eu poderia ter feito algo assim?
Capsulão – Aí não há muito o que crer. Ninguém que tenha chegado a essa suspeita deixou de fazê-lo. O senhor é um assassino. Mas não nos interessamos por assassinos que se retrataram a tempo.
Cinqüenta – O senhor me culpa de assassinato sem nenhuma prova.
Capsulão – Dispenso a sua prova. Ela seria fácil demais. O senhor tem sua liberdade. Agora também sabe que viverá o tempo que viver. É a espécie de liberdade que queria. O senhor a roubou. Desfrute-a com prazer! Esteja certo de que há ainda alguns tolos de sua espécie que preferem essa intranqüilidade mortal à tranqüilidade que nós introduzimos e mantemos.
Cinqüenta – Há verdadeiramente outros?
Capsulão – Esteja certo de que o senhor não é o único. Que o senhor não é nada especial, o senhor vivenciou quando se dispôs a retratar-se por um dia mais de vida. O senhor é tão covarde, que nem sequer pode admitir sua própria covardia. Mas agora vai poder gozar por completo sua covardia. Em vez de *uma hora*, terá diante de si nada mais do que horas como esta. Não penso em mandar prendê-lo como assassino. Alegre-se com o seu roubo! Eu o entrego ao seu *medo*.

Na rua, Cinqüenta, como um pregoeiro,
mas também como um possuído.

Cinqüenta – Não quero saber nada de vocês. Para mim, são todos indiferentes. Vocês me são indiferentes, pois não estão aqui. Vocês não estão vivos. Todos estão mortos. Sou o único. Estou vivo. Não sei quando morrerei, por isso sou o único. Vocês se arrastam por aí com a pequena carga valiosa em torno do pescoço. Seus anos estão pendurados no pescoço. Eles são pesados de carregar? Não! Não são pesados. Não são muitos!

Mas isso não importa a vocês. Pois já estão mortos! Não os vejo em absoluto. Vocês não são nem sequer sombras. Não são nada. Caminho entre vocês só para que sintam o quanto os desprezo. Ouçam, gente, bravos mortos, os anos que carregam no pescoço também são falsos. Vocês crêem que os possuem. Estão tão seguros. Mas nada é seguro. Tudo é falso. Vocês têm cápsulas vazias penduradas no pescoço. As cápsulas são vazias. Vocês nem sequer têm os anos que acreditam ter! Vocês não têm nada! Nada é seguro! As cápsulas são vazias! É tudo tão incerto como sempre foi. Quem tiver vontade de morrer, já pode fazê-lo hoje mesmo. Quem não tem vontade, saiba que também morrerá. As cápsulas são vazias! As cápsulas são vazias!

Os Jovens.

Primeiro Jovem – Lá vem o Salvador!
Segundo Jovem – Salvador! Salvador!
Primeiro Jovem – O que é que ele fez realmente?
Segundo Jovem – Ele olhou dentro da cápsula!
Primeiro Jovem – Isso eu também teria podido fazer.
Segundo Jovem – Por que não tentou?
Primeiro Jovem – Não pensei nisso.
Segundo Jovem – É isso aí. Não é tão fácil quanto você pensa.
Primeiro Jovem – Você tentou?
Segundo Jovem – Se quer que lhe diga a verdade, sim. Não há quem a abra.
Primeiro Jovem – E o que você fez então com ela?
Segundo Jovem – Simplesmente a joguei fora.
Primeiro Jovem – Eu, não. Não, isso não.
Segundo Jovem – Você acha que a sua é especial?
Primeiro Jovem – Tudo ainda pode mudar.
Segundo Jovem – O que deve mudar?
Primeiro Jovem – Vou esperar até o capsulão se pronunciar.
Segundo Jovem – O capsulão em pessoa! O farsante!
Primeiro Jovem – Você está um pouco apressado!
Segundo Jovem – Bobo! Não se pode viver sem alguma mentira.
Primeiro Jovem – Para ser honesto, a mim não agrada toda essa mudança.
Segundo Jovem – E por que não? Por que não?
Primeiro Jovem – Você pensou nisso?

Segundo Jovem — Não há muito em que pensar. As cápsulas são vazias.

Primeiro Jovem — Você examinou todas as cápsulas?

Segundo Jovem — O que quer dizer com isso?

Primeiro Jovem — Algumas talvez estejam vazias, e outras talvez contenham algo.

Segundo Jovem — Você é um caso perdido. Isso seria uma farsa muito maior!

Primeiro Jovem — Você diz isso tudo tão facilmente! Mas o que deve acontecer agora com todos nós?

Segundo Jovem — O que vai ser! O que vai ser? Agora estamos *livres*!

Primeiro Jovem — Como assim?

Segundo Jovem — Não tenho mais medo de ter de morrer aos vinte e oito anos.

Primeiro Jovem — E eu temo morrer *antes* dos oitenta e oito.

Segundo Jovem — Até agora você tem sido privilegiado. Agora vão fazer limpeza com gente como você.

Primeiro Jovem — Mas por quê? Por quê? O que fiz eu a você?

Segundo Jovem — O que você me fez? Você era um Deus! Só por causa de seu maldito nome. Por que você deve se chamar Oitenta e Oito, e eu, Vinte e Oito? Você é melhor do que eu, mais inteligente e mais trabalhador? Pelo contrário, você é mais burro, pior e mais preguiçoso. Mas sempre se ouvia Oitenta e Oito isto, e Oitenta e Oito aquilo!

Primeiro Jovem — Nunca notei nada disso.

Segundo Jovem — Então você nunca notou que todas as moças corriam atrás de você? Onde quer que você aparecesse, era um escândalo. Você podia ter se casado com qualquer uma delas. Mas você não tinha de casar com nenhuma. Respirar o ar de seu nome elegante já era uma honra.

Primeiro Jovem — Mas tudo isso me era muito cansativo. Se você tivesse idéia de quão cansativo tudo isso era!

Segundo Jovem — Nunca ninguém notou isso. Você levava tudo muito bem.

Primeiro Jovem — O que eu deveria fazer?

Segundo Jovem — Você tirou as maiores vantagens dessa farsa. Alguma vez lhe ocorreu olhar *uma única vez* dentro da cápsula?

Primeiro Jovem — Não. Isso nunca me ocorreu. E você? Por que nunca olhou dentro da sua?

Segundo Jovem — Porque tinha medo. Ninguém gosta de passar por assassino.

Primeiro Jovem – Era uma lei boa. Tudo estava tranqüilo.
Segundo Jovem – E agora você está inquieto.
Primeiro Jovem – Todos! Todos! Não apenas eu! Por acaso você sabe se não vai cair morto nos próximos minutos?
Segundo Jovem – Não, não sei. Mas isso é melhor, é mais *justo* do que era, pois sei que também você pode cair morto nos próximos minutos.
Primeiro Jovem – E o que lucraria com isso?
Segundo Jovem – Eu lucraria muito.
Primeiro Jovem – Você se corrói de inveja. Eu não conheço inveja.
Segundo Jovem – Você logo vai se acostumar a ter inveja. Tenha só um pouco de paciência.
Primeiro Jovem – O que vai ser do nosso capsulão?
Segundo Jovem – Ele será processado.
Primeiro Jovem – Isso não é possível. Não se pode condená-lo por se ater à sua função. Ele será absolvido.
Segundo Jovem – Certamente que não. Você ainda vai se surpreender! Se o capsulão for absolvido, haverá uma revolução.
Primeiro Jovem – Você está enganado, o próprio salvador quer que tudo aconteça sem derramamento de sangue.
Segundo Jovem – Salvador. Como isso soa em sua boca! Na realidade você o odeia. Tome cuidado com o que fala dele!
Primeiro Jovem – Não disse nada contra ele.
Segundo Jovem – Mas eu sinto isso em suas palavras. Seu ódio é inequívoco.
Primeiro Jovem – Oh, você sempre sabe tudo melhor.
Segundo Jovem – Não, mas estou farto de você dar o tom em tudo. Estou farto! Farto! Farto!
Primeiro Jovem – Quem iria pensar que você é meu irmão de sangue.
Segundo Jovem – Sim, quem iria pensar que você foi chamado de Oitenta e Oito e eu, de Vinte e Oito!

Os Dois Colegas.

Primeiro – Parece que nem todos estavam satisfeitos.
Segundo – Acumulou-se muito ódio.
Primeiro – Quem teria pensado isso! As pessoas estão vociferando. Acabo de presenciar uma cena que nunca vou esquecer.
Segundo – O que foi?
Primeiro – Um número imenso de pessoas, as ruas negras de pessoas, de repente alguém é levantado sobre os ombros e berra:

"Fora com as cápsulas! Não precisamos mais desse negócio! Fora com as cápsulas!" Ele rasga a camisa, arranca a cápsula e a lança no meio da multidão. As pessoas gritam de júbilo. Alguns o imitam, primeiro os homens, depois também as mulheres, abrem o peito e lançam fora suas cápsulas. "Fora com as cápsulas!" Outro dá um salto e grita: "Agora ninguém mais morrerá! Agora cada um viverá o tempo que quiser! Liberdade! Liberdade!" "O tempo que eu quiser! Liberdade! Liberdade!" gritam outros. Aquilo também me arrebatou. Imitei os demais. Tinha a sensação de que alguém dirigia meu braço para o peito. Arranquei a coisa e a lancei ao alto. "Adeus, cápsulas! Ninguém morre mais!" E a multidão em júbilo acolheu meu grito e todos berraram: "Ninguém morrerá mais! Ninguém morrerá mais!"

Segundo – Mas o que significa isso? Não significa nada!

Primeiro – Significa o que significa. Todos estão fartos da morte. Você não está farto?

Segundo – Sim.

Primeiro – Então o que quer? Por que está protestando? O que tem a objetar? Os homens recuperaram seu direito à vida.

Segundo – E agora cada um vai determinar quanto tempo quer viver?

Primeiro – Não vai haver muita coisa para determinar. Todos viverão para sempre.

Segundo – Todos viverão para sempre! Isso soa maravilhoso!

Primeiro – Isso não soa maravilhoso, isso *é* maravilhoso!

Segundo – Mas será que também é verdade?

Primeiro – Você e suas dúvidas! Aposto que ainda tem sua cápsula. Você gosta de ser cuidadoso, não é? Prefere *ter* o que tem? Não gosta de arriscar? Você é um herói! Você ainda a tem, ou não?

Segundo – O que isso lhe importa?

Primeiro – Isso me importa muito.

Segundo – Posso fazer o que quiser com minha cápsula.

Primeiro – Você acha? Isso é o que você pensa! Dê-ma! Imediatamente! Ela precisa ser destruída.

Segundo – Não! Não entrego nada! Fico com minha cápsula.

Primeiro – Não vai ficar com ela! Dê-ma! Imediatamente! (*Ele começa a estrangulá-lo.*)

Segundo – Socorro! Ele me está matando! Está tirando minha cápsula! Assassino! Assassino!

Primeiro – Não é mais nenhum assassinato, seu idiota! Dê-me sua cápsula ou vai haver um assassinato!

Segundo (*tremendo*) – Tome! Eu fico calado! Você ainda vai se arrepender!

Primeiro – Arrepender? Seu bobão! Quando? Por quê? Eis aqui a farsa vazia! Pise-a!
Segundo – Não consigo.
Primeiro – Pise-a! Ou o mato!

Segundo pisa, o corpo todo tremendo, e cai morto.

Capsulão e Cinqüenta.

Cinqüenta – Mas como acabará tudo isto?
Capsulão – Não há mais fim. Tudo está abalado.
Cinqüenta – Não devia ter começado.
Capsulão – Agora é tarde demais.
Cinqüenta – A desgraça já aconteceu? Não posso salvar mais nada?
Capsulão – Todo assassino pergunta isso, mas sempre quando todas as coisas são irrevogáveis.
Cinqüenta – E se eu desse um bom exemplo? Se me apresentasse de novo diante de todos e reconhecesse meu crime com valentia e sinceridade, desta vez de verdade? Se os advertisse e depois, como testemunho da seriedade de minha advertência, caísse morto diante de todos? Não há nada, através do qual ainda possa impressionar? Nada, que me torne útil para todos? Pode ser que alguém mais tarde faça o mesmo e fracasse e cause confusão no mundo. Estou tão envergonhado! O que mais me envergonha é minha cegueira.
Capsulão – É tarde demais. Tarde demais. Temo que sua intenção foi bem sucedida.
Cinqüenta – O senhor quer dizer que agora todos sabem?
Capsulão – O senhor escolheu muito bem seu pregão. Foi ouvido. Eu não teria imaginado que seria ouvido tão rápido e tão bem.
Cinqüenta – O senhor me menosprezou. O senhor é o culpado!
Capsulão – Acredita mesmo nisso? Acredita nisso?
Cinqüenta – Seu posto era o de guardião. O senhor tinha uma função elevada e nobre. Também sabia *o que* tinha de guardar. O senhor me tratou com arrogância e superioridade. Deveria ter-me destruído imediatamente. Como pôde me menosprezar desse modo? Onde estava sua experiência?
Capsulão – Minha experiência, eu a obtive com os mortos.
Cinqüenta – O senhor estava preocupado com os seus cadáveres, com a pompa e a vaidade de sua função. Será que não tinha oportunidade suficiente para observar as pessoas que ainda

estavam *vivas*? Os parentes de seus mortos? Sempre atuava em suas solenidades com comedimento, de modo grave e definitivo? Nunca acontecia nada? Nunca acontecia algo inesperado?

Capsulão – Não, nunca acontecia nada.
Cinqüenta – Entre que tipo de gente o senhor viveu?
Capsulão – Entre gente satisfeita. Entre gente que não tinha mais medo.
Cinqüenta – Então, certamente não havia mais muito a aprender.

Cinqüenta. O Amigo.

Amigo – É você?
Cinqüenta – Sim. Não está me reconhecendo?
Amigo – Não reconheço nada mais com certeza.
Cinqüenta – O que você tem? O que lhe aconteceu?
Amigo – Procuro minha irmã.
Cinqüenta – Mas você não pode procurá-la.
Amigo – Ela se escondeu.
Cinqüenta – Se escondeu? Se escondeu?
Amigo – Ela se escondeu, e eu não sei onde. Procuro-a por em toda parte.
Cinqüenta – Mas você está tão certo?
Amigo – Eu sei. Eu sei.
Cinqüenta – Mas por que ela teria se escondido de você?
Amigo – Ela tinha medo.
Cinqüenta – De quê?
Amigo – Tinha medo de seu nome. Tinham-na convencido de que teria de morrer aos doze anos. Os criminosos estavam atrás dela e a assustaram. Viveu ano após ano com medo, tornou-se cada vez mais silenciosa. Nós não sabíamos por que ela falava tão pouco, não tínhamos nenhuma idéia. Mas então, em seu aniversário, foi tomada pelo medo e desapareceu. Foi viver perto de pessoas que não conheciam seu nome. Ela tinha medo do seu nome. Desde então ela se manteve escondida. Nenhum de nós tornou a vê-la. Ela nos evitou como à peste. Mas nós a procuramos por toda parte, na verdade sou eu quem realmente a procura. Não faço outra coisa, sei que vou encontrá-la.
Cinqüenta – Mas por que você quer deixá-la inquieta? Deixe-a levar sua nova vida. Certamente ela se sentirá melhor se você não a incomodar. Seu medo deve ter sido muito grande, senão ela não teria se mantido escondida tanto tempo. Se não me engano, já faz mais de trinta anos.

Amigo – É isso mesmo. Por isso é tão difícil encontrá-la. Às vezes penso que não vou mais reconhecê-la. Mas isso eu só penso quando estou fatigado e debilitado pela busca, e o desânimo se apodera de mim. Costumo então simplesmente dormir, e logo que estou refrescado e descansado, não tenho mais dúvida de que a reconheceria, imediatamente, de qualquer distância, e se fosse necessário, por outros trinta anos. Ela só deve vir ao meu encontro, e passarei a mão ligeiramente em seu braço, bem ternamente, como se quisesse acariciá-la, mas não como um homem estranho, assim, veja só, e então lhe direi que sou eu.

Cinqüenta – Ela vai achar que você quer prendê-la.

Amigo (*furioso*) – Eu, prendê-la! Minha irmãzinha! Como pode dizer isso? Você perdeu a razão.

Cinqüenta – Você deve me entender! Naturalmente que não quer prendê-la, quer fazer o melhor para ela. Mas se naquele tempo ela foi embora assustada com seu nome, deve achar que cometeu uma injustiça. Ela os evita, para não ser castigada por essa injustiça.

Amigo – Ela não cometeu nenhuma injustiça. Teve medo, e com razão. Era uma criança, e o falatório estúpido das pessoas a assustou.

Cinqüenta – É essa a minha opinião. Ela construiu para si uma nova vida. Mantém-se distante de vocês, porque a arrastariam para a velha vida. Só entre rostos novos ela se sente segura e desconhecida.

Amigo – Quero lhe dizer a verdade. Quero lhe dizer que seu nome nada significa. Quero tirar o medo dela. Aí ela voltará para nós.

Cinqüenta – Mas você não vê que agora ela tem um novo nome? Deve ter adotado um nome novo. Senão sua fuga não teria tido nenhum sentido.

Amigo – Ela vai me contar tudo. Vai me contar como se chama agora.

Cinqüenta – E como vai chamá-la?

Amigo – Para mim ela é minha irmãzinha. Não mudou. É o que sempre foi. Minha querida irmãzinha. O ser mais querido do mundo.

Cinqüenta – Mas cerca de trinta anos mais velha.

Amigo – Bobagem! Isso é o que você pensa. Ela não envelheceu em absoluto.

Cinqüenta – Não digo que esteja envelhecida. Mas está trinta anos mais velha e deve ter mudado.

Amigo – Não acredito nisso.

Cinqüenta – Não seja tão teimoso. Agora ela tem quarenta e dois anos. Não pode ter a aparência de uma criança de doze.

Amigo – Para mim ela tem doze anos.

Cinqüenta – Vai chamá-la novamente pelo nome?

Amigo – Lógico. O que está pensando? Doze, Doze, direi, e vou tomá-la nos braços e puxar seus cabelos, como sempre fazia, vou sacudi-la e segurá-la com a cabeça fora da janela, até que grite por misericórdia! Doze, Doze, direi, não vê que tudo isso não tem sentido, que todos os nomes são um absurdo, que é indiferente como se chama, Doze ou Oitenta e Oito, ou o diabo! Se pudéssemos ao menos ver e falar um com o outro. Doze, está me ouvindo, Doze, está me vendo, Doze, sou eu, Doze, sempre serei eu.

Cinqüenta – Mas ela! Ela! Como pode saber que se alegrará tanto com isso como você? Talvez ela seja agora muito mais feliz. Talvez não gostasse de estar com vocês.

Amigo – Talvez! Talvez! Talvez! Eu *sei* do que estou falando. Para mim não há nenhum talvez.

Cinqüenta – Por que você não a deixa viver *como ela deseja*? Você quer obrigá-la a voltar para vocês. Isso não é correto. Não é justo. Você não a ama de verdade, senão estaria fazendo tudo como ela quer. Se não for um charlatão, deve renunciar a ela.

Amigo – Não sou nenhum charlatão. Por isso a procuro. Por isso vou achá-la.

FIM

TEATRO NA PERSPECTIVA

O Sentido e a Máscara
  Gerd A. Bornheim (D008)
A Tragédia Grega
  Albin Lesky (D032)
Maiakóvski e o Teatro de Vanguarda
  Angelo M. Ripellino (D042)
O Teatro e sua Realidade
  Bernard Dort (D127)
Semiologia do Teatro
  J. Guinsburg, J. T. Coelho Netto e
  Reni C. Cardoso (orgs.) (D138)
Teatro Moderno
  Anatol Rosenfeld (D153)
O Teatro Ontem e Hoje
  Célia Berrettini (D166)
Oficina: Do Teatro ao Te-Ato
  Armando Sérgio da Silva (D175)
O Mito e o Herói no Moderno Teatro Brasileiro
  Anatol Rosenfeld (D179)
Natureza e Sentido da Improvisação Teatral
  Sandra Chacra (D183)
Jogos Teatrais
  Ingrid D. Koudela (D189)

Stanislavski e o Teatro de Arte de Moscou
  J. Guinsburg (D192)
O Teatro Épico
  Anatol Rosenfeld (D193)
Exercício Findo
  Décio de Almeida Prado (D199)
O Teatro Brasileiro Moderno
  Décio de Almeida Prado (D211)
Qorpo-Santo: Surrealismo ou Absurdo?
  Eudinyr Fraga (D212)
Performance como Linguagem
  Renato Cohen (D219)
Grupo Macunaíma: Carnavalização e Mito
  David George (D230)
Bunraku: Um Teatro de Bonecos
  Sakae M. Giroux e Tae Suzuki (D241)
No Reino da Desigualdade
  Maria Lúcia de Souza B. Pupo (D244)
A Arte do Ator
  Richard Boleslavski (D246)

Um Vôo Brechtiano
  Ingrid D. Koudela (D248)
Prismas do Teatro
  Anatol Rosenfeld (D256)
Teatro de Anchieta a Alencar
  Décio de Almeida Prado (D261)
A Cena em Sombras
  Leda Maria Martins (D267)
Texto e Jogo
  Ingrid D. Koudela (D271)
O Drama Romântico Brasileiro
  Décio de Almeida Prado (D273)
Para Trás e Para Frente
  David Ball (D278)
João Caetano
  Décio de Almeida Prado (E011)
Mestres do Teatro I
  John Gassner (E036)
Mestres do Teatro II
  John Gassner (E048)
Artaud e o Teatro
  Alain Virmaux (E058)
Improvisação para o Teatro
  Viola Spolin (E062)
Jogo, Teatro & Pensamento
  Richard Courtney (E076)
Teatro: Leste & Oeste
  Leonard C. Pronko (E080)
Um Atriz: Cacilda Becker
  Nanci Fernandes e Maria T. Vargas (orgs.) (E086)
TBC: Crônica de um Sonho
  Alberto Guzik (E090)
Os Processos Criativos de Robert Wilson
  Luiz Roberto Galizia (E091)
Nelson Rodrigues: Dramaturgia e Encenações
  Sábato Magaldi (E098)
José de Alencar e o Teatro
  João Roberto Faria (E100)
Sobre o Trabalho do Ator
  Mauro Meiches e Silvia Fernandes (E103)
Arthur de Azevedo: A Palavra e o Riso
  Antonio Martins (E107)
O Texto no Teatro
  Sábato Magaldi (E111)
Teatro da Militância
  Silvana Garcia (E113)
Brecht: Um Jogo de Aprendizagem
  Ingrid D. Koudela (E117)
O Ator no Século XX
  Odette Aslan (E119)
Zeami: Cena e Pensamento Nô
  Sakae M. Giroux (E122)
Um Teatro da Mulher
  Elza Cunha de Vincenzo (E127)
Concerto Barroco às Óperas do Judeu
  Francisco Maciel Silveira (E131)
Os Teatros Bunraku e Kabuki: Uma Visada Barroca
  Darci Kusano (E133)
O Teatro Realista no Brasil: 1855-1865
  João Roberto Faria (E136)
Antunes Filho e a Dimensão Utópica
  Sebastião Milaré (E140)
O Truque e a Alma
  Angelo Maria Ripellino (E145)
A Procura da Lucidez em Artaud
  Vera Lúcia Felício (E148)
Memória e Invenção: Gerald Thomas em Cena
  Sílvia Fernandes (E149)
O Inspetor Geral de Gógol/Meyerhold
  Arlete Cavaliere (E151)
O Teatro de Heiner Müller
  Ruth Cerqueira de Oliveira Röhl (E152)
Falando de Shakespeare
  Barbara Heliodora (E155)
Moderna Dramaturgia Brasileira
  Sábato Magaldi (E159)
Work in Progress na Cena Contemporânea
  Renato Cohen (E162)
Do Grotesco e do Sublime
  Victor Hugo (EL05)
O Cenário no Avesso
  Sábato Magaldi (EL10)
A Linguagem de Beckett
  Célia Berrettini (EL23)
Idéia do Teatro
  José Ortega y Gasset (EL25)

O Romance Experimental e o Naturalismo no Teatro
   Emile Zola (EL35)
Duas Farsas: O Embrião do Teatro de Molière
   Célia Berrettini (EL36)
Marta, A Árvore e o Relógio
   Jorge Andrade (T001)
O Dibuk
   Sch. An-Ski (T005)
Leone de'Sommi: Um Judeu no Teatro da Renascença Italiana
   J. Guinsburg (org.) (T008)
Urgência e Ruptura
   Consuelo de Castro (T010)
Pirandello: Do Teatro no Teatro
   J. Guinsburg (org.) (T011)
Canetti: O Teatro Terrível
   Elias Canetti (T014)
Um Encenador de Si Mesmo: Gerald Thomas
   Silvia Fernandes e J. Guinsburg (orgs.) (S021)

Teatro e Sociedade: Shakespeare
   Guy Boquet (K015)
Equus
   Peter Shaffer (P006)
Linguagem e Vida
   Antonin Artaud (PERS)
Eleonora Duse: Vida e Obra
   Giovanni Pontiero (PERS)
Aventuras de uma Língua Errante
   J. Guinsburg (PERS)
Memórias da Minha Juventude e do Teatro Ídiche no Brasil
   Simão Buchalski (LSC)
A História Mundial do Teatro
   Margot Berthold (LSC)
O Jogo Teatral no Livro do Diretor
   Viola Spolin (LSC)
Dicionário de Teatro
   Patrice Pavis (LSC)

Impresso nas oficinas da
Gráfica Palas Athena